Las siete tragedias

Sófocles

Las siete tragedias

Las siete tragedias

Sófocles

Edicion: 2005

Ediciones Leyenda, S.A. de C.V.
Ciudad Universitaria No. 11
Col. Metropolitana 2a. Sección
Ciudad Nezahualcóyotl
Estado de México
C.P. 57730
Tel.: 57 65 73 50, Tel./Fax.: 57 65 72 59

ISBN 968-5146-39-X

Miembro de la Cámara Nacional
de la industria Editorial, Reg, No, 3108

www.leyenda.com.mx
www.ediciones_leyenda@hotmail.com

Impreso en México - Printed in Mexico

PRÓLOGO

Sófocles nació en Colono Hípico (una pequeña aldea situada en la margen izquierda del río Cefiso), entre 496 y 494 antes de Cristo. Su padre, un próspero fabricante de armas, le dio una excelente formación literaria y humana. Para la declamación y el canto nos da testimonio de su capacidad el haber sido el que celebrara el triunfo de Salamina en nombre de todo el pueblo. Este destacado poeta griego se casó con Nicostrata, quien le dio un hijo, Yofonte, el cual siguió por los caminos de su padre, escribiendo también tragedias. Sófocles tuvo una amante, a la cual quiso, tal vez, más que a su esposa legítima. Ella, nativa de Sicion, y de nombre Teoris, le dio también un hijo, quien igualmente se dedicó a la tragedia. El pensamiento de Sófocles es muy valioso, pues pondera la necesidad de la disciplina y de la unión de los de abajo con los de arriba. Al contemplar al hombre, Sófocles ve dos aspectos: la suma dignidad de la persona humana y la inane y frágil existencia de los hombres. Áyax, Edipo, Filoctetes, son cada uno un ser de propia contextura y elevado sobre otros, en la hora de la suma amargura.

Poco antes de que muriera, discrepancias familiares perturbaron su pacífica vejez. Su hijo Yofonte quería que le despojasen de la administración de sus bienes por imbécil o demente. Pero las verdaderas razones de semejante demanda eran el desmedido cariño que este extraordinario poeta griego profesaba a un nieto suyo hijo de Aristón, llamado Sófocles como el abuelo, y los temores de Yofonte a perder, a causa de ese afecto, la legítima herencia. Llevado el pleito ante el tribunal de los frátores —especie de justicia municipal— y escuchado Sófocles, los jueces dictaminaron contra Yofonte.

Sófocles murió en el año 405 antes de Cristo, las circunstancias de su fallecimiento varían según los biógrafos. Algunos aseguran que se atragantó con una uva; otros aseveran que murió por un exagerado esfuerzo que realizó cuando leía un extenso pasaje de *Antígona*, y algunos más afirman que murió de una desmedida alegría manifestada por un triunfo conseguido. Lo cierto es que ningún otro poeta fue más amado por los atenienses. Sófocles, el triunfador, no cayó en la trampa de la presunción ni en la ceguera del orgullo.

Este poeta escribió más de cien piezas dramáticas, de las cuales se conservan siete tragedias completas y fragmentos de otras ochenta o noventa. Las siete obras conservadas, y que presentamos en este libro, son: *Antígona, Edipo Rey, Electra, Áyax, Traquinias, Filoctetes* y *Edipo en Colono*. También se conserva un gran fragmento del drama satírico *Los sabuesos*, descubierto en un papiro egipcio alrededor del siglo XX. De estas siete tragedias la más antigua es probablemente *Áyax*, a la cual le siguen *Antígona, Traquinias, Edipo Rey, Electra, Filoctetes,* y *Edipo en Colono*, en ese orden.

AYAX

Escenario

Campo de batalla donde acampan los griegos a orillas del Helesponto. Pabellón de Ayax.

PERSONAJES:
Atenea, diosa de la sabiduría.
Ulises, jefe griego.
Ayax, hijo de Telamón y rey de Salamina.
Tecmesa, esposa de Ayax.
Menelao, rey de Esparta.
Agamenón, general de los griegos.
Un mensajero.
Coro formado por quince marinos del ejército de Salamina.

PERSONAJES MUDOS:
Eurísaccs, niño hijo dc Ayax y Tecmesa.
El pedagogo que lo cuida.
Un heraldo que viene del ejército.

Al iniciar la tragedia, aparece Atenea y Odiseo, o Ulises, quien se encuentra reconociendo minuciosamente las huellas de unos pasos en el camino que conduce al pabellón.

ATENEA: ¡Precisamente así, siempre habré de verte! Tramando alguna trampa contra tus rivales, oh hijo de Alertes; ahora mismo te estoy viendo en las tiendas de Ayax, donde está la última fila de las embarcaciones aqueas, escudriñando y examinando las últimas pisadas de aquél, para saber si se encuentra o no dentro de la tienda. Bien te lleva tu olfato de perra de Laconia. Dentro está el hombre desde hace unos minutos, bañado en sudor su rostro y empapadas de sangre sus asesinas manos, hábiles en segar vidas con la espada. No mires más hacia adentro. Di más bien cuál es el motivo que te trae tan ansioso. Yo lo sé, puedo darte noticias.

Ulises: ¡Oh Atenea... la más venerada para mí de los dioses! ¡Cuán fácil de conocer me es tu voz, aunque seas invisible, y cómo la escucho vibrando en mi corazón, como el eco de la boquiférrea trompeta tirrenia! Ahora has penetrado con tu conocimiento. Efectivamente, voy y vengo, circuyo esta tienda en busca de un enemigo, de Ayax, el portador de escudo enorme. A él realmente y no a otro busco hace ya rato; porque esta noche, esta noche ha cometido un asesinato contra nosotros... Si efectivamente ha hecho él estas cosas, nosotros nada sabemos con certeza, sino que dudamos. Yo me he impuesto voluntariamente el deber de averiguarlo. Hace poco hallamos descuartizadas y degolladas todas las bestias de nuestro botín de guerra por manos de un hombre y confundidos en la muerte juntamente con ellas a los mismos que las custodiaban. Todo el mundo le acusa de este hecho, y a mí me lo acaba de decir un espía que le vio dando grandes saltos por el campamento, él solo empuñando la espada recién teñida en sangre. Yo, sin perder tiempo, voy persiguiendo sus huellas; reconozco bien unas, pero me quedo desconcertado ante otras, y no sé cómo hallar la verdad. No puedo dar con la persona que las dejó. Llegas, pues, oportunamente; que yo en todo, antes y ahora, me dejo siempre gobernar de tu mano.

Atenea: Lo sé, Ulises. Desde hace tiempo vigilo tu indagación. Heme aquí para ayudarte en la consecución de tu propósito.

Ulises: Venerada reina, ¿son acertadas mis pretensiones?

Atenea: Como que de ese hombre son estos hechos.

Ulises: ¿Y qué perversidad le impulsó a ejecutar tal obra?

Atenea: Su alma ha sido envenenada por las armas que se asignaron a Aquiles.

Ulises: ¿Y por qué se lanzó contra los rebaños de ovejas?

Atenea: Creía que empapaba sus manos en vuestra sangre.

Ulises: ¿Así que su intención era vengarse de los argivos?

Atenea: Y lo hubiera logrado, si me descuido.

Ulises: ¿Tanta era su osadía en su demencia insana?

Atenea: Arteramente por la noche, encubierto, traidor, preparaba el ataque él solo contra vosotros.

Ulises: ¿Y consiguió aproximarse y ponerse a punto de consumar su propósito?

Atenea: Logró aproximarse hasta las puertas de los dos generales.

Ulises: ¿Y cómo contuvo su mano deseosa de derramar sangre?

Atenea: Yo misma lo aparté con falsas imágenes a los ojos y lo lancé hacia los rebaños y toda clase de bestias aún no distribuidas, producto del botín guerrero. Cayó sobre ellos, haciendo espantoso descuartizamiento de los cornudos carneros, que destrozaba a diestra y siniestra. Las falsas imágenes le hacían creer que estaba acribillando a los dos átridas con su mano sanguinaria. Luego imaginaba que eran otros capitanes. Y cuanto más rabioso se hallaba, más azuzaba yo en sus entrañas el violento anhelo de exterminio. Más tarde, cuando detuvo su matanza, amarrando con cuerdas a los bueyes y demás bestias que quedaban vivas, los llevó a su casa, creyendo que conducía prisioneros y no un tropel de bestias, a las que en estos instantes, atadas dentro de la tienda, está martirizando. Aguarda: voy a mostrarte esta locura insana. Observa para que la cuentes a todos los griegos. No temas daño alguno de este hombre. Mantén la tranquilidad, que yo, desviando de sus ojos los rayos de luz, le impido que vea tu rostro.

La diosa se inclina hacia la puerta y habla a Ayax:

¡Ése... el que está atando a los prisioneros las manos a la espalda! Ven acá. A Ayax llamo. Sal frente a la casa.

Ulises: ¿Qué pretendes, Atenea? ¡No le pidas que salga!
Atenea: ¿No callarás y aguardarás sin temor?
Ulises: ¡No, por los dioses... déjalo dentro!
Atenea: ¿A qué temer? ¡Hombre es y...!
Ulises: ¡Fue mi enemigo... y lo sigue siendo!
Atenea: Y, ¿acaso no es lo más grato reírse de los enemigos?
Ulises: Para mí es suficiente con que esté dentro de la tienda.
Atenea: ¿Te aterra mirar cara a cara a un hombre loco?
Ulises: Si loco no estuviera, ningún miedo le tendría.
Atenea: Te aseguro que no ha de verte, aunque estés frente a él.
Ulises: ¿Cómo puedes asegurar esto, si ese demente está gozando de sus ojos?
Atenea: Yo se los cegaré para que no te vea.
Ulises: Todo puede ocurrir si un dios lo obra.
Atenea: Guarda silencio y continúa de pie.
Ulises: Lo haré... pero desearía huir.

Atenea a la tienda de Ayax:

Atenea: Ese Ayax, te llamo por segunda vez. ¿Ésta es la manera de proceder con tu aliada en la batalla?

Tras la puerta de la tienda aparece Ayax con un flagelo en una mano y en la otra una espada goteando sangre.

Ayax: Salve, Atenea; salve, hija de Júpiter. Es muy oportuna tu llegada. Con estos despojos, que transformaré en oro, te dedicaré una corona en gratitud por este botín.

Atenea: Muy bien has dicho, pero dime: ¿mojaste bien tu espada en la sangre de los argivos?

Ayax: Me envanezco de ello, no niego haberlo hecho.

Atenea: ¿Y descargaste toda la fortaleza de tu brazo sobre los átridas?

Ayax: De tal manera que jamás podrán injuriar a Ayax.

Atenea: ¿Han sucumbido los caudillos, según deduzco de lo que comentas?

Ayax: Y muertos ya, que me despojen de las armas.

Atenea: ¡Así sea! ¿Y qué ha ocurrido con el hijo de Laertes? ¿Pudo escapar de ti?

Ayax: ¿Preguntas por la suerte de ese astuto zorro?

Atenea: Sí, por Ulises, tu competidor, el que se para frente a ti.

Ayax: Es el prisionero que con mayor gusto tengo engrillado dentro de la tienda, ¡oh reina!, pues matarlo no quiero aún.

Atenea: ¿Qué intentas hacer antes, o qué más deseas lograr?

Ayax: Antes, dejarlo bien atado a una columna bajo mi techo...

Atenea: ¿Qué mayor tormento aún puedes propinar al infeliz?

Ayax: Antes que expire, he de despedazar su espalda con azotes de mi látigo hasta que derrame sangre...

Atenea: No tortures a ese desdichado de manera tan brutal.

Ayax: Siempre he complacido todos tus gustos, oh, Atenea...; sin embargo, ése sufrirá este castigo y no otro.

Atenea: Si esto te satisface, hazlo. No frustres tus planes.

Ayax: Únicamente te pido que seas mi aliada, como siempre lo has sido.

Ayax entra y se cierra la puerta.

Atenea: ¿Lo has visto, Ulises, cuán titánico es el poder de los dioses? ¿Has conocido algún hombre más juicioso que éste, o mejor dispuesto a obrar según las circunstancias?

Ayax: Jamás lo he conocido. Él me odia, empero, yo lo compadezco. Desdichado, ¡en qué desgracia está sumergido! Y no menos pienso en mí que en él. Y veo, pues, que nada somos cuantos vivimos, sino apariencias y sombras superficiales.

Atenea: ¿Lo comprendes, lo intuyes? ¡Nunca profieras palabra despectiva contra los dioses, ni dejes que te hinche la arrogancia!, aun cuando superes a los demás en la fortaleza de tu brazo, o en cuantiosa riqueza. Un día es suficiente para derrocar la humana grandeza y un día basta para encumbrarla. Los dioses adoran al hombre razonable y detestan a los presuntuosos.

Se marcha Atenea. Entra el coro. Son marinos de Salamina. Recorren el escenario dando vueltas y cantando.

Coro: ¡Hijo de Telamón, señor del suelo de la isla de Salamina, besada por las olas!, mi alegría se desborda cuando te veo dichoso, pero cuando el rayo de Júpiter, o un furibundo y maligno rumor de los dioses cae sobre ti, entristezco demasiado y me atemorizo como azorada paloma. Eso ocurrió aquella noche. Se asegura que tú fuera de juicio corrías por la pradera donde saltan y juegan los caballos y con tu espada despedazabas los rebaños, fruto del botín de guerra, que a filo de lanzas conquistamos, y aún no a cada uno se habían repartido; que iba tu espada lanzando destellos cuando corrías en rabioso arrebato. Tales cuentos se murmuran, inventados por Ulises, quien los va transmitiendo de oído en oído, y a todo el mundo convence. Dice, pues, de ti cosas fáciles de creer; y todo el que se las escucha se entusiasma más al oírlas, vilipendiándote en tu dolor; pues cuando uno se lanza a la calumnia de almas grandes, no deja de lograr su propósito. Pero si alguien dijera de mí tales cosas, a nadie convencería, porque sólo contra el mérito se arrastra la envidia. Y sin embargo, los pequeños sin los grandes son débil defensa de una fortaleza; sólo con los grandes el pequeño podrá fácilmente elevarse muy alto, aunque le ayuden otros más pequeños; pero no es posible que los necios aprendan de esto lecciones de prudencia. Tales son los hombres que en lenguas te llevan, y nosotros no les podemos contradecir, estando tú ausente, ¡oh rey! Pero cuando huyan cobardemente de tu presencia, chillarán como bandadas de cuervos; y como te temen, como a gran buitre, pronto, colmados de pánico, al punto que aparezcas, enmudecerán de pavor. ¿Acaso Diana, hija de Júpiter, en honor de la cual se ofrendan toros, ¡oh rumor terrible, padre de mi infancia!, te lanzó sobre los rebaños de bueyes, aún no repartidos, ya por no haberle ofrecido los honores de alguna victoria, o por no haberle cumplido las promesas de ilustres despojos, o de alguna cerval cacería? ¿Será que Marte, de sólido y robusto pecho, teniendo algún agravio contra tu justa lanza, vengó su ofensa con nocturnas confabulaciones? Pues jamás en tu cabal sentido hubieras ido tan siniestramente, ¡oh hijo de Telamón!, a caer sobre los rebaños. ¿Podrá ser ataque de enfermedad divina? ¡Líbrete Júpiter de ella, y Febo de la vileza de los argivos! Pero si es que secretamente propagan tu calumnia poderosos reyes o alguien de la execrable descendencia de Sísifo, no, no, ¡oh rey!, permanezcas así indolente en las marinas tiendas aceptando esos denigrantes rumores, sino sal de ese retiro, donde permaneces en ese prolongado y convulsivo reposo dando pábulo a la desgracia que te viene del cielo. Pues el descaro de los enemigos avanza sin temor como por canales con buen viento, mientras todos, burlándose de ti, te zahieren acerbamente, y a mí me agobia el dolor.

Aparece Tecmesa.

TECMESA: Marinos obreros de la nave de Ayax, descendientes de los erectidas, tenemos que clamar, los que llevamos en el espíritu la casa de Telamón, incluso aquí en lejana tierra, porque ahora mismo el temible, esforzado y valiente Ayax yace enfermo en trance desesperado.

CORO: ¿Qué nueva calamidad trajo la noche que pasó? Habla, hija del frigio Teleutante, ya que el apasionado Ayax, luego de hacerte prisionera, te tiene para que le alegres el lecho: así que puedes hablar, tú que estás bien enterada de todo.

TECMESA: ¿Cómo he de decir palabras que no se pueden pronunciar? Idéntica a la muerte es la desgracia que nos ha acaecido. Escúchala. Esta noche invadió la locura a Ayax. Abrumado lo dejó, al ilustre; lo corroe la infamia. Tales cosas puedes ver dentro de la tienda: cuerpos bañados en sangre, decapitados y descuartizados; víctimas todos de la mano de tal hombre. ¡Ése es el sacrificio que ha ofrecido!

CORO: ¡Oh qué noticia tan clara me das de tan bestial héroe! Me angustia y no puedo desoírla... Eso mismo dicen los dánaos, eso mismo pregona la maligna conseja. ¡Pobre de mí! Temo lo que se me viene encima. Morirá el famoso varón, luego de matar con rabiosa mano, armada de horrorosa espada, a las bestias y pastores que las guardaban.

TECMESA: ¡Pobre de mí...! De allí me vino con las bestias atadas como prisioneros. Dobla a unas hasta el suelo y las degüella; a otras, cortándolas por en medio, las partió en dos pedazos. Dos carneros de patas blancas se reservó. Le cortó a uno la lengua y la cabeza, que lanzó en seguida; al otro, bien atado a una columna, estirado cuanto pudo, lo está azotando con doble látigo y lo está insultando con palabras tan soeces, que un demonio y no hombre alguno le enseñó.

CORO: Ha llegado el momento en que, cubierta la cabeza, cada uno de nosotros huya furtivamente a esconderse donde pueda. Ha llegado el momento de que, en el banco de la nave y cogiendo el fugaz remo, sentados iniciemos la huida apresurada, por los senderos infinitos del mar. Los dos átridas rebosantes de rabia van a emprender la realización de sus amenazas contra nosotros... Temo morir apedreado, padeciendo los golpes con éste a quien inhumano destino agobia.

TECMESA: Por el momento no; pues como se tranquiliza el despiadado huracán luego de rugir con furia, cuando cesan los deslumbrantes relámpagos, así ahora él, vuelto en su sentido, enfrenta una nueva pena; pues el ver sus propias desgracias, de las cuales él solo es el culpable, grandes dolores le ocasiona.

CORO: Si está tranquilo, pienso que todo será en bien. Desgracia que se aleja, menos martiriza.

TECMESA: Si te permitieran escoger, ¿qué elegirías? ¿Tal vez llorar mientras vieras gozando a los amigos, o apiadarte soportando con ellos la desgracia común?

CORO: Las dos cosas, ¡oh mujer!, son una desgracia terrible.

TECMESA: Pues yo, sin padecer el mal, me encuentro sumida en la angustia.

CORO: ¿Qué has dicho? No comprendo lo que quieres decir.

TECMESA: Este hombre, mientras estaba loco, se deleitaba en medio de sus infortunios, llenando de angustia a quienes estábamos sanos. Pero ahora, cuando el mal ha desaparecido, cuando halla reposo en su furor, está dominado por la mayor pena y de la misma manera que él sufrimos nosotros y no es menor nuestro martirio que antes. ¿No es esto doble desdicha en vez de una sencilla?

CORO: Tienes razón, y sospecho que esta desgracia venga de algún dios. ¿Cómo es que, una vez librado de la locura, no se entrega a la alegría? ¡Tan apesadumbrado está como antes!

TECMESA: Esto es lo que sucede y es conveniente que lo sepas.

CORO: ¿Cuál fue la causa de la desgracia? Si compartimos contigo las penas, debes revelárnosla.

TECMESA: Te revelaré todo, como interesado que estás en ello. En la última parte de la noche, cuando ya no brillaban los vespertinos astros, blandiendo una espada de dos filos, se puso el hombre rabioso como una fiera, deseando lanzarse sin rumbo fijo ni juicio por los solitarios caminos. Yo me asusté y le dije: "Ayax, ¿qué pretendes? ¿Qué empresa vas a acometer a deshora, sin haber venido a llamarte ningún mensajero ni escuchar trompeta alguna? Todo el ejército en el sueño reposa." Él me contesta con concisas palabras su eterna cantinela: "Mujer, en las mujeres, el silencio adorno es." Yo, que lo sabía, guardé silencio, y él salió solo. Y allá, ¿qué le sucedió? No lo sé. Volvió a poco empujando ante sus ojos, en gran confusión, toros, mastines protectores del rebaño y carneros lanudos. Y a unos degüella, a otros despedaza y a otros, atados, los azota en espeluznante ilusión de que son hombres. Finalmente, saliendo de la tienda, comenzó a platicar con un fantasma, lanzando denuestos, unos contra los átridas y otros contra Ulises, acompañados de sonoras carcajadas, según era la insolencia que en ellos acababa de castigar. Pero... poco después, retorna a la tienda y tras prolongado trabajo recobra el sentido. Vio el extenso recinto cubierto de cadáveres y se sentó a reflexionar. Comenzó a llorar golpeándose la cabeza; y cayendo sobre los destrozos de los cadáveres de la ovejuna matanza, comenzó a arrancarse desesperadamente con las uñas los cabellos. Guardó silencio durante varios segundos. Pero luego contra mí dirigió sus injurias. Me dijo muchos insultos y me ordenó que le confesara qué había ocurrido. Temblorosa por lo sucedido le dije todo cuanto sabía, y él, en seguida, prorrumpió en tristes lamentaciones, que jamás hasta entonces le había oído, pues siempre decía que tales lamentos eran propios de cobardes y de personas de espíritu soez; porque él, sin que se le oyeran agudos gemidos, se lamentaba siempre como un toro cuando brama. Y, ahora, allí está, agobiado por aciago destino. No come ni bebe. Tampoco se mueve siquiera entre aquel montón de cuerpos de bestias descuartizadas por su misma mano y espada. Es evidente que anhela cometer algo malo, según las cosas que dice y los lamentos que lanza. Pero, amigos, puesto que para enterarlos de esto me llamaron, entren en la tienda y ayúdenme, si es que pueden; porque hombres como éste se dejan derrotar por las razones de los amigos.

CORO: Tecmesa, hija de Teleutante, trágica noticia nos das al decir que el hombre se encuentra horrorizado por las acciones que ha cometido.

Se oye dentro la voz de AYAX:

AYAX: ¡Ay, ay, pobre de mí!

TECMESA: Aumenta el mal. ¿No lo escuchaste? ¿No percibes cómo clama?

AYAX: ¡Ay, ay, pobre de mí!

CORO: Trastornado está aún. O se atormenta por el mal que a la cara se le echa.

AYAX: ¡Niño, niño... mi vida!

TECMESA: Ay desdichada de mí... Es para ti, Eurísaces, para quien clama él. Pero, ¿ha tornado a juicio? ¿Dónde se encuentra? ¡Infeliz de mí!

AYAX: Teucro, te llamo a ti. ¿Dónde está Teucro? ¿Estará saqueando a los vencidos todo el día, mientras yo me estoy derrumbando?

CORO: Parece que el hombre está cuerdo. Abre, pues, quizá al vernos retorne su buen juicio.

Se abre la puerta. Se ve a Ayax en medio de sus bestias descuartizadas.

AYAX: Queridos marineros, mis únicos amigos leales que en el mundo pude encontrar, vean qué descomunal oleaje ensangrentado me rodea y empuja por todas partes.

CORO: ¡Pobre de mí! ¡Cómo, por lo que se ve, lo estás atestiguando de manera indudable! Sus acciones y él mismo demuestran cuán loco está.

AYAX: ¡Oh grupo de ayudantes del arte naval, los que llegaron azotando infatigablemente los remos por la llanura del mar...! Nadie más, sino ustedes, me han sido fieles en esta desgracia... ¡Pero quítenme la vida!

CORO: Habla piadosamente. No sea que para tu llaga sea más nefasto el remedio.

AYAX: ¿No miras al audaz, al corpulento, al indómito, al que ante los muertos en ruina jamás cejar pudo? ¡Y ahora ferozmente ha aplacado su rabia en indefensas bestias! Ah, me torné en ridículo. ¡Qué vergüenza para mí!

TECMESA: ¡Oh Ayax, oh mi dueño..., te lo suplico... no digas eso!

AYAX: ¿Todavía no estás fuera? ¡Largo, largo de aquí! ¡Ay, pobre de mí!

TECMESA: ¡Por los dioses, tranquilízate y recapacita!

AYAX: ¡Ay desgraciado de mí, que me abstuve de descargar toda la furia de mi mano en los criminales, pero sacié cruelmente mi ira derramando sangre de cornudos bueyes y hermosos carneros!

TECMESA: ¿Y por qué has de sufrir por cosas que ya han ocurrido? Imposible es ya conseguir que sean de otra manera.

AYAX: ¡Y tú viéndolo todo, tú, mal hijo de Laertes, el que mayores males urdir sabe, zupia repugnante del ejército, con qué deleite perpetuo de mí te estarás burlando!

CORO: Según quiera dios, todo el mundo ríe o llora.

AYAX: ¡Si yo lo viera ahora, aunque tan desconsolado como estoy! ¡Ay, pobre de mí!

CORO: Nada de presunciones profieras: ¿acaso no adviertes la desgracia en que te encuentras?

AYAX: ¡Oh Júpiter, padre primero de mis primeros ancestros!, ¿cómo podré aniquilar a ese astuto zorro y a los reyes átridas unidos a él para morir yo después?

TECMESA: Ya que eso imploras, ruega también que yo muera contigo: ¿para qué vivir si tú has muerto?

AYAX: ¡Oh, averno, que eres mi luz! ¡Oh infierno, colmado de resplandores, tal como soy, ojalá me tuviesen habitando ya entre ustedes! Ya ni a dioses ni a hombres que pasan como la sombra puedo fiar mi esperanza. La potente hija de Júpiter me injuria de la manera más perversa. ¿A dónde pudiera yo huir?, ¿en dónde pudiera hallar refugio? Porque si me falta la consideración de los amigos, objeto de mis respetos, y en insana cacería me he metido, todo el ejército arrojándose sobre mí con injurias y con lanzas en mano, me cazará.

TECMESA: ¡Desdichada de mí! ¡Que un hombre tan valeroso diga tales cosas, jamás oí de sus labios!

AYAX: ¡Oh, oh... estrechos donde el mar ruge, cavernas que el mar ha cavado, llanuras que lavan las aguas... Largo ha sido el tiempo en que estuve aquí a tu lado, en esta troyana costa... No más, no más me retendrás aspirando vigoroso aliento...! Piense así quien tenga juicio. Oh corrientes del Scamandrio tan contiguas para mí, tan generosas a los argivos, ya no verán a un hombre así. Un hombre como no se vio en Troya —puedo gritarlo convencido—, ya que ninguno de los venidos conmigo igualarse pudo. ¡Y ahora estoy extenuado, hecho polvo yazgo en tierra!

Coro: ¿Dejarte hablar, prohibirlo? ¿Qué puedo hacer? ¡En tan profunda desgracia te hallas sumido!

Ayax: ¡Ay, ay!... ¡Ayax, mi nombre profético de infortunios hubo de ser! ¡Llegó el momento de decirlo dos y tres veces dando ayes, cuando la desventura me sojuzga! ¡Luego de haber conseguido las más brillantes proezas de la expedición, mi padre retornó a su patria desde esta misma tierra cargado de honras! Y yo también llegué a la tierra de Troya, ni menos valiente, ni menos fuerte que mi padre: hazañas semejantes a las suyas he llevado a término... y he de sucumbir ahora sin gloria, con deshonor entre los argivos. No obstante, tengo la certeza de que, ¡si viviera Aquiles, si se le preguntara a quién le correspondía que le fueran entregadas sus armas, a nadie hubiera designado, sino a mí! Pero ahora los átridas las han otorgado a un astuto y mañoso urdidor de calumnias, despreciando mi varonil valor. Y si mis ojos y mi mente al par confundidos no me hubieran arrojado fuera de mis programas de acción, jamás hubieran dado un dictamen contrario a la justicia para un hombre. Pero la hija de Júpiter, diosa indomable y de horroroso aspecto, cuando iba yo a descargar mi poderosa mano sobre los mismos, me desvió, causándome rabiosa enfermedad, que me llevó a ensangrentar mis manos en indefensas bestias. Y ellos, mis enemigos, han escapado y desde lejos se burlan de mi engaño, pero no por mi voluntad, porque si se interpone un dios, puede muy bien el cobarde escapar ileso ante el valiente. Y ahora ¿qué debo hacer? Detestable soy a los dioses, abiertamente. Me odia el ejército de los helenos. Me repudia Troya entera y estas mismas llanuras. ¿Retornaré a mi casa, atravesando el océano? ¿Abandonaré a los átridas solitarios? ¿Cruzaré el mar Egeo? ¿Pero con qué cara me presentaré ante Telamón, mi padre? ¿Resistirá fijar en mí sus ojos, cuando advierta que vuelvo sin trofeos de mi valentía? ¿Él que retornó investido con gloria inmarcesible? Esto no puedo tolerarlo. ¿Me marcharé solo, yo solo, y arrojándome sobre las fortificaciones de Troya, realizaré gloriosa hazaña que ponga fin a mi vida? ¡Y cómo se alegrarán de ello los átridas! No puede ser. Es necesario emprender alguna hazaña que demuestre a mi anciano padre que no recibí de él, al ser procreado, una naturaleza sin entrañas viriles. Deshonroso es que goce de larga vida el hombre que no intenta salir de la desgracia. ¿Qué bien contiene agregar día a día acumulándola, si no es el aproximarla cada vez a la muerte? Para nada aprecio al mortal que aviva y se nutre de falsas ilusiones, porque o vivir con honra o morir heroicamente, es lo que debe hacer el bien nacido. Ya has escuchado mi resolución.

CORO: Nadie puede afirmar que has hablado con falsedad. ¡Oh Ayax, desde lo más profundo de tu pecho hablaste sin hipocresía! Sin embargo, serénate y acepta que tus amigos que bien te quieren ordenen tus propósitos, haz a un lado tus negros proyectos.

TECMESA: Príncipe AYAX: no hay desgracia mayor para los hombres que la esclavitud. Fui engendrada por un padre libre, y demasiado opulento, a tal grado que los frigios todos igualar no podían. Y ahora soy tu esclava; así lo demandaron los dioses y más aún tu poderoso brazo. Desde entonces he compartido contigo el lecho, únicamente lo tuyo es bueno para mí. Y así te lo ruego por Júpiter que ampara el fuego de nuestro hogar y por el lecho donde te unes conmigo, no me expongas a agravios ignominiosos, que pronunciarán tus contrarios, ni me dejes caer bajo la tiranía de un desconocido. Ah, si tú falleces, si me dejas desamparada, piensa que el mismo día, también a mí me arrancarán por la fuerza los argivos y he de comer el pan de las esclavas juntamente con tu hijo. Y habrá quien diga de entre los magnates estas amargas palabras que cual lanza me hieran: "Mírala: es la concubina de Ayax, el más valiente de los capitanes del ejército: sierva es ahora, ella la que tantos envidiaban." Así dirán, y a mí me llevará el demonio; y contra ti y contra tu hijo se lanzarán tan ofensivas palabras. Y más todavía: ¡piensa en tu padre, a quien en tan lamentable vejez dejarás!; piensa en tu madre, que durante varios años ha vivido oprimida; ella que día con día eleva sus súplicas a los dioses para que te permitan retornar sano a tu hogar... Apiádate, oh príncipe, de tu hijo, que vivirá solitario, desprovisto de los cuidados de la crianza en su infancia sin ti, subyugado a tutores que no lo quieren... ¡En qué desgracia nos dejas a él y a mí, si mueres! ¡Yo no tengo quién me proteja, sólo tú! Tú destruiste mi patria con tu lanza. La parca inclemente me arrebató, privándoles la vida, a mi padre y a mi madre y los llevó hasta el Hades, convertidos en muertos, moradores de las penumbras. ¿Sin ti, qué patria tengo?, ¿sin ti, cuál es mi patrimonio? En ti está mi vida toda. Entonces... al menos ten un pensamiento para mí. Tiene el hombre que ser agradecido con quien algún favor le hizo. Justo es que el hombre reconozca el buen trato que haya recibido, pues la gratitud siempre engendra agradecimiento. Quien olvida el bien que se le ha hecho, demuestra ser de mala casta.

CORO: ¡Oh Ayax, yo quisiera que te sintieras tan fascinado como yo lo estoy! ¡Con qué vigor admitirías lo que esta mujer ha dicho!

AYAX: En efecto, elogiarla quiero, si está presta a obedecerme en lo único que le he ordenado.

TECMESA: Pero, querido Ayax, ¿acaso no he sido siempre presta a tus mandatos?

AYAX: Entonces, tráeme aquí a mi hijo para que lo vea.

TECMESA: La verdad es que sentí mucho miedo y de aquí lo he sacado.

AYAX: ¿Sé más explícita? ¿Por la desgracia que cayó sobre mí?, o ¿qué es lo que intentas?

TECMESA: Ay, yo temía su muerte si tropezaba contigo.

AYAX: Hubiera podido ocurrir, según es mi locura.

TECMESA: Por eso lo puse a salvo de tus miradas.

AYAX: Exalto tu sagacidad prudente y tu diligencia.

TECMESA: Y ahora, ¿en qué otra cosa más puedo ayudarte?

AYAX: Tráemelo para que lo vea, para que le hable cara a cara.

TECMESA: Aquí está cerca, custodiado por los criados.

AYAX: ¿Y por qué demora tanto en llegar?

TECMESA: Hijo, tu padre te llama. Tráelo hasta aquí, tú, siervo, que lo guías de la mano.

AYAX: ¿Viene o no viene ya ése a quien se lo ordenas, o no ha escuchado tus palabras?

TECMESA: Ya está allí el criado que lo trae.

Llega el siervo con el niño.
Tecmesa lo toma y lo pone en brazos de Ayax.

AYAX: Álzalo, álzalo bien y dámelo, que no ha de impresionarse al ver tanta sangre derramada, si en realidad es mi hijo. Es conveniente que desde niño sea educado en las severas normas de su padre y que le iguale en valentía. Hijo de Ayax, que iguale a Ayax. ¡Hijo mío, ojalá seas más dichoso que tu padre; y en todo lo demás, igual! Jamás seas cobarde. Un don te envidio ahora: eres inconsciente a tus desgracias. La vida más dichosa es la de ser inconsciente a sus desdichas. Ha de llegar el día en que conozcas el valor real del placer y el dolor. Y cuando ese día llegue, será necesario que te presentes ante el enemigo digno del padre que te dio la vida; y mientras tanto, vive con armonía y naturalidad y regocíjate de que eres la alegría de tu madre. Yo bien lo sé: de los aqueos ninguno se atreverá a ofenderte con sangrientas injurias, aunque yo te haya abandonado. Yo te dejo un vigilante hercúleo para que te guíe, aunque alejado se encuentre en caza de enemigos. Ese bienhechor es Teucro. Ea, marinos, soldados, mis amigos, id y declaradlo a Teucro. Venga y tome este niño y lo lleve, por mi encargo y orden, a la casa paterna y lo presente a Telamón y a Eribea, mis padres, para que él los alimente en la vejez hasta que lleguen a la mansión del dios infernal. Y acerca de mis armas, ordeno que no sean puestas a público certamen por los jueces aqueos y mucho menos vayan a dar a manos de mi enemigo, autor de mi desgracia. Hijo mío, Eurísaces, adoptando mi mismo sobrenombre, guarda mi infrangible escudo de siete cueros de buey, envolviéndote en sus bien cosidas telas. ¡Y el resto de las armas entiérrense conmigo...! Mujer, ahora toma al niño y enciérrate en la tienda. ¿Para qué llorar aquí a la entrada? ¡Muy inclinada eres a llorar, mujer! Cierra pronto la entrada. Un médico inteligente no entona conjuros ante un tumor que pide bisturí.

Coro: Me atemoriza tu exaltada actitud. No me place tu destemplada lengua.

Tecmesa: Ayax, mi rey, ¿qué maquinas?

Ayax: No lo preguntes ni indagues, ¡qué seductor es ser prudente!

Tecmesa: ¡Pobre de mí... enajenado tengo el espíritu! Te imploro por tu hijo y por los dioses que no nos arrojes a la desgracia.

Ayax: ¡En exceso me importunas! ¿Acaso no sabes que a los dioses no les debo ningún favor?

Tecmesa: No blasfemes.

Ayax: ¡Dilo a quien te oiga!

Tecmesa: ¿Pero, tú, no cederás?

Ayax: ¡Calla...! Estás hablando de más.

Tecmesa: Estoy asustada, eso es, rey mío.

Ayax: Pronto, ustedes... ¿por qué no la encierran?

Tecmesa: ¡Por los dioses, conmuévete!

Ayax: Estás loca... ¿pretendes ahora corregir mi alma? ¿Acaso crees que soy un niño?

Entran a la tienda, cada uno por su lado; la mujer con el niño se encamina hacia el departamento de las mujeres.

Coro: ¡Insigne Salamina, qué dichosa te adviertes, besada por las olas del mar, y gloriosa en toda región y para siempre! Sin embargo yo, desventurado, hace tanto tiempo que en estas planicies del Ida espero, sin embargo, una vana ilusión me consume sin atisbo siquiera de realizarse... y ¿qué espero? ¡Que un día descienda yo al averno tétrico al fin! ¡Y aquí yace Ayax conmigo, sin ninguna ilusión de curarse!, ¡ay, ay pobre de mí! La divina locura lo avasalla. Ayax, a quien tú mandaste y triunfante salió en los temibles combates, privado ahora de razón, es el llanto de sus amigos. Las grandes hazañas de su brazo antiguo colmado de valor, bellas hazañas a los ojos ingratos de los aqueos nada son, ya no tienen valor. Y su madre que le amamantó, blanqueada su cabeza ya por la vejez, cuando se entere que éste ha perdido la sensatez, no exhalará la desventurada suaves lamentos, ni tiernos gorjeos como herido ruiseñor, sino que prorrumpirá en cantos de intensísimo dolor, golpeándose con las manos. ¡Cuánto mejor se hallara en la tenebrosidad del Hades el que en delirio sumergido yace! ¡Él de tan ilustre estirpe por la paterna línea, de la progenie aquea, él de tan grandes hazañas, hoy derrumbado por locura insana que su mente extravía! ¡Padre desventurado: qué mal se te reserva saber de tu hijo! ¡Nadie, nadie hasta ahora tuvo tal suerte y destino atroz en la progenie de Eaco!

Sale Ayax de la tienda.

AYAX: Todo ese tiempo que nadie contar puede en sus eternos movimientos, todo lo saca a luz y lo presenta, y todo finalmente de nuevo lo sumerge en la penumbra. Nunca decirse puede: "Eso no sucederá." Hasta el más vehemente juramento, incluso la voluntad entera y tenaz..., todo expira al final y queda yerto. ¡Entonces yo, que soportaba antes las tribulaciones más infames como el acero templado, he suavizado la severidad de mis palabras ante esta mujer. Ahora siento angustia y piedad profunda cuando pienso en abandonarla, viuda ya, y al niño, a mi hijo, en manos enemigas...! Voy, pues, a los baños y a los prados de la orilla para ver si lavando bien todas mis manchas, quedo libre de la terrible rabia de la diosa. Y he de escapar después a tierra que jamás profanaron humanas plantas y en un hoyo enterraré mi espada —¡maligna espada!— donde jamás encontrarla puedan. La noche y el averno serán sus guardianes. Desde que de la mano de mi mayor enemigo, del valiente Héctor, recibí esta espada, todo ha sido para mí nefasto: ya nada a los ojos de los argivos pude hacer que fuera meritorio. Cuán verdadera es la sentencia corriente entre los seres humanos: "Regalo de enemigo, ni es regalo ni cosa que te sirva de provecho." Así, pues, para lo futuro aprendamos a obedecer los mandatos de los dioses, y también a respetar a los átridas. Jefes son, entonces, hay que acatar sus órdenes. ¿Por qué no? Lo más terrible, lo más prepotente a leyes se somete. De esta manera, el invierno en nieves arropado da lugar al estío, que se cuaja de frutos; el lúgubre ciclo de la noche huye ante los albos corceles, para que la luz se derrame en los resplandores del alba; el soplo de suave viento aplaca al mar que brama en sus oleajes, y el sueño poderoso nos subyuga, para dejarnos después sin sus esposas, libres de su poderío. ¿Cómo, entonces, nosotros no plegarnos a tal norma de discreta conducta? Sé que el odio que he de tener al enemigo no ha de ser tanto que me impida que mañana se trueque en amigo, y que he de intentar servir al amigo con la idea de que no siempre ha de continuar siéndolo. ¡Para la inmensa mayoría de los seres humanos fue la amistad un puerto que decepciona! Y basta ya acerca de esto. Tú, mujer, entra corriendo dentro y suplica a los dioses para que mi corazón logre el cumplimiento de sus deseos; y a Teucro, si viene, decidle que se interese por mí y piense también en vosotros. Voy adonde ir debo. Haced vosotros lo que dicho tengo. Ya lo sabréis acaso: este hoy desventurado habrá cobrado su salud completa.

Se marcha Ayax.

Coro: ¡Me siento loco de alegría, brinco de radiante anhelo! ¡Oh, oh, Pan, Pan! ¡Oh Pan, Pan, que vagabundeas por el mar! Desde el nevado y rocoso cerro de Cyllene, ven aquí, ¡oh rey!, inventor de los coros de dioses, para bailar conmigo las danzas de Nisa y de Cnoso, que tú mismo me enseñaste. ¡Ahora bailar, bailar es lo que deseo: que el Delio Apolo rey, cruzando el mar de Ícaro, simpático y adulador se me muestra y venga a unirse conmigo, obediente a mis anhelos para siempre! Alejó de mis ojos Marte la espantosa y triste vista de desgracias. Ahora, sí es una vez más, oh Júpiter, el momento en que resplandece la delicada luz para las naves que ligeras van a cortar las ondas, porque Ayax, libre de su dolencia, los honorables ordenamientos de los dioses cumplió, respetándolos con la mayor caridad. Todo lo madura la fuerza del tiempo, y nada diré que no pueda aseverarse, cuando, contra lo que esperaba, Ayax se retractó de su ira y terribles injurias contra los átridas.

Un mensajero llega.

Mensajero: Apreciados amigos, en primer lugar quiero informaros que Teucro acaba de llegar de las cimas de Misia, y cuando por el campo iba pasando, lo han insultado los átridas. Se enteraron de que hacia acá se dirigía y en apretado círculo lo estrecharon y todos a una voz procaz decían: "Es el hermano del loco, es el traidor de todo el ejército: ni muerto lapidado expiar puede sus traiciones." Tan compleja se tornó la situación que quedaron desnudas las espadas, y si la contienda no pasó más adelante, fue por la mediación y exhortaciones de los honorables ancianos. Pero... ¿Ayax, dónde está? ¡Debo notificarle esto! Obligación de lacayo es informar todo a sus amos.

Coro: Dentro no está: salió hace unos momentos con nuevas resoluciones; mudado ha sido su pensamiento.

Mensajero: ¡Demonios, he llegado tarde! Tarde me mandó quien me dio este mensaje, o tal vez caminé lentamente.

Coro: Y ¿qué motivo hay para lamentar esa demora?

Mensajero: Ordena Teucro que detengamos al hombre dentro de la tienda, en tanto él llega.

Coro: Él se ha marchado, resuelto por la mejor determinación que podía tomar, reconciliado ya con los dioses y libre de la locura.

MENSAJERO: Tus palabras están colmadas de locura, si de Calcas no han de fallar las predicciones.

CORO: ¿Qué? ¿Tú sabes de estos hechos?

MENSAJERO: Mucho sé: frente a mí han ocurrido. De la reunión que sostenían los supremos jefes del ejército, se levantó Calcas solo sin que le acompañara ningún átrida; y estrechando su diestra afectuosamente con la de Teucro, le recomendó que por todos los medios posibles se mantuviese, durante el día que nos está alumbrando, a Ayax dentro de la tienda, sin permitirle salir, si es que deseaba verle vivo. Que en este día únicamente lo ha de importunar la cólera de Atenea. Eso a él le reveló el oráculo. A los de hercúleo cuerpo y soberbias pretensiones los dioses los empujan a la perdición y ellos mismos eligen su desastre. Hombres son y no piensan como hombres. Él actuó desequilibrado y rebelde desde el día en que dejó su hogar. No atendió con sumisión la palabra de su anciano padre: "Hijo mío, con tu lanza has de intentar avasallar; pero siempre con el consentimiento de los dioses." A lo que testaruda y arrogantemente contestó él: "Padre, con la ayuda de los dioses, hasta el hombre más torpe logra la victoria; pero yo, incluso sin ellos, creo que conseguiré esa gloria." Ésa fue la inicial petulancia. Y otra vez dice a Atenea que le exhortaba a descargar todo el poder de su brazo contra sus enemigos: "Reina, ve a asistir a otros de los argivos: yo estoy firme aquí: no recularé en la batalla." Con tales respuestas se ganó la inclemente ira de la diosa, por no pensar como conviene al hombre. Pero si pasa el día de hoy, habremos logrado salvarle con el auxilio de la diosa. Éste es el augurio del vate. Al momento Teucro me envió con esta orden: que no dejemos salir de su tienda a Ayax, pues si lo permitimos, él mismo se quitará la vida, si es que Calcas acierta en su vaticinio.

CORO: ¡Ah desdichada Tecmesa! ¡Desgraciada mujer! Ven para que escuches estas nuevas. Son daga las palabras de este hombre. El trance es tan apurado que a nadie debe alegrar.

TECMESA: ¿Para qué llamas nuevamente a esta desdichada, que todavía no se ha librado de las penas que incesantemente la atormentan?

CORO: Escucha a este hombre que acaba de llegar, trae malas noticias relacionadas con Ayax.

TECMESA: ¡Pobre de mí...! ¿Qué me dices, hombre? ¿Estamos perdidos?

MENSAJERO: Desconozco cuál sea tu suerte; sólo sé que si Ayax se encuentra fuera, no me alegro de ello.

TECMESA: Fuera está él, así que para mortificarme, ¿qué amargura me anuncias?

MENSAJERO: Ordena Teucro que sea mantenido dentro de la tienda y no se le permita salir solo.

Tecmesa: ¿Teucro? ¿En dónde está Teucro? ¿Y por qué ordena eso?

Mensajero: Hace unos minutos llegó y piensa que esa salida de Ayax puede serle mortal.

Tecmesa: ¡Desgraciada de mí...! ¿De qué hombre lo sabe?

Mensajero: El adivino, hijo de Testor, pronosticó que este día se resuelve el destino de Ayax: o vida o muerte.

Tecmesa: ¡Ay, ay, amigos!, socórranme ahora contra la crueldad del destino; vayan deprisa unos en busca de Teucro, para que llegue lo más rápido que pueda; otros encamínense por el Occidente y el Oriente hasta la costa y busquen y rebusquen hasta que encuentren a ese hombre que acaba de salir. Es nuestro jefe. ¡Fatal salida! Ya advertí que él me engañó y que he perdido la seducción que antes le infundía. Hijo, mi hijo, ¿qué hago? ¡No debo retrasarme! ¡Iré yo también a buscarle mientras que el aliento me sostenga! ¡Corramos, pues! No debe quedarse sentado quien quiera salvar la vida a un hombre que se apresura a matarse.

Coro: En pie de marcha estoy, lo demostrarán mis hechos, no sólo mis palabras. Con la urgencia del hecho van acordes mis pies.

Sale Tecmesa y detrás de ella el Coro.

CUADRO SEGUNDO

Escenario

Un sitio solitario cerca del mar. Ayax acaba de fijar su espada en el suelo, afianzando la empuñadura y con la hoja erguida. Escasos matorrales hacen menos desolada la escena.

Ayax: El homicida de hierro está listo para dar muerte. Su afinado filo realizará magníficamente su misión... Esta espada es regalo de Héctor, el hombre que más aborrezco, y el extranjero a quien más execrable vi. Clavada está en la enemiga tierra de Troya, recién afilada con la piedra que afina el acero. Se encuentra bien fija, con cuidado la coloqué en forma tal que al dejarme caer sobre ella de un tirón me mate. Efectivamente, todo, todo dispuesto está. Y tú Júpiter debes ser el primero en ayudarme. No te pediré mucho, solamente que envíes un mensajero a Teucro para que le dé esta noticia. Quiero que él sea el primero en arrancarme de esta filosa espada que habrá cuajado mi sangre. Él antes y no algunos de mis enemigos, que me vea y me tome para no ser lanzado a los perros y a los buitres. Esto es lo único que te pido. También pido ayuda a Hermes, a fin de que me guíe por los caminos del mundo de los muertos. Que me aletargue, que me suavice la muerte, que garantice que yo con preciso salto destroce mi pecho sin titubeos al lanzarme sobre esta espada. Pido también ayuda a las doncellas perennes, quienes con indormibles ojos ven el dolor humano, y a las Erinas de hábiles y rápidas piernas, que severas atisban hacia el crimen. ¡Vean cómo muero, vean este crimen de los átridas! Ojalá también a ellos los arrebaten y los lleven sin piedad y que todos ellos sucumban, sí, sucumban sin honra y sin dignidad. Hallen la muerte de vergüenza ellos, como yo me la doy. Y ellos no a manos de seres enemigos, sino a manos mismas de los hijos que más aman. ¡Escuchen, Erinas, vengadoras y raudas perseguidoras del crimen. Vuelen, no perdonen, recorran todo el ejército, no perdonen a nadie! ¡Y tú, oh Sol, tú que te desplazas en tu brillante carro por los cielos, cuando veas la tierra de mis padres, detén tu marcha, demora la dorada rienda, anuncia mi desgracia, e infórmales a mi anciano padre y a mi desdichada madre que he muerto! ¡Ah, cuando ella se entere, recorrerá toda la ciudad dando alaridos! Basta. Inútiles son estos lamentos. Rápido, ejecutemos la misión que intentamos. Rápidamente, pues. ¡Oh muerte, oh muerte: ahora clava en mí tus ojos... ah, cuán largamente habremos de conversar tú y yo, cuando estemos unidos para siempre! ¡Oh reverbero de mi postrer día, oh Sol en tu carroza voladora... una vez más —¡la última!— yo te saludo... ¡nunca más, nunca más! ¡Oh luz, oh sacro suelo de Salamina, mi tierra natal, hogar de mis mayores! ¡Oh Atenea gloriosa, oh mi progenie y parentela toda! ¡Fuentes y ríos y campos de esta región troyana, adiós, adiós, los que sostuvieron mis días! Es la palabra última que Ayax os dirige. Ya no he de hablar sino en las profundidades tenebrosas del Hades.

Se lanza sobre su espada y con el impulso su cuerpo rueda y queda oculto entre los matorrales. Retorna el Coro dividido en dos semicoros, cada uno por su lado. El canto es dialogado entre ambos.

Semicoro 1: El cansancio me aumenta el dolor con el sufrimiento. ¿Dónde, dónde no ha pisado mi pie? Y ningún lugar me muestra siquiera rastros. ¡Pero observa! Cierto ruido escucho de nuevo.

Semicoro 2: Somos nosotros, los compañeros de la misma nave.

Semicoro 1: ¿Qué hay pues?

Semicoro 2: Ya hemos explorado toda la zona occidental del campamento.

Semicoro 1: ¿Y qué obtuvieron?

Semicoro 2: Demasiado cansancio, pero mis ojos nada vieron.

Semicoro 1: Yo recorrí todo el camino de Oriente, pero ni un alma se presentó ante mis ojos.

Coro: ¿Qué incansable pescador que haya pasado toda la noche pescando?, ¿qué diosa del Olimpo?, ¿qué corriente de los vertiginosos ríos que al Bósforo se lanzan?, ¿quién, quién puede decirme si ha visto errar por aquí al hombre de cruel corazón?; tanto cansancio, tanto recorrer sitio tras sitio sin encontrar siquiera sus rastros es mi mayor desventura. ¡Ni su sombra siquiera, ni su aliento del hombre sin su juicio!

Tecmesa: ¡Ay, ay pobre de mí!

Coro: ¡Un llanto!, ¿de quién es? Proviene de los cercanos matorrales.

Tecmesa: ¡Ay desdichada!

Coro: Es la esclava, la esposa, la desventurada, es Tecmesa a quien veo inmersa en sus lamentos y sus lágrimas.

Tecmesa: ¡Desfallezco, muero; derrotada, destruida estoy! ¡Amigos, oh amigos!

Coro: ¿Qué ocurre?

Tecmesa:

¡Ayax, Ayax allí... mírenlo, acaba de herirse! ¡Yace allí clavado en su espada; él mismo la encajó en su pecho!

Coro: ¡Ay, ay de mí...! ¿Qué retorno me queda? ¡Ay, pobre de mí, tú, príncipe, asesinaste a este tu compañero de viaje! ¡Desgraciada! ¡Oh mujer avasallada por las desventuras!

Tecmesa: Tan verdadero es lo que dices, que lo único que podemos hacer es llorar.

Coro: ¿De manos de quién se sirvió el desdichado para ejecutar tal acción?

Tecmesa: ¡Él mismo se ajustició! La cosa es clara. La espada bien clavada y enhiesta en el suelo está: sobre ella se lanzó y quedó clavado.

Coro: ¡Ay de mí, desgracia sin igual! ¡Cómo solo te has herido, sin que te lo pudieran evitar los amigos! ¡Cuán torpe fui que no supe preverlo! ¿En dónde, en qué sitio está tendido aquel Ayax que nadie domar pudo, él que llevaba un nombre de pronósticos aciagos?

Tecmesa: No está para que se le pueda ver; permítanme que antes lo cubra totalmente con este manto, porque nadie que sea su amigo tendrá valor para verle arrojando negra sangre por las narices y de la herida que él mismo se abrió. Ay de mí, ¿qué haré? ¿Quién de tus amigos te asistirá? ¿En dónde está Teucro? ¡Qué oportuno será si llega para amortajar y disponer a este su hermano ya sometido! ¡Ay desdichado Ayax! Tan audaz como has sido, y yaces tan infortunado, digno de inspirar lástima a tus mismos enemigos.

Coro: ¡Tenías que hacerlo, desdichado, tenías que hacerlo a su debido tiempo! Tu corazón, indomable y cruel, iba a poner valla al torbellino de tus desgracias fijadas por el destino. Tales lamentos durante noches y días exhalabas de tu despiadado corazón, hostil a los átridas, en tu aciaga dolencia. ¡El momento en que surgieron esos infortunios fue el nefasto día en que se pregonó la contienda para obtener las armas de Aquiles entre los valientes!

Tecmesa: ¡Ay, ay de mí!

Coro: Te llega al corazón, lo sé, la desdicha horrenda.

Tecmesa: ¡Ay, ay de mí!

Coro: No te niego el derecho y doble tiene que ser tu lamento, oh mujer: es el triste momento en que has quedado despojada de un ser que te amó.

Tecmesa: Tú puedes creer eso, sin embargo, lo que no ves es el exceso con que el dolor oprime mi alma.

Coro: Estoy de acuerdo.

Tecmesa: ¡Ay hijo!, y ¿cuán desalmado será el yugo de la esclavitud que padeceremos?, y ¿quiénes serán ahora los amos que están acechando sobre nosotros?

Coro: ¡Ay! Has dicho cosa que por tu dolor no me atrevía yo a decir, de los desalmados átridas. ¡Que un dios lo evite!

Tecmesa: No se hubiese presentado esta situación, si los dioses no hubieran intervenido.

Coro: Inmensa es la amargura que ellos te han causado.

Tecmesa: ¡Fue la infame Minerva, hija de Júpiter, la que urdió esta desgracia para agradar a Ulises!

Coro: Ah, y el de espíritu lúgubre, en orgulloso furor ahora, él que todo lo resiste; él, el de mis argucias, se deshace de risa ante las desgracias que trajo la locura... ¡Ay, ay!, y cuando lleve la noticia reirán con él también los dos átridas.

Tecmesa: Que se carcajeen y se regocijen de la desventura de éste, pues si vivo no lo querían, tal vez muerto le lloren al faltarles su ayuda. Los de miserable corazón no saben valorar el bien que tienen en sus manos hasta que lo pierden. Dolorosa para mí fue esta muerte; para ellos, fue una delicia; sin embargo, para él fue un inmenso placer, pues anhelaba morir como él deseaba, y lo ha conseguido. ¿Qué motivo de risa procaz es éste? Los dioses le han matado; no ellos, no. Salga de quicio Ulises y salte de júbilo vanamente; Ayax ya no existe para ellos; pero a mí, a mí... ay, ¿qué me deja? ¡Una herencia de lágrimas y torturas!

Llega Teucro.

TEUCRO: ¡Ay, desdichado de mí! ¡Ay, desgraciado de mí!

CORO: Silencio... me parece haber escuchado la voz de Teucro. Tal vez ya se enteró de la desgracia, pues su voz está impregnada de angustia.

TEUCRO: ¡Oh veneradísimo Ayax! ¡Oh sangre de mi sangre...!, ¿has muerto como la voz pública señala?

CORO: ¡Ha perecido el hombre, Teucro, esto has de saber!

TEUCRO: ¡Ah, infeliz de mí, me atormenta mi destino!

CORO: Y siendo así...

TEUCRO: ¡Infeliz, infeliz de mí!

CORO: Hay que llorar.

TEUCRO: ¡Martirio insoportable!

CORO: ¡Demasiado, oh Teucro, demasiado!

TEUCRO: ¡Ay, mísero...! ¿Y su hijo? ¿Dónde está?

CORO: Cerca de la tienda, solo.

TEUCRO: Rápido, no se demoren... tráiganlo aquí... no sea que, como a cachorro de viuda leona, me lo arrebate algún enemigo. Vuela, apresúrate, corre. Que del enemigo muerto todo el mundo gusta de mofarse.

CORO: Y es verdad, Teucro, que estando vivo, el hombre eso te rogó: que cuidaras del niño, como lo estás haciendo.

TEUCRO: ¿Qué es lo que miro? De todos los espectáculos que han visto mis ojos, éste es el más desgarrador. ¡Oh camino cruel que ha de transitar mi corazón, severo, más severo que todos los caminos! ¡Oh adoradísimo Ayax, en seguida de que me enteré de la penosa condena que te impusiste, me lancé a buscarte, recorriendo todos los sitios rastreando tus huellas! La noticia se divulgó rápidamente entre los aqueos como si la hubiese propalado un dios. Esta noticia, al oírla lejos donde estaba, me llenó de dolor; y ahora, al verte, muero de pena. ¡Ay, ¿qué podré hacer?... ¡Ven, descubre ese cuerpo, que yo advierta toda su desgracia!

Quitan al cadáver de Ayax la manta con que lo cubrió Tecmesa.

TEUCRO: ¡Oh..., no, no, este espectáculo no lo puede tolerar ojo alguno! ¡A eso lleva un corazón lacerado por la desgracia! Una siembra de infortunios y pesares has dejado, oh Ayax, en mi vida. ¿A dónde huir puedo ahora? ¿Habrá algún hombre que me ofrezca ayuda, cuando se enteren que no pude remediar tus desgracias? ¿Cómo Telamón, tu padre y también el mío, podrá recibirme con buena cara y ánimo propicio, cuando a él retorne, solitario y sin ti? No, no reirá, él tan inmutable, que aun cuando de la victoria retornáramos, con un adusto semblante nos recibiría. ¿Qué injuria se callará? ¿Cómo no maldecirá al ilegítimo hijo de esclava, que por temor te abandonó, ¡oh adorado Ayax!, o bien que te traicionó, engañándote para heredar tu poder y los bienes que te pertenecían? De esta manera me recriminará, furioso, el hombre que en su achacosa vejez por muy poco se inflama en cólera. Y, finalmente, censurado por él, seré desterrado de la patria, apareciendo en las conversaciones de todos como esclavo, siendo libre. Eso hallaré en mi hogar paterno... Y, ¿aquí en Troya? ¡Cuántos adversarios y ningún amigo! ¡Eso, eso me ocasiona tu muerte! ¿Qué haré ahora?, ¿cómo te separo de esa sádica y mortífera espada, ¡oh desventurado!, que te hizo exhalar el último aliento? Ah, ¿por qué no pensaste que Héctor, ya muerto, tendría que matarte? Considera, por los dioses, qué destino tuvieron estos dos hombres: Héctor, sujetado al carro con el cinturón que Ayax le obsequió, fue llevado a rastras y, golpe a golpe en las piedras, destrozó su cuerpo...; y éste, con esa espada que en cambio recibió de aquél, se quitó la vida con golpe letal. ¡Erinis forjó este acero! ¡El Hades tejió ese cinturón! La verdad es que yo sólo puedo asegurar que esta desgracia y todas las que ocurren a los seres humanos son urdidas por los dioses. Si alguien no comparte esta opinión, que se complazca con la suya, que yo me quedo con ésta.

CORO: No digas ni una palabra más al respecto; será mejor que pienses ahora cómo sepultar a este hombre, y de lo que pronto habrás de responder. Veo venir a un enemigo que tal vez se burlará de nuestros infortunios.

TEUCRO: ¿Quién es ese hombre del ejército al que ves aproximarse?

CORO: Es Menelao, la misma persona por cuya causa atravesamos los mares.

TEUCRO: Lo veo; cerca está ya. Lo reconozco.

Llega Menelao.

MENELAO: Eh, tú, hombre: no lleves a sepultar ese muerto, déjalo allí.

TEUCRO: ¿Y con qué propósito prodigas tus palabras?

MENELAO: Porque así me place y también al que comanda nuestro ejército.

TEUCRO: ¿Me podrías decir que razón arguye?

MENELAO: ¿Quieres una razón? Escúchala. Pensábamos que al dejar la tierra de Acaya en él llevábamos un aliado, un amigo... y ha quedado demostrado que es mayor enemigo nuestro de lo que pueden ser los frigios, pues deseando la muerte de todo el ejército, se lanzó esta noche espada en mano para ultimarnos. Alguno de los dioses intervino para malograr sus planes. De no ser así, los que yaceríamos con brutal muerte fuéramos nosotros y él estaría con vida, sin embargo, desvió un dios su perverso propósito, que cayó sobre las bestias y los pastores. Éste es el motivo por el cual no habrá hombre tan valeroso y tan hercúleo que honre ese cuerpo con una tumba. Su cadáver, lanzado sobre la ambarina arena de la playa, ha de quedar allí para ser alimento de las aves marinas. Contra esto no levantes cólera, pues si en vida no pudimos someterle, muerto ya, nos queda totalmente sujeto, quieras o no quieras, y haremos con su cuerpo lo que se nos antoje. Nunca quiso acatar nuestras órdenes; y en verdad que únicamente un malvado osará aseverar que un simple ciudadano no debe obedecer los mandatos de sus superiores, porque jamás serán acatadas las leyes en ciudad donde no haya temor, ni podrá ser bien regido un ejército sin la expectativa de los premios y sanciones. Es necesario, pues, que el hombre, por corpulento y valeroso que sea, considere que puede caer al más pequeño tropiezo. También se debe considerar que el miedo y la humildad son la salvación de aquél a quien acompañan y que la ciudad donde se permita injuriar y actuar al libre albedrío, decayendo poco a poco de su florecimiento, se precipita en los abismos. Debe haber siempre cierto temor saludable y no sustentar la falsa opinión de que, yendo en pos de nuestros arbitrarios juicios, no hemos de recibir alguna vez el pago de penosas angustias. ¡Se arrastra en giros cual serpiente de un lado a otro la vida! Ardiente en furia fue antes él: ahora yo me pavoneo, yo me siento grande. Yo te lo ordeno: no le sepultes, pues si lo haces, tú caerás en la misma tumba.

Coro: Menelao, luego de haber externado tus inteligentes principios, no vengas a actuar de manera petulante con los muertos.

Teucro: ¡Ya asombrarme no puedo, oh señores, de que un hombre de oscura alcurnia pueda cometer errores, cuando advierto que personas que presumen de ilustre prosapia incurren en tales aberraciones! ¡Vamos, dilo otra vez, lo que al principio proferías! ¿Con que tú trajiste a este hombre como aliado de los aqueos? ¿No fue él quien por su propia voluntad se lanzó a la aventura entrando en sus navíos? ¿Dónde ordenabas tú de él? ¿De dónde te vino la facultad de capitanear a la gente que trajo él de su patria? ¡Vienes cual rey de Esparta, no como soberano de nosotros! Ninguna ley te confiere imperar más en él que él en ti. Como jefe de unos cuantos viniste aquí, no como generalísimo y de modo que pudieras mandar en Ayax. ¿Mandas? Muy bien, pues manda en los que a tus órdenes militan; lacéralos con tus voces, humíllalos... pero a éste, aunque tú y el otro jefe de la expedición protesten, yo lo sepultaré, le rendiré los honores de que es digno, y a ti no temo, ni a tus amenazas. ¿Por qué a la guerra vino? ¡Fue por tu mujer! ¡Eso toca a los desdichados que en todo se inmiscuyen! ¡No, él no vino por eso. Vino porque el juramento de colaboración lo obligaba! Y ese juramento no te lo hizo a ti. Jamás se curó él de gente ignominiosa. Ésa ustedes son. Ven, llega, entonces, con todos los pregoneros que gustes. Trae al mismo generalísimo de la expedición... ¿qué? ¿Acaso crees que a tus gritos volveré siquiera el rostro hacia donde tú estás haciendo alardes de majestuosidad?

CORO: Esa manera de expresarte no me agrada. Un hombre en desgracia no usa esas palabras, porque las palabras severas, aunque sean justas, muerden el espíritu.

MENELAO: ¡Lanza sus dardos, sí; no se cree tan pequeño!

TEUCRO: ¡No de miserables es mi oficio!

MENELAO: Gigantesco sería tu orgullo si embrazases el escudo.

TEUCRO: Con el pecho desnudo podría yo hacer frente a toda esa armería que llevas.

MENELAO: La lengua acrecienta tu ira, como si me hubieras de espantar.

TEUCRO: Es que con justicia, puede uno ser soberbio.

MENELAO: ¿Justo era, pues, que él urdiera matarme?

TEUCRO: ¿Asesinarte? Valiente cosa has dicho, si estás vivo mientras él ha muerto.

MENELAO: Me salvó la diosa, que por él, ya fuera un muerto.

TEUCRO: No deshonres, pues, a los dioses que te han salvado.

MENELAO: ¿Acaso menosprecio los mandatos de los dioses?

TEUCRO: Sí, impidiendo sepultar a un muerto.

MENELAO: Es cierto; a quienes son mis enemigos, pues no debo permitirlo.

TEUCRO: Y ¿fue Ayax enemigo tuyo alguna vez?

MENELAO: Él detestaba a quien le odiaba; tú puedes bien saberlo.

TEUCRO: Como que lo despojaste del premio, pues bien se descubrió que falsificaste los votos.

MENELAO: Si hubo fraude, lo cometieron los jueces; yo no.

TEUCRO: Numerosas son las perversidades que tú ocultas e infamemente puedes hacer.

MENELAO: Eso que aseveras a alguien puede causarle tristeza.

TEUCRO: ¡Qué mal mayor que el que ahora padecemos!

MENELAO: Basta, una cosa te digo: a éste no se le ha de dar sepultura.

TEUCRO: Pues conoce mi opinión: éste será sepultado.

MENELAO: Hace tiempo conocí a un hombre, muy valiente en palabras, que forzaba a sus marinos a navegar bajo feroz tempestad. Sin embargo, él se recataba. Se ocultaba, no chistaba, y cubierto por un enorme manto, un marino cualquiera podía pisotearlo... Lo mismo sucederá a ti y a tu imprudente lengua: cualquier tormenta que de pequeña nube se originara, silenciará tu insolente palabrería.

Teucro: Yo también conocí a un hombre demasiado petulante que en la desventura se envanecía contra sus colegas. Sin embargo, lo vio, uno muy semejante a mí, cortado a mi medida y le dijo: "Hombre, no ultrajes a los muertos, pues si lo haces, recuerda que has de ser castigado." Esa lección le daba al villano aquel que se encontraba cerca de su vista. Y yo lo veo también. Ahora tú eres. Tal pareces ciertamente. ¿Acaso no he hablado con claridad?

Menelao: Me marcho, pues vergonzoso es escuchar a un hombre como tú, al que podría obligar con castigos y apenas con palabras lo ofendo.

Teucro: Márchate ya, pues mucho más vergonzoso para mí es estar escuchando las sandeces que dices, como hombre sin cordura que deambula entre tonterías.

Se marcha Menelao.

Coro: Habrá contienda por este engorroso altercado. Apresúrate, oh Teucro, lo más que puedas. Cava una profunda fosa para él, en donde tenga espaciosa sepultura que lo recuerde siempre a los mortales.

Se presenta Tecmesa con su hijo de la mano.

Teucro: Y en verdad, ¡qué a tiempo llegan los más próximos familiares de este hombre, su hijo y su mujer, para rendirle las exequias debidas! Niño, ven. Ven aquí, ponte firme como una estatua, sujétate, en ademán suplicante, del padre que te engendró. De pie, mirando a él, con las manos asidas a mis cabellos, a los de su mujer, y a los tuyos mismos. Es la ofrenda que pueden dar los que imploran. ¡Ah, si alguno del ejército por fuerza te quiere arrancar de este cadáver, que infamemente caiga el miserable insepulto en el suelo, cercenando de raíz a toda su raza, así como yo corto este mechón de su frente! ¡A él aférrate, niño; no lo sueltes! Si alguien te abraza, apriétate, y no lo sueltes, sino cayendo sobre él. Y ustedes (*al coro*), que se encuentran cerca, ayúdenlo, no como mujeres, sino como varones; auxílienlo hasta que yo regrese de buscar sepultura para éste, aunque todos me lo prohíban.

Coro: ¿Cuándo cesar podrá esta extensa serie de años vagabundos? ¿Se prolongará aún varios años más esta interminable fatiga en las troyanas tierras? Empuñar la lanza, procurar la devastación de Ilión. Injuria para los griegos. Debía antes haber desaparecido arrastrado por los aires o devorado por el infierno, donde tantos caben, aquel hombre que enseñó a los griegos la guerra colectiva de execrables armas. ¡Males progenitores de más males! ¡Eso inventó aquél para los hombres! Ciertamente, él me ha despojado del roce delicado de las coronas en la frente, y de las profundas copas en que se da el vino; de la armonía de flautas concertadoras... ¡Perverso!, aun de la suave quietud del lecho y la grata dulzura de los amores, ¡sí de los amores! Y aquí yazgo en el rígido suelo, con la cabellera llena de humedad del nocturno rocío, indolente, en pereza, sin reposo. ¿Quién podrá olvidar la Troya infeliz y abatida? ¡Ah, pero antes, de nocturno pavor y de enemiga flecha era mi defensa el temerario Ayax; sin embargo, ahora yace envuelto en espantosa muerte! ¿Qué suerte me espera? Ojalá me encontrase ya junto a mi promontorio, de selvas ataviado, por las olas besado perpetuamente, al abrigo de la elevada meseta de Sunio y en su paz de reposo saludara a la sacra Atenea.

TEUCRO: Y en verdad que me apresuré al advertir que se encaminaba hacia aquí contra nosotros el generalísimo Agamenón, sin duda alguna para dar rienda suelta a su venenosa boca.

Entra Agamenón.

AGAMENÓN: ¿Eres tú quien ha vomitado de sus labios en insolente cólera las ofensas sin castigo que contra nosotros proferiste? ¿Me escuchas? Responde, hijo de una esclava. ¿Qué hicieras si tu madre hubiera sido ilustre de estirpe? ¡Qué altiva sería tu manera de hablar; te sentirías volando por las nubes! Ahora eres nada y en paladín te tornas de quien nada fue. E incluso aseverar te atreves que nosotros ni generales, ni gobernadores de las naves somos los aqueos, sino que Ayax fue, según tú dices, su propio jefe, sin subyugarse a nadie. ¿No es intolerable escuchar esto de un esclavo? ¿Por amor de quién vociferas tan arrogantemente? ¿A dónde fue él, o en dónde se halló que no me encontrara yo? ¿No hay entre los aqueos más hombres temerarios que ése? No parece sino que, con motivo de conferir las armas de Aquiles, anunciamos entre los aqueos inhumanos certámenes, si por todas partes nos presentara Teucro como unos perversos, y no os bastara a vosotros y a los demás subordinados conformaros con la decisión de respetables jueces, sino que siempre nos habéis de satirizar con vuestras calumnias o traidoramente nos habéis de asesinar, vosotros los preteridos. Según esos procedimientos, jamás tendría eficacia ninguna ley, pues a los que en justicia han avasallado denigraríamos, y a los que detrás han quedado, delante colocaríamos. Esto es digno de represión. No, pues, los hombres más corpulentos, más robustos y de más amplias espaldas son la más rígida defensa del ejército, sino que los dotados de buen consejo son los que triunfan en todas partes. De amplia espalda es el buey, no obstante, una diminuta puya lo obliga a transitar recto por su camino. Y a lo que veo, este mismo es el remedio que a ti te habré de aplicar pronto, si no tomas una sensata determinación; pues por un hombre que ha muerto ya y sólo es una sombra, con tanta valentía te ensoberbeces y tan insolentemente hablas. ¿No aprenderás a ser sensato, y sabiendo que eres esclavo de nacimiento, nos traerás aquí un hombre libre que te represente y nos exponga sus deseos? Porque a tus pretensiones jamás haré caso; a viperina lengua no presto oído.

Coro: Tornad ambos a tierra: ambos muestren sensatez. ¿Qué otra invitación más congruente pudiera yo hacerles?

Teucro: ¡Ay, desdicha! Apenas muere el hombre, desaparece la gratitud que le debían. ¡Cuando mucho, es un traidor. Ayax, lo adviertes: este hombre! Hoy ya no se acuerda de ti, hoy te injuria, y tú, cuántas, cuántas veces la vida arriesgaste por él, entregado a los afanes de la guerra. Todo quedó en el olvido. Con todo acarreó el viento. Respóndeme tú ahora, tú que así estás delirando vanidades, ¿no retiene tu memoria el día aquel, cuando todos nosotros, acorralados, destinados a morir, llegó él y nos libró? El solo fue, sin nadie que lo ayudara. Ya ardían las naves, ya las llamas se elevaban avasalladoras en las proas de los navíos, ya Héctor jubiloso iba a saltar al aire para ocuparlas... ¿Y quién nos salvó? ¿No fue éste? ¡Aquel que aseveras jamás estuvo donde tú estabas! ¿Valía como varón o no valía? Sin embargo, nuevamente, él solo supo arrastrar a Héctor. Cuerpo a cuerpo lucharon, y no con truhanerías, no con bolas de barro. Él tenía su arma presta, que saltar pudo superando a todas. ¡Ése fue él, y yo con él estuve firme. Yo el bestial, yo el hijo de una esclava, de madre sierva nacido! Desdichado... No pesaste tus palabras cuando tales injurias de oprobio proferías. ¿Ya no lo recuerdas? ¿El padre de tu padre, quién fue? Pélope era un salvaje. Nació en Frigia. Y tu padre, aquél que te engendró, ¿quién? ¡Atreo, hombre execrable, ése que dio a su hermano las carnes de sus hijos! Y tú mismo, ¿de quién naciste? ¿No te parió una esclava de Creta? ¿No tu mismo padre, cuando sorprendió sobre ella a un hombre copulando, la arrojó a los mares con el propósito de que los peces la devoraran? ¡Ése eres tú, y aún te atreves a censurar mi origen! De Telamón soy hijo. En todo arte guerrero logró superioridad y en justo pago de sus hechos consiguió a mi madre como esposa. Y mi madre era reina por su alcurnia, hija de Laomedonte, y el hijo de Alcmena la otorgó a mi padre como galardón a sus hazañas. Y yo, dos veces ilustre, por mis dos orígenes, ¿habré de aceptar que los de mi estirpe sean infamados, porque la desventura cayó sobre ellos? ¡Te atreves a negarles sepultura! ¿No te avergüenzas de ello? Sin embargo, entiéndelo bien ahora: si a éste lo lanzas al suelo sin sepultura, tendrás también que lanzar nuestros tres cuerpos. Cuanto más grato fuera para mí morir con gloria en defensa de éste, que luchar en la guerra por la vida de tu mujer, o por la de tu hermano. Piensa, por tanto, más en tu propio interés que en el mío. ¡Ay de ti si me ofendes en lo mínimo:

tendrás que pensar algún día que más te valiera haberte mostrado cobarde que jactarte de tu poder contra mí!

Llega Ulises.

Coro: Rey Ulises, oportunamente has de saber que llegas, si no vienes a complicar, mas a dar solución.

Ulises: ¿Qué es esto, hombres? Desde lejos, pues, escuché los gritos de los átridas acerca de la muerte de este insigne guerrero.

Agamenón: ¿Y no está este hombre lanzando sobre mí insolentes infamias, rey Ulises?

Ulises: ¿Infamias? ¿Cuáles? Porque otorgo mi indulgencia a quien siendo insultado, con ofensas responde.

Agamenón: Injurias has escuchado, porque insultos me hizo.

Ulises: ¿Pues qué te hizo, que lo tengas por ofensa?

Agamenón: No quiere obedecerme. Ordené que ese cadáver quedara insepulto, y él asevera que habrá de inhumarlo pese a mi orden.

Ulises: ¿Tengo derecho a hablar francamente; de hacerte un buen servicio y perdurar como tu amigo?

Agamenón: Habla. Fuera yo un loco si no lo declarara: para mí, tú eres el más grande amigo que entre griegos tengo.

Ulises: Óyeme ahora. Por los dioses te suplico que no permitas que este hombre quede sin sepultura; ni que la violencia te someta jamás de manera que llegues a aborrecer tanto que a la justicia quebrantes. Pues también para mí fue éste el mayor enemigo del ejército desde que soy dueño de las armas de Aquiles; sin embargo, aunque él fuera tal para mí, no le deshonraré hasta el punto de no decir que en él veía el hombre más valeroso de cuantos argivos a Troya llegamos, salvo Aquiles. Así que, en justicia, no tienes derecho de afrentarlo. Más herirías a las divinas leyes que a éste. Injusto es a un héroe deshonrar, si yace muerto por muy grande odio que se le haya tenido.

Agamenón: ¿Tú también, Ulises, defiendes a éste contra mí?

Ulises: Efectivamente; y le aborrecía cuando era bien que le aborreciera.

Agamenón: Y una vez muerto, ¿no debo yo patearlo?

Ulises: No te congratules, átrida, de beneficios indignos.

Agamenón: Al tirano no le es fácil ser compasivo.

Ulises: Pero no le es difícil escuchar a los amigos que le aconsejan bien.

Agamenón: El hombre de bien debe obedecer a los que detentan la autoridad.

Ulises: ¡Calma! Someterse a los amigos es lograr la victoria.

Agamenón: Recapacita en quién era este hombre por quien impetras favor.

ULISES: Pese a que fue mi enemigo, siempre obró con mucho valor.

AGAMENÓN: ¿Qué harás, entonces? ¿A tal grado honras a un enemigo muerto?

ULISES: Me subyuga la valentía mucho más que el rencor.

AGAMENÓN: ¡Oh qué extrañas sorpresas encontramos en los hombres!

ULISES: Es cierto, ¡cuántos hay que hoy son amigos y mañana enemigos!

AGAMENÓN: Y ¿a ese género de amigos recomiendas?

ULISES: A quienes no recomiendo es a los espíritus despiadados.

AGAMENÓN: ¿Y en este día quieres exhibirme como un cobarde?

ULISES: No, sólo como a un justo, en la opinión de todos los griegos.

AGAMENÓN: ¿Me obligarás a que deje enterrar ese cadáver?

ULISES: Naturalmente, pues en breve también seré un cadáver.

AGAMENÓN: Todo es igual: cada hombre se esfuerza por sí mismo.

ULISES: Y ¿por quién iba a preocuparme, si no es por mí mismo?

AGAMENÓN: Sea tuya esta obra; no se anuncie como mía.

ULISES: Procedas como procedas, siempre será decorosa.

AGAMENÓN: Sin embargo, esto has de saber: esta gracia y cualquiera aún mayor a ti te la concedo. Pero, ése, aquí y allá, en donde quiera que se encuentre será mi aborrecido enemigo. Procede como te convenga.

Se marcha Agamenón.

CORO: Se mostrará insensato el que no reconozca, oh Ulises, que tú eres un sabio en tu mente.

ULISES: Y ahora un mensaje tengo para Teucro: cuanto más mi enemigo fue antaño, tanto más es hoy mi amigo. Quiero con él dar sepultura al difunto y darle todos los honores que le corresponden a un muerto valiente por parte de los que quedan vivos, pero son mortales.

TEUCRO: Insigne Ulises, únicamente loas mereces. Defraudaste con mucho mis medrosas expectativas. Tú, el más impoluto enemigo que él tenía entre los argivos, eres el único que ha venido a defenderlo, alzando tu poderoso brazo en favor de un muerto. Tú no has permitido que el mismo jefe de la expedición injuriara a Ayax en tu presencia. Ellos, los dos hermanos, vienen acá para vejarle y quieren que su cuerpo sea lanzado insepulto para ser alimento de las aves marinas. ¡Y tú lo defendiste! Aquel venerable padre que en el Olimpo gobierna y Erina cruel que todo tiene presente y la Justicia, que llega al más lejano ápice de lo tiránico para castigarlo, a estos perversos depravadamente exterminen: a ellos que querían arrojar al campo este héroe merecedor de otra conducta. Pero a ti, ¡oh hijo del anciano Laertes!, solamente temo permitirte poner las manos en este sepelio, no sea que esto sea desagradable al muerto; sin embargo en lo demás, ayúdame. Si deseas que del ejército haya algunos presentes, acaso me agradara. Todo lo demás a mí me corresponde ejecutarlo. Y tenlo presente: para mí eres todo un hidalgo.

Ulises: Yo ejecutarlo quería... pero si no te es grato que te ayude en eso, me marcho, alabando tu determinación.

Teucro: ¡Es suficiente!, ya ha transcurrido mucho tiempo en vano. Ea, unos caven la fosa, ahondándola bien. Otros coloquen un elevado trípode en el fuego, para el misericordioso lavatorio; vaya un grupo de soldados a la tienda y traiga la armadura deslumbrante del héroe, y sobre eso, el escudo. Niño, tú, de tu padre cuanto puedas con amor cogiéndote, álzale conmigo por esta parte. ¡Tibias aún las venas arrojan a torrentes negra sangre! Vamos ya. Quienes fueron sus amigos, acudan presurosos a ofrendar el póstumo tributo del amor a este héroe que en todo fue bueno y no hay otro mejor entre los mortales.

Coro (*formado ante el cuerpo, canta*): Cuando miran los hechos, cuánto a los hombres dicen a sus ojos. Antes de verlos, nadie, por fatal que sea, puede rastrear la marcha del futuro.

FILOCTETES

Escenario

Una playa solitaria en la isla de Lemnos. Una meseta al fondo, con la abertura de una gruta. Camino hacia ésta, entre rocas.

Personajes:

Filoctetes, viejo soldado, rey de Melia.
Ulises, rey de Itaca.
Neoptolomeo, joven, hijo de Aquiles.
Hércules, semidiós.
Un mercader.
Varios personajes mudos.
Coro formado por marinos de Neoptolomeo.

Llegan Ulises y Neoptolomeo con algunos acompañantes. El coro de marinos.

Ulises: ¡Vamos, ésta es la playa del territorio de Lemnos, de mares rodeada y desierta, que los hombres jamás pisan! Aquí —¡oh niño Neoptolomeo, hijo de Aquiles, el padre más valeroso entre los griegos!— abandoné hace varios años al hijo del maliense Peante, obedeciendo la orden que de hacerlo me dieron los jefes. Llagada una pierna, miraba gotear pus incesantemente y con sus gritos de dolor y sus blasfemias ni siquiera nos permitía hacer con tranquilidad las libaciones o los sacrificios rituales. Gemidos y quejidos constantes los suyos. Era un verdadero infausto presagio en el campamento. ¿Pero para qué recordar esto? No es el momento de prolongadas conversaciones. Y que no sepa él que he llegado acá, pues podría frustrar todos mi planes. Hay que caerle de sorpresa para que surtan efecto. Tu obligación es ayudarme en lo demás y hallar, por principio de cuentas, el lugar donde se encuentra una enorme cueva con dos entradas opuestas. Hay en ella dos sitios bien dispuestos para tomar el sol en invierno y, durante el estío severo, el fresco viento que pasa por esta cueva ayuda a eliminar el bochorno e invita al sueño. Y un poco más abajo, hacia la izquierda, verás una fuente de agua potable, si es que aún existe. Aproxímate con cautela y ve si todavía vive allí ese hombre y tráeme la noticia. Es probable que haya cambiado de morada. Cuando hayas cumplido esta misión, conocerás lo demás que he de explicarte para que procedamos juntos en esta empresa.

Neoptolomeo: Rey Ulises, para averiguar lo que ordenas no he de ir lejos, pues creo estar viendo ya la cueva de que me has hablado.

Ulises: ¿Hacia arriba? ¿Hacia abajo? ¡No alcanzo a distinguirla!

Neoptolomeo: ¡Muy arriba!; y no se escucha ningún ruido de pasos.

Ulises: Mira si duerme, no sea que esté echado en el fondo de la caverna.

Neoptolomeo: Veo vacía totalmente la estancia. No hay ningún hombre.

Ulises: ¿Y no hay dentro comodidad alguna que la haga habitable?

Neoptolomeo: ¡Ah... demasiadas hojas apretujadas, como para que alguno yazga en ellas!

Ulises: ¿Lo demás está solitario, sin que haya nada dentro?

Neoptolomeo: Un vaso de madera, hecho por un hombre torpe; también algunas astillas de las que sirven para encender fuego frotando.

Ulises: De él es eso. Es cuanto tiene él lo que tú indicas.

Neoptolomeo: ¡Ah, ah! También veo unos harapos que se están secando, llenos de asquerosa pus.

Ulises: En efecto, en estos sitios habita ese hombre. Y está no lejos de aquí, pues ¿cómo podría alejarse un hombre en cuyo pie supura una llaga crónica? Tengo la certeza de que fue a buscar algo qué comer, o tal vez alguna hierba que pueda sanarlo. A ése que te acompaña ordénale que lo vigile, no sea que, sin advertirlo, caiga sobre mí, pues mucho más quisiera atraparme a mí que de todos los argivos.

Se marcha el marino a situarse en un sitio alejado.

NEOPTOLOMEO: Ya se va, y vigilará bien el puesto. Sin embargo, debes comentarme con mayor precisión lo que necesitas.

ULISES: Hijo de Aquiles, necesito que realices esta empresa con bravura. Y no exactamente con fuerza de cuerpo, sino que también que si escuchas algo nuevo que antes no hayas escuchado, te sometas a ello como ayudante mío que eres.

NEOPTOLOMEO: ¿Qué ordenas, pues?

ULISES: Tienes que engañar a Filoctetes con tus palabras. Cuando te pregunte quién eres y de dónde has venido, respóndele que eres hijo de Aquiles, lo cual no es mentir. Añade que te marchas de casa, que has abandonado la armada y el ejército de los aqueos, a quienes tienes un cruel rencor, porque luego de haberte implorado que hicieras el viaje desde tu patria, porque tú eras el único recurso que tenían para ocupar Troya, al llegar a ella no te concedieron las armas de Aquiles que con justicia pedías, sino que se las otorgaron a Ulises. Cuando este punto toques puedes decir todo lo que quieras de mí, pues ningún perjuicio me causarás. Y si eso no haces, a todos los argivos causarás daño. Si no recuperamos esas armas, no podremos someter a los dárdanos. Te preguntarás por qué tú y no yo has de sostener esta plática con ese hombre. Te lo diré: tú has cruzado el mar sin obligarte con juramento, ni por necesidad; no eres tampoco de la primera expedición. Yo, de todo esto, nada puedo negar. De manera que si él, en posesión de su arco, me llega a ver, estoy perdido y te pierdo a ti a la vez. Por eso es necesario que en forma astuta te adueñes de sus invencibles armas. Lo sé muy bien. De casta te viene no andar con lenguaje mendaz, ni andar con artimañas. Sin embargo, es muy placentero conseguir el triunfo. ¡Audacia, pues! Ya llegará el momento de que actuemos como gente honorable. No obstante, ahora déjate llevar por mí, alejando la vergüenza durante una pequeña parte del día, y después procura que te llamen el más honesto de los hombres.

NEOPTOLOMEO: Pues no, hijo de Laertes, aquello que en conversación no me agrada escuchar, es lo que me repugna oír, no puedo llevarlos a la práctica. Soy de prosapia tal, que no puedo hacer nada valiéndome de artimañas, ni, como dicen, del padre que me procreó. Me llevo a ese hombre, pero no con artificios. La viva fuerza uso. No más un pie tiene útil. ¡No va a poder enfrentarse con todos nosotros! En verdad que habiendo venido como ayudante tuyo, temo que me llamen traidor. Sí, ¡oh rey!, pero más deseo quedar mal y sin fruto que someter usando métodos indignos.

ULISES: ¡Hijo de noble padre...; yo también, cuando era joven, dejaba la lengua ociosa y usaba las manos ágiles! Sin embargo, ahora, al tocar la realidad, he venido a comprender que no son las obras, sino la lengua, la que gobierna todo.

NEOPTOLOMEO: ¿Me obligas a que diga mentiras?

ULISES: Te pido que te apoderes de Filoctetes con artificios.

NEOPTOLOMEO: ¿Y por qué le he de tratar con artimañas, no sería mejor persuadirlo?

ULISES: Porque tengo la seguridad de que no lo convencerás, y por la fuerza no lo atraparías.

NEOPTOLOMEO: ¿Y en qué funda su seguridad, tan fuerte es?

ULISES: Cuenta con flechas certeras que ante sí llevan la muerte.

NEOPTOLOMEO: ¿Entonces, es peligroso tratar con él?

ULISES: No, si usas artificios, como te he dicho.

NEOPTOLOMEO: ¿No es una vergüenza que un hombre juicioso ose decir eso?

ULISES: No, si la mentira nos lleva a la salvación.

NEOPTOLOMEO: Desvergüenza me parece hablar así.

ULISES: ¡Si saca uno ganancia, no cabe andar dudando!

NEOPTOLOMEO: ¿Qué ganancia me viene de que éste vaya a Troya?

ULISES: Su arco es el único que puede ocupar Troya.

NEOPTOLOMEO: Pues quien la ha de destruir, según se dijo, ¿no soy yo?

ULISES: Tú, sin ese arco, no. Y ese arco sin tu dirección, tampoco.

NEOPTOLOMEO: Pues ni modo, hay que apoderarse de él.

ULISES: Si alcanzas ese propósito te llevarás dos premios.

NEOPTOLOMEO: ¿Dos? ¿Cuáles? Dímelo, que yo lo haré.

ULISES: Todos reconocerán que eres sagaz y valeroso a la vez.

NEOPTOLOMEO: Lo haré, desechando toda vergüenza.

ULISES: ¿Recuerdas todas mis instrucciones?

NEOPTOLOMEO: Muy bien, pese a que una sola vez las escuché.

ULISES: Espéralo aquí; yo me marcharé para que no advierta mi presencia. Al que está vigilando lo mandaré a la nave. Y si tardas demasiado, te enviaré aquí a ese mismo hombre, disfrazado con traje de marinero, para que pueda presentarse como desconocido. Pon atención a lo que ese hombre te diga. Ha de decir cosas extravagantes. Así, pues, me voy a la nave dejando el asunto en tus manos. Hermes el Engañador que anda a nuestro lado sea nuestro auxiliar. Y Atenea, la Victoria protectora de mi ciudad, sea mi salvadora en todo tiempo.

Se van Ulises y el compañero.

Coro: ¿Qué debo yo callar, ¡oh señor mío!, o qué debo decir, siendo peregrino en tierra extraña, a un hombre suspicaz? Dímelo; porque a todos los engaños aventaja el engaño y también la astucia de aquél en quien reina el celestial imperio de Júpiter. Hijo mío, esta gloria te viene de siglos. Poder sin igual. Dime en qué puedo ayudarte.

Neoptolomeo: Por el momento, si por esas lejanías quieres indagar el sitio donde se encuentra, búscalo con rapidez. Y cuando él aparezca por el camino escabroso desde su cueva, actúa siempre conforme a lo que yo haga, intenta auxiliarme según las circunstancias.

Coro: Desde hace mucho tiempo me inquieta la encomienda que me has dado, ¡oh rey!, de que atienda con atención a lo que más te pueda convenir. Sin embargo, ahora indícame en qué morada reside habitualmente o el lugar donde se encuentra, pues el saberlo me ayudará mucho para evitar que caiga sobre mí sin que yo advierta por dónde viene.

Neoptolomeo: Viendo estás la caverna con dos entradas, una a cada lado, y su rocoso lecho.

Coro: Pero él... ¿dónde está el infeliz?

Neoptolomeo: Pienso que no lejos, buscando algo con qué sustentarse. Ésa es la manera, según dicen, que tiene de vivir el infeliz, cazando bestias penosamente con aladas flechas. Y no hay hombre que su mal alivie.

Coro: ¡Siento compasión por él! ¡Ningún mortal lo visita, no recibe una sola palabra amable, nadie lo cuida, el desdichado siempre está solo! Cruel enfermedad padece, y como todo le hace falta, deambula por doquier buscando con qué satisfacerse. ¿Cómo, pues, cómo el desventurado resiste? ¡Oh suerte de los hombres; oh infeliz raza de los mortales para quienes no hay la misma regla! Véanlo; aquí está éste, a nadie en noble estirpe inferior, y yace en la pobreza, de todo bien desprovisto, sin nadie que lo acompañe; sólo fieras y bestias, asquerosas e hirsutas. Martirizado a la vez por los dolores y el hambre, y colmado de irremediables intranquilidades, únicamente el indiscreto eco de esta montaña, que resuena en la lejanía, responde a sus dolorosos lamentos.

Neoptolomeo: Nada de eso me sorprende. Maldición divina es ésta, si acaso no estoy equivocado. La brutal Crisa ha descargado sobre él todas esas desgracias. Y ahora padece sin que nadie le ampare, también a ella lo debe. O a alguno de los dioses, en pugna contra él, para que no dispare sus flechas contra Troya, armas también de dioses, y armas invencibles, hasta que el momento haya llegado de que sucumba Ilión bajo sus tiros, según la celestial sentencia.

Coro: ¡Calla, hijo mío...!

Neoptolomeo: ¿Qué sucede?

Coro: Percibí un rumor parecido al hecho por un hombre extenuado. ¿En qué lugar? ¿De éste o de aquél? Hiere, hiere el ruido de quien va deambulando con pasos muy penosos, y no dejo de escuchar a lo lejos los quejidos que lanza un hombre agonizante. ¡Bien claro es ya lo que oigo! ¡Ah, hijo mío, ten...!

Neoptolomeo: ¿Qué es, dilo por fin?

Coro: ...la cautela que el caso requiere. No anda lejos el hombre, ni afuera: dentro de su miserable morada está. Claro que no toca la flauta, como el pastor lo hace en la campiña... Cojea espantosamente y lanza agudos quejidos, ya por haber dado algún tropiezo, ya por haber visto el inhóspito puerto donde está la nave; ¡ay qué dolor lanzan sus lamentos!

Aparece Filoctetes saliendo de su cueva.

Filoctetes: Va, extranjeros, ¿quiénes son ustedes? ¿Por qué casualidad han abordado en esta tierra, que no cuenta con buenos puertos y está deshabitada? ¿Qué nombre le podré dar a su patria? ¿Cuál a su raza? Por su vestidura, me parece que son griegos. Sin embargo, su palabra escuchar anhelo. No me tengan miedo ni se aterren por mi aspecto brutal; al contrario, compadézcanse de este ser infeliz, solitario, indefenso en esta tierra, sin amigos, sin compañía. Pero... ¡respóndanme!; que es incorrecto que yo no obtenga contestación de ustedes ni ustedes de mí.

Neoptolomeo: Pues, extranjero, sabe ante todo que somos griegos. Lo intuiste ya. ¿No es lo que saber quieres?

Filoctetes: ¡Amadísima voz! ¡Qué alivio escuchar la palabra de un hombre como éste luego de tanto tiempo! ¿Quién, hijo, te ha traído? ¿Qué te trae a estas costas? ¿Qué empresa? ¿Qué viento favorable? Confiésamelo todo para que sepa quién eres.

Neoptolomeo: Soy nativo de Esciro, ciudad que la mar azota. Y a casa navego. Soy Neoptolomeo, hijo de Aquiles. Ya sabes todo.

Filoctetes: ¡Oh hijo de un padre tan amado, de una tierra tan gustosamente venerada, alumno feliz del viejo Licomedes ¿con qué propósito has abordado esta tierra y de dónde vienes?

Neoptolomeo: De Troya, en verdad, vengo ahora en mi nave.

Filoctetes: ¿Cómo dices? Tú no embarcaste con nosotros cuando la primera flota salió rumbo a Troya.

Neoptolomeo: ¿Qué? ¿Tú participaste en esa primera campaña?

Filoctetes: Ah, hijo mío..., ¿no conoces a quien estás viendo?

Neoptolomeo: ¿Cómo saberlo si nunca en parte alguna te vi antes?

Filoctetes: ¿Mi nombre? ¡Ni la fama de mis desventuras! Ésas que me fueron llenando de ruina, ¿ni eso sabes?

Neoptolomeo: Juro que nada sé de todo eso que me dices.

Filoctetes: ¡Oh qué infeliz soy! ¡Oh, cuánto me detestan los dioses, cuando la noticia de mi desventura no ha llegado ni a mi patria ni a ninguna región de Grecia! Sin embargo, los que despiadadamente me lanzaron aquí ríen en silencio, mientras mi dolor se va acrecentando día con día. ¡Oh niño! ¡Oh hijo de Aquiles! Aquí me tienes. Yo soy aquél, que posiblemente habrás oído, que es poseedor de las armas de Hércules, el hijo de Poyas, Filoctetes, a quien los dos generales y el rey de los cefalonios me echaron vergonzosamente, así como me ves, solo, abatido por cruel dolencia y lacerado con la atroz herida de la venenosa serpiente. De este modo, hijo, me dejaron aquéllos aquí, abandonado, cuando desde la isla de Crisa arribaron en ésta con su flota. Entonces, cuando vieron que yo, luego de un descomunal oleaje, me dormí profundamente al amparo de una roca de la orilla, me abandonaron, dejándome, como si fuera un mendigo, algunos harapos y un poco de comida, lo que ¡ojalá lleguen ellos a tener! Tú, hijo, ¿cómo crees que reaccioné al despertar de mi sueño, cuando ellos ya se habían marchado? ¿Cuál fue mi llanto? ¿Cuánto lloré mi desventura al advertir que las naves que yo gobernaba habían partido, y que en este sitio no había nadie que me pudiera servir ni calmar el sufrimiento de mi enfermedad? Mirando hacia todas partes, sólo hallaba el desconsuelo frente a mí. El tiempo transcurría sin cesar mi sufrimiento, y fue necesario que en esta mísera morada yo solo me gobernase. Para el vientre, este arco me ha proporcionado el alimento que necesitaba, cazando aladas palomas; sin embargo, para recoger la pieza derribada por la flecha que el nervio lanzaba, yo mismo, padeciendo, tenía que zigzaguear entre rocas y arrastrar este infortunado pie, por si podía cogerla. Y cuando tenía que beber o despedazar leña en invierno, lo hacía arrastrándome vilmente. Además, no tenía fuego; pero frotando piedra con piedra sacaba, con enorme fatiga, la oculta lumbre que me salvaba; así que la caverna que habito y el fuego me suministran todo lo que necesito, menos el alivio de la úlcera. Ahora, ¡oh hijo!, reconoce lo que es esta isla. No hay un marino que por su gusto la toque. Puertos no hay en ella. Ni dónde llegar a vender alguna mercancía, ni dónde hospedarse. Ningún hombre en su juicio viene a dar a esta tierra. Allá, de cuando en cuando, como suelen ser las cosas en la vida, han podido llegar algunos. Y los que han llegado a venir, hijo mío, me confortan con palabras, me dejan algo con qué aplaque mi escasez, alguna ropa, acaso, pero basta que yo les diga que me lleven a mi patria, para que todos se nieguen a ello. ¡Diez años han transcurrido ya... en esta isla fallezco de hambre, de escasez, y la herida no cierra...! Eso debo, hijo mío, a los dos átridas y al iracundo Ulises. ¡Ésa es, hijo, la suerte que les darán un día los dioses del Olimpo! ¡Será esa mi venganza!

CORO: Me parece que yo, oh hijo de Peante, tengo la misma compasión que la que han tenido cuantos extranjeros han llegado a esta isla.

NEOPTOLOMEO: Y yo, por mí mismo, sé que son veraces en lo que dicen, pues puedo atestiguarlo por haber estado con los perversos átridas y el desleal Ulises.

FILOCTETES: ¿Tú también tienes quejas contra esos perversos átridas? ¿Te han injuriado?

NEOPTOLOMEO: ¡Si mi mano pudiera lograr que mi furia interna quedara satisfecha, Micenas y Esparta pudieran saber muy bien que en Esciro también hay madres que dan a luz hombres valientes!

FILOCTETES: Muy bien, hijo mío, y ¿cómo has logrado acumular tanto odio contra ellos, que de esa manera los acusas?

NEOPTOLOMEO: Oh hijo de Peante, intentaré narrarte todo —¡no sé si podré hacerlo!—. El agravio que me causaron inmediatamente de que llegué, pues cuando le tocó a Aquiles el turno de morir...

FILOCTETES: ¡Ay, infeliz de mí! No continúes con tu narración si antes no me dices si ha muerto ya el hijo de Peleo.

NEOPTOLOMEO: Murió. No a mano de hombre, sino por un dios. Apolo, dicen, le lanzó una flecha.

FILOCTETES: Pues generoso fue el asesino y también la víctima. Sin embargo, no sé, hijo, qué deba yo hacer primero, si preguntarte por lo que has padecido o llorar por aquél.

NEOPTOLOMEO: Creo que ya es suficiente con tus propios sufrimientos, oh, desventurado, para que andes condoliéndote por ajenas desgracias.

FILOCTETES: Es verdad, no obstante, comienza nuevamente a contarme tu aventura. ¿Cómo fue el ultraje? ¿Cómo te afrentaron?

NEOPTOLOMEO: Cierto día en un barco de muchos colores llegaron el divino Ulises y el consejero de mi padre. Decían, quizá con verdad, tal vez con mentira, que debido a que mi padre había muerto, a nadie competía tomar las fortalezas de Troya, si no era a mí. En seguida de que escuché esto, ¡oh extranjero!, me embarqué, principalmente por mi anhelo de ver al muerto antes de que lo inhumaran —porque jamás lo había visto—, y también por la razón artificiosa que concurría de que yo debía ser quien, al llegar, tomara las fortalezas de Troya. Al día segundo de surcar los mares, empujado por próspero viento, arribé al amargo Sigeo. En seguida de que desembarqué, el ejército me rodeó. Todos me saludaron con regocijo y juraron que en mí veían a Aquiles resucitado, quien yacía insepulto. Yo, ¡desdichado!, luego de que lo lloré, me presenté sin demora a los átridas, mis amigos, y les reclamé, como era natural, las armas de mi padre y todo lo demás que hubiese dejado. Pero ellos, ¡ah desdichado de mí!, me dieron una respuesta que únicamente con gran serenidad podía tolerarse: "¡Oh hijo de Aquiles!, puedes tomar todo lo que fue de tu padre salvo las armas, pues de éstas otro guerrero es dueño ya, el hijo de Laertes." Estallé en lágrimas feroces, me puse en pie embravecido y con la cólera que me agobiaba y empujaba, con ánimo de lucha, les dije: "¡Insolentes!, ¿cómo osaron disponer de lo que es mío, sin preguntarme?" Aún no había acabado, cuando Ulises me afrentó: "¡Sí, y muy bien, muchacho, me las otorgaron: es que yo fui quien pudo salvarlas lo mismo que el cadáver. Justo era!" Indignado, lo maldije con todos los insultos que puede haber, sin omitir ninguno, si de las armas, que me pertenecían, llegara él a despojarme. Y aproximándoseme, pero sin encolerizarse, me respondió: "¡No estabas tú en medio de nosotros: estabas lejos, donde no debieras! Y pues tan soberbio te presentas con boca insolente, podrías volver a Esciro, pero con esas armas, ¡no!" Luego de escuchar tanto insulto retorné a mi patria despojado de lo que me pertenecía por Ulises, malévolo hijo de malévolos padres. Pero no es contra él con quien más me lleno de rabia. Los otros son: que una ciudad es toda lo que sus gobernantes son. Y lo mismo un ejército es lo que son sus jefes, pues los hombres que se indisciplinan se han hecho infames por los discursos de los maestros. ¡Todo aquel que deteste a los átridas téngame por su amigo, y sea a los dioses caro como lo es para mí!

Coro: ¡Tierra montañosa, tierra nutricia de los hombres y del mismo Júpiter, que en tus profundidades atesoras la fuente del río de Pactolo de corrientes de oro! A ti allí, ¡oh madre honorable!, imploré cuando contra éste se dirigía todo el desprecio de los átridas, cuando las paternas armas otorgaron, ¡oh venturosa que en tauricidas leones montas!, al hijo de Laertes, como honra excelsa.

Filoctetes: Con fehacientes señales de sufrimiento me parece, ¡oh extranjeros!, que han surcado los mares hacia aquí; y me lo están revelando de manera que bien puedo conocer que esas perversidades son propias de los átridas y de Ulises; porque sé por experiencia que en la lengua de éste tiene asiento toda clase de insidia y también toda vileza; por lo cual nada que sea justo está dispuesto a cumplir. Sin embargo, no es eso lo que se elogia, sino si estando allí Ayax el mayor, y viendo esas cosas, las consintió.

Neoptolomeo: ¡Ya no estaba con vida! ¡Oh, extranjero, si hubiera estado vivo, nunca me hubieran despojado de las armas!

Filoctetes: ¿Qué dices? ¿También se ha ido ése arrebatado por la muerte?

Neoptolomeo: No pienses en él vivo. Se fue para siempre.

Filoctetes: ¡Ay desdichado de mí! Y el hijo de Tideo, y el hijo de Sísifo, comprado por Laertes, ¿vivos están, o no? ¡Vivir no merecen!

Neoptolomeo: No, por cierto. Pero ellos están vivos; vivos y muy radiantes se pavonean en el ejército de los argivos.

Filoctetes: ¿Qué me dices? ¿Y Néstor, el de Pilos, mi viejo amigo, valeroso como ninguno, vive? Éste con sus prudentes reflexiones siempre andaba buscando frenar la pasión de los otros.

Neoptolomeo: Ahora padece desventuras. El hijo de Antíloco que con él andaba, murió: no existe ya.

Filoctetes: ¡Qué desgracia! Me das noticia de dos hombres que jamás quisiera saber que hubiesen muerto. ¡En qué puedo pensar cuando miro que esos muriendo están, y mientras tanto Ulises sigue con vida...! ¡Ése debiera haber muerto, y no ellos!

Neoptolomeo: Este enemigo es muy diestro; sin embargo, también los diestros, ¡oh Filoctetes!, tropiezan frecuentemente.

Filoctetes: Di, por los dioses, joven, ¿Páctrolo el que tanto veneró a tu padre, qué hacía entonces?

Neoptolomeo: También él ha muerto. Vamos, en pocas palabras te explicaré la causa de todo esto: la guerra nunca acaba con los malos, sino con los valientes.

Filoctetes: Muy cierto es, por eso mismo voy a preguntarte por un guerrero despreciable, pero boquisuelto y temible. ¿Qué es de él ahora?

Neoptolomeo: Es indudable que me hablas de Ulises...

Filoctetes: Estás equivocado, me refiero a un tal Tersites, aquel que nunca ponía freno a su lengua charlatana. No le inquietaba ser indiscreto a otros. Ése, ¿sabes si aún vive?

Neoptolomeo: No lo he visto, pero pienso que aún vive.

Filoctetes: Es natural, pues ningún cobarde ha muerto. Los dioses, al parecer, cuidan de ellos e incluso se alegran con traer de lo más profundo del infierno cuanto malo hay en él. Depravados, miserables, perversos, echan acá; y en cambio hunden en sus sombras a los justos y honrados. ¿Qué ha de pensar uno de esto, cómo lo ha de aplaudir, si queriendo ensalzar las obras celestiales encuentra perversos a los dioses?

Neoptolomeo: Pero yo, hijo de Eta, desde hoy, observando de lejos a Troya y a los átridas, me guardaré de ellos. Allí donde a los viles se conceden más derechos que a un hombre bien nacido; allí donde se posterga la nobleza y se otorgan derechos al villano... amistades no quiero. La rocosa Esciro me será suficiente en adelante para que viva dichoso en mi patria. Y ahora, a mi nave regreso. ¡Hijo de Peante, que venturoso tú vivas, y que tu destino sea dichoso. Que los dioses te protejan de la enfermedad, como tú lo deseas! Vamos, marinos, si los dioses dejan que las velas soltemos y al mar nos demos.

Filoctetes: ¡Ya te vas, hijo!

Neoptolomeo: Sí; que la ocasión para surcar los mares pide que no se la observe de lejos, sino de cerca.

FILOCTETES: ¡No, hijo, no...; por tu padre, por tu madre y por lo que en tu casa más quieras te imploro y te ruego que no me abandones en esta situación, solo, desamparado en medio de las desgracias en que me ves, y que sabes me atormentan. Llévame como carga en tu nave, agregada al azar. Te cuesta acaso, bien lo comprendo. Tolérame. Para espíritu noble, es la infamia un honor, pero un favor es gloria que lo encumbra. Si lo dejas de hacer, será injuria; pero si lo haces, un honor sin término. Hijo, hacer que yo llegue todavía con vida a tierra de Eta... ¡qué dichosa hazaña tuya! Ni un día completo perderás, amigo. Tómame y déjame donde tú decidas. Lo importante es que de esta tierra me lleves. Viajaré a donde ordenes, en la proa, en la popa, en el bodegón de la nave... no causaré molestias a los marinos. Concédelo, por el Júpiter de las jaculatorias... ¡Oh, hijo, dame el don, te lo suplico caído ante ti en estas rodillas que apenas sostenerme pueden! No me dejes solo aquí, sin trato humano alguno... a tu tierra llévame, o la Eubea, donde Calcodonte reina, de donde pueda yo emprender el viaje a la montañosa Traquina y al Eta, o a las corrientes del Esperquio, donde pueda aparecer ante mi amado padre. ¡Creo que habrá muerto hace tiempo! Mil veces le mandé suplicar por medio de los viajeros que tocaron la isla que viniera a sacarme, que trajera una nave, que me llevara a la patria. ¡Nada, o él ha muerto, o no recibió la noticia! Se fueron a su casa, sin pensar en mí más lo que yo les había encargado. Sin embargo, ahora a ti me acojo, te imploro que lleves, no solamente el mensaje, sino al pasajero. Sálvame tú, compadécete de mí... Recuerda que para todos los mortales ésta es la ley: todo va entre temores y peligros, y el que era feliz ahora, puede mañana ser un desventurado, y quien no sufre males al momento, debe pensar en el que sí los sufre, y piense en sus peligros: no que viva en prosperidad hará que sea invulnerable al infortunio que jamás pensaba.

CORO: ¡Misericordia, misericordia, oh príncipe! ¡Enorme es su desgracia, penosos sus males! ¡Jamás visiten a los que yo amo! Aborreces tú a los átridas, oh, príncipe, haz que el mal que te hicieron ceda en beneficio de éste. Yo a casa lo llevara, como es su gran anhelo, en ésta bien dispuesta nave, haciendo a un lado el divino enojo.

NEOPTOLOMEO: ¡Mira bien ahora! ¡Te sientes indulgente para con él en este momento! ¿Va a ser así siempre? Cuando lo lleves en la nave, cerca de su dolencia infesta, ¿no sentirás fastidio?

CORO: ¡Por nada de este mundo! Jamás me harás el reproche de una conducta así.

NEOPTOLOMEO: Me fuera deshonroso que yo quedara atrás de tus buenas disposiciones para atender a este infeliz. Lo quiere él, partamos. ¡En marcha todos! La nave se apreste y lo llevamos. Venga aprisa él. ¿Crees que la nave se rehúse a llevarlo? ¡Con sólo que los dioses sean propicios y de esta tierra sanos y salvos nos conduzcan a donde ir intentamos!

Filoctetes: ¡Oh, día, oh, día, el más venerado de mi existencia...! Varón dulce y amable... marinos reverenciadísimos... ¡Oh, si yo pudiera demostrar con hechos lo mucho que agradezco! Vamos ya. Ah, hijo, deja que yo me despida de este ruinoso cuchitril... ve lo que me sostuvo... ve cómo he resistido... ¡Nadie verla siquiera tolerara y yo, yo, por mis males, hube de sufrirla con tanta miseria!

Intenta Neoptolomeo subir a la cueva, cuando el corifeo dice:

Coro: ¡Alto... veamos lo que sucede ahora! Dos hombres se aproximan. Uno marino es de tu nave; el otro... ¡no sé! Vienen con extraña facha. Oigámoslos primero, y luego, a la cueva.

Entra Ulises con Diómedes. Ulises viste ropa de mercader.

El mercader: ¡Ah, hijo de Aquiles!, a este marino tuyo que con otros dos cuidaba tu embarcación, le ordené que me dijera dónde estabas, ya que inconscientemente y por pura casualidad te encontré al abordar en esta orilla. Yo soy el patrón de una pequeña flota que navega desde Troya hacia mi país, Pepáreto, la de fértiles viñas; y cuando me enteré de que todos éstos son marinos de tu nave, consideré que no debía proseguir en silencio mi viaje sin darte antes una noticia, a cambio de las correspondientes gratificaciones. Tal vez no estés enterado de cosas que te incumben, ni menos de los proyectos absurdos que tienen los átridas. ¡Puros proyectos, porque obra no hay!

Neoptolomeo: Extranjero, agradezco tu deferencia. Sin embargo, explícame lo que me ibas a decir... ¿Qué nuevos proyectos maquinan los argivos?

El mercader: El anciano Fénix y los hijos de Teseo han salido con una flota tras de ti.

Neoptolomeo: ¿Para obligarme a volver, o persuadirme con sus razones?

El mercader: ¡No lo sé. Lo que supe te cuento!

Neoptolomeo: ¿Y es posible que Fénix y los que con él navegan, así tan decididamente estén dispuestos a hacer eso por agradar a los átridas?

El mercader: Que lo están haciendo ya, es lo que has de saber; no que se preparen a hacerlo.

Neoptolomeo: ¿Por qué Ulises no viene en persona a dar esta noticia? ¿Acaso tiene miedo?

EL MERCADER: Ulises y el hijo de Tideo salieron a buscar a otro guerrero...

NEOPTOLOMEO: ¿A quién, a quién busca Ulises?

EL MERCADER: Uno había... no sé quién...; pero antes dime quién es éste, y al contestarme no alces la voz.

NEOPTOLOMEO: Es Filoctetes, ¡oh extranjero!, hombre famoso por sus hazañas.

EL MERCADER: Nada preguntes ya; pronto, hazte a la vela huyendo de esta tierra.

FILOCTETES: ¿Qué dice, hijo? ¿Qué canje propone en palabras sigilosas ese mercader?

NEOPTOLOMEO: No lo sé. Es necesario que lo diga en voz alta ante todos. Lo mismo a mí que a ti y a éstos.

EL MERCADER: ¡Oh, hijo de Aquiles! Jamás me delates ante los jefes del ejército si te revelo algo que no debo descubrir, pues de ellos recibo muchos beneficios a cambio de servicios. ¿Qué puede hacer un necesitado ante los poderosos?

NEOPTOLOMEO: Mis enemigos son los átridas. Y éste es mi mayor amigo, precisamente porque los odia. Es necesario que tú, que llegas aquí como amigo mío, no ocultes nada de lo que escuchaste, fuera lo que fuera.

EL MERCADER: ¡Reflexiona lo que haces, hijo...!

NEOPTOLOMEO: Lo he considerado desde hace mucho tiempo.

EL MERCADER: Te haré responsable de todo.

NEOPTOLOMEO: Acepto, pero habla.

EL MERCADER: Hablo, pues. Para buscar a este hombre, Filoctetes, el impulsivo Ulises y el hijo de Tideo se han puesto al mar. Han jurado que se lo llevarán, o convenciéndole con razones, o violentamente. Eso se lo escucharon todos los aqueos a Ulises que decía que él iba a ejecutarlo mejor que su colega.

NEOPTOLOMEO: ¿Y por qué los átridas, luego de mucho tiempo, se preocupan de éste a quien hace varios años habían abandonado? ¿De ellos nace el deseo? ¿O los dioses acaso los obligan a hacerlo? Los dioses que castigan todo crimen.

EL MERCADER: Te diré todo, porque quizá tú no lo sabes. Había un vate de alcurnia, hijo de Priamo, que se llamaba Heleno. Una noche que salió solo fue capturado por ése que está acostumbrado a escuchar todo insulto, o sea el falaz Ulises, quien luego de atarlo, lo llevó a la asamblea de los aqueos como excelente presa. El vate les pronosticó mil cosas, entre ellas dijo que Troya no sería avasallada, si no se hacía que Filoctetes, en esta isla desterrado, fuera de nuevo allá. Inmediatamente de que el hijo de Laertes escuchó esto, juró a los aqueos que les pondría delante a este hombre, que él se los llevaría. Aseguró que él pensaba que por la buena lograría convencerlo. Pero si no, lo llevaría incluso arrastrando, costara lo que costara. Y "si no lo hago, córtenme la cabeza", propuso. Es todo, hijo; y te aconsejo que te marches rápido, llevándote a todo aquél por quien tengas interés.

FILOCTETES: ¡Ay, pobre de mí! Así que ése, que es todo malicia y engaño, ¿juró llevarme persuadido ante los aqueos? Así me dejaré convencer, como si después de muerto pudiera sacarme del infierno a la luz, como el padre de aquél.

EL MERCADER: No comprendo nada de eso. Regreso a mi embarcación. Que los dioses les concedan lo que más les convenga.

FILOCTETES: Hijo, ¿acaso no es extraño que el hijo de Laertes haya prometido llevarme en su nave valiéndose de sus calumnias y ponerme en medio de los aqueos? ¡Pues no: antes oiría a la infernal serpiente que me dejó sin pie en esta isla! Sin embargo, él es capaz de decirlo todo y de atreverse a todo. Y ahora sé que vendrá. Pero, hijo, marchémonos, para que un enorme mar se interponga entre nosotros y Ulises. Vayámonos, que la oportuna diligencia proporciona sueño y descanso después de la fatiga.

NEOPTOLOMEO: Está bien, nos iremos cuando cese el viento de proa. Por el momento, nos es contrario.

FILOCTETES: El viento siempre es propicio cuando uno huye de la fatalidad.

NEOPTOLOMEO: Lo sé, pero para ellos igualmente el viento no es propicio.

FILOCTETES: Nunca es contrario el viento para los piratas cuando tienen la oportunidad de robar algo o hurtarlo por la fuerza.

NEOPTOLOMEO: Si te parece, ¡vámonos! Toma lo que creas necesario de allá dentro. Lo que necesites, o lo que desees.

FILOCTETES: Algo me hace falta de lo poco que allí hay.

NEOPTOLOMEO: ¿Qué cosa es ésa que no pudieras hallar en mi barco?

FILOCTETES: Cierta planta que anestesia esta llaga.

NEOPTOLOMEO: Pues tómala. ¿Algo más deseas llevar?

FILOCTETES: Si alguna flecha de este arco se me quedó olvidada, para no dejar que otro pueda cogerla.

NEOPTOLOMEO: ¿Ese arco que portas es el famoso que tanto celebras?

FILOCTETES: Efectivamente, no hay otro que manejen mis manos.

NEOPTOLOMEO: ¿Me permites verlo de cerca, tomarlo en mi mano? ¿Hay que arrodillarse ante él como ante un dios?

FILOCTETES: Puedes disponer, ¡oh hijo mío!, no sólo de él. sino de todo lo mío que te pueda ser útil.

NEOPTOLOMEO: Bien lo quiero, pero me ajusto a tu deseo. Lo quieres, bien. No lo quieres, ni yo.

Filoctetes: Hijo, con qué integridad hablas. Claro que se puede. Si tú eres el que me ha hecho ver la luz salvadora; el que me ha de llevar a mi patria, Etea, a ver a mi envejecido padre y a mis seres queridos. Tú, que me has salvado cuando iba a ser avasallado por mis enemigos. ¡Ten confianza, toma el arco y regrésalo a quien te lo dio. No ha habido mortal que pudiera tocarlo jamás! Eres el único que lo ha tomado en sus manos. Bien merecido lo tienes por ser bueno. Yo también por mi generosidad lo conseguí.

Neoptolomeo: ¡Me halagas: apenas te conozco y tan amigo te muestras conmigo! ¡Vale mucho el hombre que favor con favor compensar sabe! Ya, vamos a la gruta.

Filoctetes: Quiero que me acompañes, porque mi dolencia necesita tomarte como ayuda.

Entran a la gruta.

Coro: De oídas lo sé; testigo no fui, que a Ixión, porque se arrimaba al lecho de Júpiter, le echó encima volante rueda el hercúleo hijo de Cronos. Pero de ningún otro mortal he sabido, ni por haberlo escuchado ni haberlo observado, que haya caído en desgracia peor que la de éste, el cual, sin cometer mal ni omitir el bien, sino siendo hombre íntegro entre los rectos, perece tan cruelmente. Esto, en efecto, me sorprende. ¿Cómo pudo tolerar con firmeza en esta bronca soledad los estridentes impulsos de las olas que constantes se rompen contra las costas? ¿Cómo pudo contener sus lágrimas? ¿Quién era su vecino? ¡Nadie sino él mismo! Aquí se encontraba solo, sin poder caminar, sin contar con un acompañante que en su dolencia le ayudase y a quien pudiese platicar el dolor que le provocaba la brutal herida que le devoraba y los gemidos que el eco le devolvía. Unas cuantas hierbas eran su único sedante contra esta doliente y supurante herida. La tierra prolífica se las ofrecía. Deambulaba por toda esta isla como niño que aún no sabía caminar y ha sido dejado por su nodriza. Por doquier buscaba alguna ayuda para calmar sus dolores y para comprobar si podía sanar sus dolencias. Mitigar su hambre no podía con frutos que la prolífica tierra produce para los hombres que la cultivan. Su ayuda única era su flecha que al aire hacía caer al ave pasajera para que fuera remedio de su hambre. ¡Vida miserable y sombría: desde hace diez años no gusta lo que es el sabor del vino! Agua, agua pura y estancada: ésa era su bebida. Y para encontrarla tenía que caminar mucho. Mas ya de tantos males va a obtener el descanso. Encontró a un hijo noble de noble padre quien con ansia feliz lo ha de llevar en nave voladora que surca el mar, tras muchos meses, a la tierra nativa. Allí donde habitan las maliacas ninfas, en la ribera misma del Esperquio. De allí pudo remontar hasta los dioses el héroe sagrado del bronceado escudo, de la cumbre del Eta, entre llamas de su padre mismo.

Salen de la gruta Filoctetes y Neoptolomeo, que lo va sosteniendo.

NEOPTOLOMEO: Continúa, si puedes. ¿Pero cómo así, sin decir palabra, permaneces en silencio? ¿Te oprime el estupor?

FILOCTETES: ¡Ah, ah, ah!

NEOPTOLOMEO: ¿Qué te sucede?

FILOCTETES: Nada grave: avanza, hijo.

NEOPTOLOMEO: ¿Las dolencias te agobian? ¿La enfermedad te apremia?

FILOCTETES: ¡No, no: creo que comienzo a sanar. Oh dioses, dioses!

NEOPTOLOMEO: ¿Invocas a los dioses? ¿Por qué gimes de esa manera?

FILOCTETES: Para que ellos vengan y nos salven, es lo único que pido. ¡Ah, ah, ah!

NEOPTOLOMEO: Pero, ¿qué te sucede? ¿No me lo dirás? ¡Es el grave dolor...! Es evidente que estás sufriendo.

FILOCTETES: Siento que muero, hijo. ¿Para qué disimularlo? ¡Ah, ay! El dolor me traspasa y me quema. ¡Infeliz! ¡Desdichado de mí! Estoy perdido, hijo. Ay, ay, me devora... ¡Por los dioses, oh, hijo, toma esa espada y de un tajo cercéname la pierna... si muero, no te importe...; apúrate, hijo.

NEOPTOLOMEO: ¿Qué tan súbito? ¿Qué tan espantoso mal te ha lacerado, que tales alaridos lanzas?

FILOCTETES: ¡Hijo, lo sabes!

NEOPTOLOMEO: ¿Qué es?

FILOCTETES: Lo sabes, hijo.

NEOPTOLOMEO: En verdad, desconozco lo que te ocurre.

FILOCTETES: Es absurdo que no lo conozcas. ¡Ay, ay, ay!

NEOPTOLOMEO: Espantosa enfermedad te azota.

FILOCTETES: Espantosa, sí, y no se puede explicar. Sin embargo, apiádate de mí.

NEOPTOLOMEO: ¿Cómo te puedo ayudar?

FILOCTETES: Ni temas, ni me abandones. Es la doliente y severa visita que me hace esta dolencia cuando ha recorrido otros mundos desconocidos.

NEOPTOLOMEO: Infeliz, digno de compasión... tus dolencias lo gritan. ¿Toma mi mano, te ofrezco mi sostén?

FILOCTETES: No, eso no. Es mejor que tomes este arco que hace poco me pedías. Y mientras me dura esta horrorosa dolencia, cuídalo bien. Cuando el acceso del dolor desaparece, suele rendirme el sueño. Con él mi dolor se calma. Si el sueño me vence, déjame en paz. Ah, y si entre tanto llegan aquellos, por los dioses, no les des el arco, ni por la buena, ni por la mala. Jamás, por más mentiras suyas. Eso significa matarte a ti mismo y sacrificar a quien te está suplicando.

NEOPTOLOMEO: ¡Ten confianza, soy prudente: ese arco no lo toca nadie; solamente tú o yo! ¡A buena suerte, dámelo!

FILOCTETES: Míralo aquí, oh hijo; tómalo y que la envidia no sea origen de desdichas, y ni sea para ti lo que ha sido para mí y para quien antes lo poseyó.

Entrega el arco y las flechas a Neoptolomeo.

NEOPTOLOMEO: ¡Dioses, sea así para ambos. Sea también agradable y tranquilo el recorrido, a donde un dios íntegro nos lleve y a donde nos indican nuestros planes!

FILOCTETES: ¡Ay, hijo, me da miedo pensar que tus deseos resulten inútiles! Ya empieza a gotear nuevamente esta pútrida sangre que brota desde el fondo de mi úlcera. Algo peor temo. ¡Ay, ay, pobre de mí; ay infeliz...! Oh, pie!, qué martirios me causas. Ya, ya viene, ya llega, ya está aquí... ya, mírala. Piedad, no huyas, perdóname, te lo suplico... ¡Ah maligno vecino de Cefalenia... que un dolor como éste te perfore el cuerpo de pecho a espalda...! ¡Ay, ay, una vez más viene el suplicio...! ¡Oh, par de jefes, Agamenón y Menelao, ojalá en lugar de mí estuvieran sufriendo un mal parecido por el largo tiempo en que yo lo he sufrido...! ¡Ay, dolor, dolor... Oh muerte, oh muerte, cada día y en todo el tiempo te estoy evocando...! ¿Y no podrás nunca presentarte? Hijo mío, alma generosa, tómame y en el fuego de Lemnos arrójame hasta que me consuma... ¡Eso hice con el hijo de Júpiter en otro tiempo, oh piadoso joven, para quedarme con esas armas que tienes ya!

Neoptolomeo se marcha alejándose poco a poco

FILOCTETES: ¿Qué opinas, hijo? ¿Qué opinas? ¿Por qué callas? ¡Ah!, ¿pero dónde estás, oh hijo?

NEOPTOLOMEO: Penando estoy desde hace tiempo y sollozando por tus dolencias.

FILOCTETES: Pero, ten confianza, hijo, sé fuerte. Como viene la dolencia súbita y rápidamente, así también se aleja. ¡Yo te suplico que no me abandones en mi soledad!

NEOPTOLOMEO: Ten confianza, juntos estaremos aquí.

FILOCTETES: ¿Te quedas, cierto?

NEOPTOLOMEO: ¡Ten juicio: así es!

FILOCTETES: No quisiera forzarte a prometerlo, hijo mío.

NEOPTOLOMEO: Es que sin ti no puedo marcharme.

FILOCTETES: Dame tu mano en garantía de lealtad.

NEOPTOLOMEO: La doy: me quedo.

FILOCTETES: ¡Llévame, ahora, llévame!

NEOPTOLOMEO: ¿A dónde dices?

FILOCTETES: Arriba...

NEOPTOLOMEO: ¿Sales ya de juicio otra vez? ¿Qué miras arriba hacia la esfera de los cielos?

FILOCTETES: ¡Suelta, suéltame...!

NEOPTOLOMEO: ¿Para dónde te suelto?

FILOCTETES: ¡Suéltame al fin...!

NEOPTOLOMEO: ¡Soltarte, no te suelto!

FILOCTETES: Me estás matando con sólo sujetarme.

NEOPTOLOMEO: ¡Vamos, te suelto...! ¿Ya estás en mejor juicio?

FILOCTETES: ¡Oh tierra, acójeme: ya muero, según me siento! ¡No me permite ya esta dolencia estar de pie!

Se deja caer.

NEOPTOLOMEO: Muy pronto, el sueño lo dominará, según pienso. Ya rindió la cabeza, ya un profuso sudor le humedece el cuerpo, ya negra sangre brota de la orilla del pie. Vamos, amigos, lo dejaremos descansando hasta que el sueño lo someta.

CORO: ¡Sueño ignorante de sufrimientos, sueño ignorante de aspiraciones, ven a nosotros sereno! ¡Te lo imploro reiteradamente. Ven como amable aliento. Oh príncipe pacificador: mantén en sus ojos la suave claridad que ha caído en ellos. Ven, ven a mí, dador de tranquilidad! Y ahora, tú, hijo mío, piensa qué has de hacer: ¿permanecer?, ¿alejarte? ¿Qué crees que suceda? Ya lo ves, ¿por qué retrasar la obra? ¡Nada es mayor garantía para una victoria plena que una decisión tomada a buen tiempo!

NEOPTOLOMEO: ¡Sin embargo, ya no escucha él...! Y advirtiendo estoy que nada he conseguido con poseer su arco, si a él no lo llevamos. Alcanzar el triunfo a él incumbe. Se lo avisó así un dios. ¿Qué ganaríamos, si nosotros la victoria intentáramos, con estafas y artificios?, ¡gloria injusta es sin decoro y para nada sirve!

CORO: ¡Pero eso, oh hijo mío, lo habrá de ver el dios. Si otra vez me respondes, dilo en voz baja, muy baja! Ah, hijo mío: el sueño de enfermo, ligero sueño es: para saber sus males, siempre se halla despierto. Sutilmente, con serenidad, con prudencia di lo que nos importa... ¡eso te imploro! Bien sabes de qué hablo. ¿Insistes en lo dicho? Si con él estás acorde, acopias males en tu contra, rigurosos y fatales.

Epodo: ¡Se ha aplacado el viento, hijo mío! Míralo, él está allí sin ver, sin amparo, en profunda noche de letargo sumido... ¡Bueno es el sueño en el verano, pero, ¿qué puede ser sin manos, sin pies, sin energía echado por tierra? Es víctima que se ofrece a los dioses. Hombre que ya es como quien en el infierno yace. Míralo bien: observa que es recto decir a su tiempo. Poco capto, oh, hijo, de las cosas de la vida, pero lo mejor de los hechos, es hacerlos sin temores.

Va despertando Filoctetes y se levanta.

Neoptolomeo: ¡Mando callar: no sin juicio! Él ya movió los ojos, la cabeza levanta.

Filoctetes: Luz bella cuando el sueño me deja... no lo esperaba ya, oh amados huéspedes... Nunca pensé hijo, que resistieras con compasión enorme, penas sin igual, dándome auxilio. ¡Esos se dicen jefes, pero nobles no son! ¡Esos átridas...! fuertes, modelos de combatientes, dicen. Todo lo contrario son. Pero tú, no. Eres de noble raza, conservas tu nobleza... Pero tú sí: de raza bien nacido, sin pena alguna tomas el partido de un mísero que con sus gritos y con sus hedores te es repugnante. Y ahora, al parecer, la dolencia cesa; me concede una tregua, me olvida por momentos. Hijo, tú mismo levántame, haz que me ponga de pie y ya recuperado un tanto, marcharemos al navío. Sin demorar ya más emprenderemos el viaje.

Neoptolomeo: Me alegra verte sanado de tu dolencia. No esperaba tenerte sin dolores, sin lamentos: bien tenías ya el rostro de un muerto. Tú mismo ponte en pie. Si mejor te parece, estos amigos te lleven, que lo harán con agrado. Te dan gusto a ti y también a mí.

Filoctetes: Te lo agradezco, pero es mejor que tú mismo me ayudes. En cuanto a ellos, déjalos tranquilos, ¿por qué han de sufrir antes de tiempo el mal olor que de mi llaga brota? Buena será su pena cuando juntos vayamos en la nave.

Neoptolomeo: Sea. En pie, dame la mano. ¡Ya, firme!

Filoctetes: Tenlo por seguro. Ya la costumbre me ha enseñado a hacerlo.

Se levanta, se apoya en Neoptolomeo. Éste reacciona.

Neoptolomeo: Bah, bah... ¿Y qué he de hacer ahora yo?

Filoctetes: ¿Qué sucede, hijo? ¿Qué significan tus palabras?

Neoptolomeo: ¡No sé, no sé... a dónde guiar este pesado asunto!

Filoctetes: ¿Qué te es pesado? ¡Hijo, no digas eso!

Neoptolomeo: Bien en conflicto estoy, y no es pequeño.

Filoctetes: ¿Te es gravoso llevarme en tu nave por causa de mi enfermedad? ¿Eso es lo que te ha hecho mudar tan súbitamente?

Neoptolomeo: Gravoso es todo lo que toma uno contra su modo de ser y se mete en lo que no le atañe.

Filoctetes: Pero nada haces ni dices indigno de tu progenitor, cuando auxilias a un hombre desdichado.

Neoptolomeo: Hace tiempo que lo estoy sufriendo... voy a resultar un vil.

Filoctetes: No en lo que haces; quizá en lo que dices.

Neoptolomeo: ¡Oh Júpiter!, ¿qué hago? ¡Criminal dos veces: lo soy si callo lo que no debiera; lo soy si mentirosamente hablo!

Filoctetes (*aparte*): Este hombre, si no soy mentecato, está tramando darse a la vela abandonándome aquí, después de engañarme... traidor.

Neoptolomeo: Dejarte, no. Lo que me pesa es llevarte en un viaje que te será doloroso.

Filoctetes: ¿Qué, qué dices, muchacho? ¡Como que no comprendo!

Neoptolomeo: Ya nada oculto: a Troya, a los aquivos, a los átridas deberás ir.

Filoctetes: ¡Ay, mísero de mí! ¿Qué es lo que dices?

Neoptolomeo: No lo lamentes antes de saberlo.

Filoctetes: ¿Saber qué? ¿Qué piensas hacer conmigo?

Neoptolomeo: Primero, liberarte de tus males. Después, contigo devastar a la nación troyana.

Filoctetes: ¿Pero es verdad que hacer tal cosa piensas?

Neoptolomeo: Urge mucho. Es necesario. Óyelo todo y no te irrites.

Filoctetes: ¡Me arruiné, infeliz... soy traicionado! ¿Qué has hecho conmigo, oh extranjero? ¡Dame pronto mi arco!

Neoptolomeo: ¡Eso sí no: tengo que obedecer a los que me mandan! Eso es tan justo como provechoso.

Filoctetes: Ah, tú, fuego mortal, arsenal de oprobios colmado de perfidia y deslealtad... ¡Cuánto daño me has hecho! ¡Cómo me has engañado! No te avergüences de mirar cara a cara a quien depositó en ti su confianza y esperó tu favor... Me quitaste la vida al coger el arco. Regrésamelo, te lo imploro; regrésamelo, te lo suplico, hijo. ¡Por los dioses de tu familia, no me quites la vida! ¡Ay, desdichado de mí! Pero ni contesta siquiera; no me lo regresará ni me ve... ¡Oh puertos, oh peñas, oh bestias compañeras de mi vida, oh roquedales bruscos...! ¿A quién decirlo, si ya a nadie veo? A ustedes, testigos eternos de mi vida, elevo mi lamento... ¿Ésta es la obra del hijo de Aquiles? Él juró llevarme a mi casa, pero ahora me conduce a Troya. Me dio su diestra en señal de lealtad y me pidió el arco sagrado de Hércules, el hijo de Júpiter, y ahora lo retiene como si le perteneciera. Y su propósito es ofrecerlo a los argivos. Como si hubiera capturado a un hombre hercúleo, me lleva a la fuerza; pero no se percata de que mata a un muerto o a la sombra del humo, que no es más que vana apariencia. Porque jamás, de gozar yo de salud, me habría apresado, ni tampoco así como estoy, sino por engaño. ¡Él de mí se burló ahora! y ¿qué hacer me queda? ¡Ah, tiempo es aún: devuélveme mi arco; vuelve siquiera a mí! ¿Qué dices? ¿Quedas mudo? ¡Nada!, ¡soy ya infeliz! ¡Oh caverna de dos puertas!, una vez más entraré en tu interior, endeble, sin tener de qué alimentarme, y de esta manera me consumiré en esa cueva, solo, sin poder matar ningún pájaro ni bestia montaraz con esas flechas; sino que yo mismo, desdichado, feneciendo, proveeré alimento a los mismos de quienes me alimenté. ¡Van a cazarme los que yo cazaba! Mi vida será retribución de sus vidas, y eso lo debo al que llegó simulando nada saber de perversión y deslealtad. ¡Así sucumbas tú, perverso...! ¡No, no aún; veremos si cambias de propósitos... que si no, que mueras cruelmente!

Coro: ¿Qué hacemos? Tú debes decidir si partimos en las naves, o que a las súplicas de este hombre cedamos, ¡oh príncipe!

Neoptolomeo: Desde hace tiempo, este hombre desdichado me ha infundido una profunda compasión.

Filoctetes: ¡Ah, sí, por los dioses: apiádate!; y no te acarrees la humillación de los hombres, engañándome.

Neoptolomeo: ¡Ay, desdichado de mí! ¿Qué haré? Jamás debí haber salido de Esciro; ¡tanto me entristece lo que ahora sufro!

Filoctetes: Malo no eres tú. ¡De los perversos aprendiste a actuar con maldad! Sin embargo, ahora, ya que cedes a los requerimientos de otros a quienes debes obedecer, devuelve su maldad a quien te la dio y a mí devuélveme mi arco.

Neoptolomeo: ¿Qué hago, marinos?

Entra súbitamente Ulises con dos hombres.
Neoptolomeo va a entregar el arco a Filoctetes.

Ulises: ¡Infeliz de ti, el más abominable de los hombres! ¿Qué intentas hacer? ¿No me entregarás esas armas y te marcharás de aquí?

Filoctetes: ¡Ay!, ¿quién es ese hombre? ¿No escucho a Ulises?

Ulises: A Ulises escuchas, entiéndelo bien. A mí me estás mirando.

Filoctetes: ¡Infeliz de mí! Me han vendido y estoy perdido. Ése fue, ése, el que me sedujo, ése robó mi arco...!

Ulises: Yo, sí, yo mismo, no otro; lo confieso.

Filoctetes: Hijo, dame mi arco, déjamelo...

Ulises: Aunque él deseara complacerte, jamás lo hará. Tú debes partir con éstos, pero si te niegas, te llevarán a la fuerza.

Filoctetes: ¿A mí, villano entre los villanos y valeroso, me llevarán éstos a la fuerza?

Ulises: ¡A no ser que tú vayas por tu gusto!

Filoctetes: ¡Oh tierra de Lemnos y fuego supremo de Vulcano que todo lo avasallas! ¿Es tolerable que este hombre me arrebate de ustedes por la fuerza? ¿Quedarán impasibles?

Ulises: Para que lo sepas, Júpiter, señor de esta tierra, ha dictaminado esto. Yo sólo sirvo de instrumento suyo.

Filoctetes: ¡Aborrecible ser: eso tú lo has fraguado con tus calumnias! ¡Pones a los dioses por defensa y a los dioses conviertes en embusteros!

Ulises: No, sino como verdaderos. El camino se ha de andar.

Filoctetes: Pues yo digo que no.

Ulises: Y yo te ordenó que obedezcas.

Filoctetes: ¡Infeliz de mí. Me procreó mi padre para ser esclavo y no para ser hombre libre!

Ulises: No; sino semejante a los valerosos con quienes es necesario que ocupes Troya, y la destruyas por la fuerza.

Filoctetes: Jamás. Aunque toda desgracia me avasalle, en tanto que yo pise el suelo de esta tierra arraigada en el abismo.

Ulises: ¿Qué intentas hacer?

Filoctetes: Lanzarme de cabeza desde esta roca y al caer la dejaré ensangrentada.

Ulises *(a sus compañeros)*: ¡Átenlo inmediatamente, para que no pueda hacerlo!

Lo sujetan sin atarlo.

Filoctetes: ¡Oh manos, que padecen por haber sido despojadas de su arco! ¡Oh tú, que en nada sano ni bondadoso piensas, cómo has conseguido engañarme, cómo me has atrapado, poniendo por artimaña de ti mismo a este niño, de mí conocido, pero a mí semejante y de ti tan diferente, que sólo ha sabido hacer lo que se le ha encomendado. Ahora mismo da a conocer lo que le atormenta haber caído en esta falta y los sufrimientos que a mí me ha ocasionado! ¡Espíritu irreflexivo e insidioso el tuyo, que en forma vil desde lo oscuro todo lo observa, pudo enseñar a éste a ser tan diestro para el mal. Ni él lo sabía ni saberlo quisiera! Y ahora, a mí, ¡oh desventurado, desamparado, confinado, como a un muerto entre los vivos! Ah, ¡ojalá perecieras! ¡Cuántas veces he elevado esta súplica! Sin embargo, los dioses jamás me complacen... y vivo estás, y gozas y te regocijas mientras yo me debato en la angustia. Y ahora el mayor martirio sobre mí cae: soy objeto de burla para ti y los átridas, de quienes eres lacayo; pues cierto es que tú, engañado y sometido por la rudeza, surcaste los mares con ellos. No obstante, yo, el infeliz, el abatido, me lancé a la aventura al frente de las siete naves, por mi propia voluntad, sin imposición alguna... Como a un perverso me rechazaron ellos, según tú dices, así como ellos dirán que tú lo ordenaste. Y ahora, ¿por qué me llevan? ¿Por qué me sacan de aquí? ¿Qué razones tienen? ¡Nada soy ya! Para ustedes soy un muerto muy viejo. ¿Es que, ¡oh maligno aborrecido de los dioses!, ya no soy para ti cojo y pestilente? ¿Es que ya te es posible ofrendar víctimas a los dioses, aunque yo esté presente? ¿Puedes hacer ya libaciones? Ésta fue tu excusa para desecharme. ¡Que los dioses te perviertan a ti y a ellos, y sucumban por desgracias similares a las que me procuraste, si hay aún justicia entre los dioses! ¡Claro que hay! Sin ellos, ¿qué pudiera moverte a esta aventura de buscarme, venir a mí, tan desdichado? ¡Es divino aguijón el que los impulsa! ¡Oh dioses patrios que vigilan mi tierra, oh tierra venerable patria mía, un castigo para ellos, incluso tardío! ¡Misericordia y clemencia para mí! Desolada y lastimosa es la vida que arrastro, pero si los miro morir, será una liberación de mi desgracia.

Coro: ¡Perverso es este hombre, perversas son sus palabras: resiste hasta lo inexplicable, oh Ulises, pero subyugarse no sabe!

Ulises: Mucho podría objetar a las aseveraciones de éste si yo estuviera facultado; sin embargo, ahora sólo digo una palabra: tal como las circunstancias lo demandan, así soy yo. Cuando se requiere a una persona honrada, nadie puede superarme. Soy de una idiosincrasia tal, que necesito vencer en todas partes, salvo en lo que a ti se refiere; y ahora voluntariamente cedo ante ti. Pero, libérenlo; ya no lo sujeten. Déjenlo que se quede. Tú ya no eres necesario: nos bastarán tus armas. Teucro, que está con nosotros, sabe manejarlas, y yo también. Creo ser tan diestro como tú para estirar el arco y lanzar las flechas. ¿Qué necesidad hay pues, de ti? Sé feliz paseando por Lemnos. Marchémonos, y es posible que pronto se me confiera en recompensa el honor que debías tú alcanzar.

Filoctetes: ¡Qué infeliz soy!, ¿qué haré sin ventura? Tú, vanagloriándote con mis armas, ¿te presentarás entre los argivos?

Ulises: Ni una palabra más. Me marcho.

Filoctetes (*a Neoptolomeo*): ¡Progenie de Aquiles! ¿Ni tu voz me permites escuchar?

Ulises (*a Neoptolomeo*): Vamos, camina adelante; no vuelvas la vista, aunque noble de alma eres y acaso nuestros planes echarás a perder.

Filoctetes (*al coro*): ¿Así que tú, ¡oh extranjero!, me dejas también aquí solo? ¿Ya para mí no habrá piedad?

Coro: El joven es nuestro jefe. Lo que él decirte pueda será lo que digamos.

Neoptolomeo: Me reprenderán mi piedad para éste, sin embargo, aguarden, si a éste place, tanto tiempo cuanto necesiten los marineros para reparar la nave, e imploremos nosotros a los dioses. Tal vez mientras tanto este hombre mude y tenga otros pensamientos hacia nosotros. Los dos partamos. Cuando a ustedes los llamemos, vengan presurosos.

Se marchan Ulises y Neoptolomeo.

Coro: ¡Cueva labrada en la roca, fresca y candente a su tiempo, jamás debiera yo dejarte, sin haber hecho que contemplaras mi muerte! ¡Ay, ay, ay de mí! morada sombría y solitaria, testigo de mis desdichas, impregnada por los ecos de mis gemidos quejumbrosos, ¿qué va a ser de mi vida día con día? ¿Dónde, cómo y con qué medios voy a procurar mi sustento? ¡Aves veloces suban al cenit: ya no tengo medio para someterlos! ¡Tú a ti mismo, tú a ti mismo esto te has procurado, oh desdichado hombre! No es mano ajena más fuerte que la tuya la que esta obra ha producido. Podías haber sido más sensato: entre los dos extremos has preferido el inaceptable.

Filoctetes: ¡Infeliz, infeliz, flagelado por la desdicha, no tengo delante de mis ojos sino la muerte y la desolación. No habré de ver ya jamás un solo mortal, prisionero para siempre en estas rocas. ¡Ay, ay, ay! No podré ya conseguir mi sustento, ya no mis voladoras flechas me lo proporcionarán lanzadas por mis poderosas manos. Fraudulento colmado de calumnia el lenguaje jamás escuchado de un hombre infame logró seducirme en su engaño. ¡Así viera yo al perverso hundido con las penas que ahora sufro, él que pudo urdir tan falaz artificio!

Coro: El sino, el sino de las deidades procede: no surgió de mis manos ese ardid. Esa tu cólera, esa tu rabia vaya a caer en otros. En cuanto a mí, el anhelo máximo es que no rechaces nuestra amistad.

Filoctetes: ¡Ay, sí, desdichado de mí...!, que quizá sentado a la orilla del níveo mar se está riendo de mí, empuñando en su mano el arco que alimentaba, infeliz de mí, y que nadie jamás manejó! ¡Arco, venerado arco, arrancado, sin previsión, de mis apreciadas manos, que eran amigas tuyas...! Te verás en tu mano y pensarás acaso en quien lo poseyó después de Hércules. Este su camarada no podrá en lo futuro tenerte en su poder: pasó a las manos de un hombre que es el puro engaño, todo él embustes... En esas manos serás el instrumento de innumerables maquinaciones de traición y serás el gran medio de que logre victoria el que fue mi enemigo mayor, que en su pecho sin honra ni grandeza tramó sus tretas en mi contra.

CORO: Derecho el hombre tiene de amparar su bien propio; decir lo que se requiere, sí, pero también debe dejar de defenderse con ofensivas palabras. No fue él quien instintivamente se dio a esta empresa: lo mandaron aquellos que mandar debían. Si consumó esta hazaña, se debe al imperio de sus guías.

FILOCTETES: ¡Caza volátil, bestias de ojos de fuego, dueñas ambas de riscos y ribazos...! ¿Por qué huyen? ¡Ya no tengo aquel arco invencible y triunfador que era con sus dardos mi amparo único! ¡Ésta es mi desgracia hoy! Desamparados estos sitios quedan. Nada teman. No hay ya quien pueda poner en ustedes alguna preocupación. Vengan: ¡venguen ahora vida por vida: yo maté, mátenme; sus carnes comí, coman las mías...! ¡Un momento, no más y muerto habré caído..! ¿De dónde y cómo podría lograr sustento? ¿Hay quién de puro aire vivir puede? ¿Cómo si no puede sacar de la tierra sus productos fecundos?

CORO: ¡Por los dioses te imploro, si algún respeto tienes al extranjero, llegues a él, pues lleno de benevolencia vino hacia ti. Y entiende, entiende bien, que en tu mano está el librarte de este infortunio, pues es desagradable alimentar una dolencia y no comprender el inmenso sufrimiento que consigo lleva.

FILOCTETES: Nuevamente estás allí; estás allí nuevamente reavivando mis males... Tú que tan piadoso fuiste al visitarme mucho después que otros, ¿cómo es que hoy me destruyes? ¿Cómo es que hoy me martirizas?

CORO: ¿Por qué dices eso?

FILOCTETES: ¡Porque me quieres llevar a esa indigna y odiada Troya!

CORO: ¡Es lo más conveniente, según mi pensamiento!

FILOCTETES: Si así es, márchate inmediatamente: déjame a mí.

CORO: Grata a mí, grata es en todo la orden que me impones. Cumplirla quiero. Vamos, vamos al puerto. Cada uno a su sitio, cada uno en el lugar donde debe ir en la nave.

FILOCTETES: ¡No, por Júpiter, a quien invoco en mi plegaria, no te marches; te lo imploro.

CORO: Mide tu brío.

FILOTECTES: ¡Extranjeros, por los dioses, permanezcan aquí!

CORO: ¿Qué pides pues?

FILOCTETES: ¡Ay, ay... oh divinidad, divinidad... perdido soy yo desventurado! ¡Pie, pie mío!, ¿qué hacer me toca en tanto que la vida me sea reservada? ¡Retornen, extranjeros, retornen, por los dioses!

CORO: ¿A qué, entonces? ¿Es diferente lo que ahora dices de lo que antes dijiste?

FILOCTETES: Bien pudo ser: un torbellino de sufrimientos me derrumba: ¿en él dije acaso algo que decir no debiera?

Coro: ¡En marcha, pues, desdichado, tal como lo he dispuesto!

Filoctetes: Eso no, eso no, jamás, jamás... es evidente que si el rey de los rayos viniera contra mí, aquel que arroja fuego e ígneos torbellinos, vencerme no pudiera. ¡Perezca Ilión y cuantos bajo la sombra de sus muros decidieron lanzar a este pobre lisiado a una lejana playa... Sin embargo, háganme un favor, oh extranjeros.

Coro: ¿Sí? ¿Cuál?

Filoctetes: Denme un hacha, o una espada, o el arma que detenten.

Coro: ¿Qué piensas hacer? ¿Qué intentas hacer?

Filoctetes: Hallar a mi padre.

Coro: Pero, ¿dónde?

Filoctetes: En el Hades. Vivo ya no es. ¡Oh mi ciudad, mi patria...! ¡Verte pudiera yo, tan desventurado! Abandoné un día tu río sagrado para ir en auxilio de los argivos desleales y hostiles... sin embargo hoy, ¡muerto quedo para siempre!

Entra a su cueva.

Coro: Hace mucho tiempo que yo estuviera lejos y en mi nave, pero veo a Ulises y al hijo de Aquiles que se acercan.

Regresan Ulises y Neoptolomeo en contienda.

Ulises: ¿Dirás o no por qué tan de prisa has vuelto?

Neoptolomeo: A reparar la falta que por error he cometido hace tiempo.

Ulises: ¡Dicho admirable! ¿Falta? ¿Qué falta fue ésa?

Neoptolomeo: Obedecerte, obedecer a todo el ejército.

Ulises: ¿Hiciste alguna obra que no debieras?

Neoptolomeo: Engañar a un hombre con falsedades y ardides.

Ulises: ¿A quién? ¡Ah!, ¿te sublevas?

Neoptolomeo: No, subversivo no soy. Sin embargo, al hijo de Poyas...

Ulises: ¿Qué vas a hacer? El temor me invade.

Neoptolomeo: De él tomé este arco y ahora debo otra vez...

Ulises: ¡Por Júpiter!, ¿Qué dices? ¿Piensas devolverlo?

Neoptolomeo: Sí, pues sin justicia ni derecho se lo he arrebatado.

Ulises: ¡Por los dioses! ¿Dices eso por burlarte de mí y por injuriarme?

Neoptolomeo: Burlarse no es pregonar lo que es justo.

Ulises: ¿Qué dices? ¡Hijo de Aquiles, recapacita...! ¿Qué palabras dijiste?

Neoptolomeo: ¿He de decirlo dos e incluso tres veces?

ULISES: Ni una sola quisiera que mis oídos escucharan.
NEOPTOLOMEO: Pues ahora sábelo: ya has oído cuál es mi propósito.
ULISES: ¡No, hay alguno, sí, hay alguien que lo impida!
NEOPTOLOMEO: ¿Impedírmelo? ¿Quién?
ULISES: Todo el ejército de los aqueos y yo antes que nadie.
NEOPTOLOMEO: Inteligente naciste, sin embargo, al hablar ahora no demuestras esa inteligencia.
ULISES: Tampoco en lo que digas, tampoco en lo que hagas te habrás de mostrar inteligente.
NEOPTOLOMEO: Si justo es, no importa que carezca de destreza.
ULISES: ¿Justo es que devuelvas lo que por mis consejos has logrado?
NEOPTOLOMEO: Un sucio error que hice repararlo ya quiero.
ULISES: ¿Si ése es tu propósito no te preocupas tener como enemigo a todo el ejército de los aqueos?
NEOPTOLOMEO: Teniendo a la justicia de mi parte, del ejército y de ti me río.

Laguna en el texto.

NEOPTOLOMEO: Ni tu poderosa mano podrá obligarme a hacerlo.
ULISES: No contra Troya, entonces, contra ti pelearemos.
NEOPTOLOMEO: Sea lo que ser debe.
ULISES: Mi diestra mano ya se aferra a la empuñadura de la espada, ¿no lo ves?
NEOPTOLOMEO: ¿Pero no adviertes que yo estoy en lo mismo? ¡Nada me atemoriza!
ULISES: Está bien, me marcho. A todo el ejército le comentaré todos tus hechos. De él te vendrá el castigo.
NEOPTOLOMEO: Tornas a tener juicio... si siempre lo tuvieras, ¡cuántos lamentos te hubieras ahorrado!

Se vuelve hacia la cueva.

Hijo de Poyas, ven, oh Filoctetes, sal, deja ya esa cueva de ásperos roquedales.

Asoma Filoctetes.

FILOCTETES: ¿Qué voz retumba a la entrada de mi caverna? ¿Para qué me llamas? ¿Qué quieres de mí? Ah, si eres tú... Infeliz de mí: es mal, muy mal. Una nueva desgracia llega para agregarse a las ya tan antiguas.

Neoptolomeo: Ten confianza: no temas, escucha bien lo que voy a decirte.

Filoctetes: Te temo porque antes, llevado de tus buenas palabras, hice mal en dejarme convencer por tus razones.

Neoptolomeo: ¿No puede un hombre cambiar de sentimientos?

Filoctetes: Eso fuiste antes. Con palabras dulces el arco me robaste... amigo te dijiste. Fuiste amigo desleal: querías arruinarme.

Neoptolomeo: No así ahora. Créeme y escúchame. Dime una sola cosa: ¿te apegas a esta testaruda y severa suerte? ¿Te vas con nosotros?

Filoctetes: ¡Basta! Calla. Cuanto más digas, más inoportuno será.

Neoptolomeo: ¿Así te aferras?

Filoctetes: Y más firmemente de cómo te lo pueda decir.

Neoptolomeo: Hubicra qucrido convencerte con mis palabras, pero si te parecen inoportunas, guardaré silencio.

Filoctetes: Todo lo que argumentaras resultaría en vano. Obstinación pura. ¿Cómo crees que yo pueda creerte, si la vida misma me has quitado? ¿Quieres aconsejarme, abominable hijo de un noble padre? ¡Muertos sean todos los átridas, el hijo de Laertes, y también tú!

Neoptolomeo: ¡Basta de maldecir, guarda silencio: recibe estas armas!

Filoctetes: ¿Qué dices? ¡Mentira: nuevo engaño!

Neoptolomeo: No, por Júpiter te lo juro, por el venerable y magnánimo!

Filoctetes: ¡Amadísimo dicho... si lo que dices es cierto!

Neoptolomeo: No las palabras: obras te lo declaran. Extiende la diestra, recibe éstas.

Cuando ha dado las armas reaparece Ulises.

Ulises: Me opongo: ¡testigos sean los dioses, y en nombre de los átridas y de todo el ejército!

Neoptolomeo: Hijo, ¿quién es? ¿No escucho la voz de Ulises?

Ulises: Efectivamente, la escuchas. Soy yo. Frente a ti se encuentra quien te llevará a la fuerza a las llanuras de Troya. Nada importa que el hijo de Aquiles lo permita o no.

Filoctetes: Sin embargo no te alborozarás de ello, si esta flecha va bien dirigida.

Neoptolomeo: No te dejo obrar yo.

Filoctetes: ¡No, no, por los dioses, suéltame, hijo mío! ¡Él es mi enemigo eterno, mi contrario, y matarlo no me dejas!

Neoptolomeo: Ni a ti ni a mí tal hecho fuera digno.

Filoctetes: Una verdad aprende, hijo, y es que los jefes de la armada, embusteros mensajeros de los aqueos, siendo pusilánimes y sin vigor para los hechos, son muy atrevidos en las palabras.

NEOPTOLOMEO: Sea... pero tienes ya en tu mano el arco y en mi contra nada hay que te exaspere o te haga lamentar.

FILOCTETES: Digo lo mismo. Muestras de qué sangre procedes. No de la de Sísifo, sino de la de Aquiles. Cuando ha muerto es sin mancha, como siendo vivo.

NEOPTOLOMEO: Siento embriaguez cuando te escucho honrar a mi padre, y exaltarme a mí mismo. Sin embargo, más bien escucha lo que de ti pretendo. Es preciso aguantar las vicisitudes de la suerte que a los hombres han sido fijadas por los dioses. Empero si un hombre es causa de sus propios males y en ellos halla placer, ya ni de compasión, ni de indulgencia es digno. Tú te llenas de cólera y no aceptas que nadie te aconseje y si hay quien por cariño te reprenda, con desprecio correspondes, lo tomas por enemigo acérrimo. Y con todo, he de hablarte. Séame Júpiter, el que ampara juramentos, testigo de mis dichos. Y tú entiende bien esto y en tu mente escríbelo. El infortunio que padeces proviene de divino ordenamiento. Tú te acercaste osado al guardián de Crises, a la serpiente que vigila en su secreto el templo sin cubierta. Y ten sabido que mientras el sol salga por este lado y se oculte por aquél, no cesará ese mal en ti, mientras no por tu propia voluntad vayas a Troya y trates en acuerdo con los hijos de Asclepio que podrán aliviarte. Y entonces tú con estas armas y conmigo te apoderes del baluarte de Troya. ¿Cómo lo sé, te preguntarás? Voy a decirlo. Entre nosotros hay un prisionero, de nombre Heleno, el mejor vidente, y él afirma que eso el porvenir impone, y agrega que en este mismo estío caerá Troya, y que si falla el pronóstico, que lo decapiten. Ya todo sabes ahora. Doblégate al destino. ¿Ves qué grandioso es ser estimado como el más valiente; ir y hallar quien cure tus males y al fin tomar a Troya, esa Troya que de lágrimas venero, y así escalar la cumbre de la gloria?

FILOCTETES: ¡Odiosa duración en este mundo! ¿Por qué, por qué aún sobre la tierra me mantienes? ¿Por qué no dejas que descienda al Hades? ¿Qué hacer, qué hacer? Ay, ¿voy a negarme al consejo de este hombre que se me ha mostrado tan benévolo? ¿Pero puedo ceder? ¿Osaré presentarme ante los hombres, cuando tales han sido mis procederes? ¿Con quién voy a platicar? Ojos que ven todo lo que a mí me rodea, que vieron mis desventuras, ¿tienen que ver que yo hable con los átridas, los que hicieron mi ruina, ellos y el completamente aborrecible hijo de Laertes? El dolor del pasado ya no me martiriza: me hiere el dolor que habré de recibir de parte de esos en lo futuro... ¡Sí, mente que concibe y pone en obra crimen, se hace madre de crímenes y crímenes aprende a la continua! Eso, eso me sorprende: ni tú a Troya debieras ir, ni debieras convencerme de que yo vaya. Son esos hombres los que cometieron injusticias, son los que injuriaron la gloria de tu padre. ¡Y ahora te dispones a ir a defender con tus combates, y aun obligarme a mí que vaya! No, hijo, no: tú me lo habías jurado, a mi casa llévame; a Esciro vuelve y que los malos, vilmente acaben. De dos lados tendrás la recompensa, pues a dos honras: a mí y a tu padre. Y esos desleales no tengan argumentos para pensar que como ellos eres un perverso.

Neoptolomeo: Acertado y sensato es lo que dices. Sin embargo, porfío: debes abandonar esta tierra, de ella debes salir con este hombre que es tu amigo.

Filoctetes: ¿Ir yo a Troya, ir a los átridas, con esta pierna llagada?

Neoptolomeo: Claro; ir a donde se hallan los que curarla pueden y librarte de males.

Filoctetes: ¡Espantosa cosa es la que pides...!, ¿qué me dices?

Neoptolomeo: A ti y a mí por cierto veo que es provechoso.

Filoctetes: ¿Ante los dioses tal decir no te ruboriza?

Neoptolomeo: ¿Puede alguien sonrojarse si hace el provecho?

Filoctetes: ¿Provecho, a quién? ¿A mí o a los átridas?

Neoptolomeo: A ti sin duda, pues amigo soy tuyo. Así hablo también.

Filoctetes: ¿Cómo, si quieres entregarme a mis enemigos?

Neoptolomeo: ¡Oh querido, con las desgracias aprende a confiar!

Filoctetes: Me matas tú con eso, bien lo conozco, tus palabras me arruinan.

Neoptolomeo: No; no. Digo que no comprendes.

Filoctetes: ¿No sé acaso que fueron los átridas quienes a esta tierra me expulsaron?

Neoptolomeo: ¡Te lanzaron aquí, vaya, pero ahora quieren salvarte!

Filoctetes: Ir a Troya por gusto, no lo quiero.

Neoptolomeo: ¿Qué haremos, pues? Mis razones no pueden convencerte... me resuelvo entonces a negarte los medios con que mantengas tu vida. Vive aquí sin auxilio, como viviste, ni pienses que es posible que aquí sanes.

Filoctetes: Deja que sufra lo que sufrir debo, pero tú con tu diestra en mi mano me juraste llevarme a mi patria. Cumple ya tu juramento. No demores, oh hijo, y nunca más menciones a esa Troya: mil lamentos y lágrimas me cuesta.

Neoptolomeo: Te parece así, vamos.

Filoctetes: ¡Noble y rica palabra proferiste!

Neoptolomeo: En firme, ponte en pie.

Filoctetes: Cuanto más pueda yo.

Inician el descenso desde la cueva.

Neoptolomeo: ¿Cómo eludir podré la rabia de los aqueos?

Filoctetes: No te preocupes.
Neoptolomeo: ¿Y si invaden mi patria para devastarla?
Filoctetes: Yo allí estaré presente...
Neoptolomeo: ¿Y qué ayuda pudieras darme?
Filoctetes: Con las flechas de Hércules.
Neoptolomeo: ¿Qué con ellas?
Filoctetes: Evitaré que a tu patria lleguen.
Neoptolomeo: Marcha después de despedirte de este suelo.

Aparece Hércules.

Hércules: No, todavía no: tendrás que escuchar primero, hijo de Poyas, lo que notificarte quiero. Dirás que viste el rostro de Hércules; que escuchaste la cadencia de su voz. Vengo por ti solamente desde la divina morada. Voy a revelarte las intenciones de Júpiter y a detenerte en esta empresa que intentas. Escucha con atención mi relato. Antes que nada te recuerdo mis aventuras impuestas por la suerte, y cómo al fin, luego de sufrir tantas penas, alcancé la dignidad inmortal como a la vista queda. Eso te está reservado a ti también. Tras estas penas tolerar tan duras, una vida divina. Yendo con este hombre a la capital de Troya conseguirás primero salud para tus dolencias. Por todo el ejército serás juzgado el primero en valentía. A Paris, el autor de tantos males, con flechas de las mías, darás muerte. Destruirás Troya y del botín del guerrero que a ti el ejército dará en su mejor parte, enviarás los más ricos a Poyas tu padre, a las mesetas de Eta, tu patria. Y cuando los despojos te den también como grata recompensa, a mi tumba los llevas, porque se deben al poder de mis flechas. Y a ti, hijo de Aquiles, también reprender debo. Troya tú no podrás ocupar sin éste; ni éste podrá sin ti. Actúen como leones unidos en la cruzada, siempre en conjunto, él en ti y tú en él. Mandaré a Asclepio a Troya. Él sanará tus males. ¡Es necesario que mi arco de Troya se adueñe! Conserven, no obstante, esto en la mente: abatirán la tierra; guarden la veneración a los dioses. Como que todo para Júpiter el padre supremo, es secundario: la celestial devoción va asida a los mortales, si vivos son, pero más si son muertos, la caridad hacia los dioses no se extingue jamás.

Filoctetes: ¡Delicadísima voz en son me haces escuchar; luego de tan prolongado tiempo ahora vuelves a manifestarte: a tus oráculos resistir no puedo!

Neoptolomeo: Eso mismo a mí me sucede.

Hércules: No ahora sean remisos desaprovechando el tiempo; ¡viento en popa: marchen, partan a la venturosa fortuna!

Se marcha Hércules.

Filoctetes: Espera ahora. Antes de que parta, tengo que despedirme de esta tierra. ¡Adiós, caverna, fiel testigo de mis adversidades! ¡Ninfas de las fuentes, de los prados, adiós! ¡Adiós poderoso estruendo del incansable mar, que perpetuamente azotas los escollos; cabo en donde tantas veces mi frente fue bañada por el espumante oleaje del océano, adiós! ¡Aquí en la caverna me roció la brisa, cuando el viento flagelaba despiadadamente y apenas el monte de Hermes respondió con sus ecos a mis quejidos! ¡Era más grande el torbellino de mis desgracias! ¡Ahora los dejo, manantiales y fuente rebosante del Licio Apolo..., y dejarlos quizá nunca lo pensé! Lemnos, adiós, la que el mar rodea: sopla viento radiante hacia mi meta. ¡Vaya sin riesgo al término a donde la Gran Moira me empuja, a donde me lleva también la piedad de los que me aman y esa deidad oculta que con inexpugnable poder urdió esto!

Coro: Vamos, marchemos todos juntos. Supliquemos antes a las marinas ninfas para que nos concedan un venturoso regreso.

TRAQUINIAS

Escenario

Frente a la casa de Deyanira en la población de Traquis.

Personajes:
Deyanira.
Hércules, hijo de Júpiter y Alcumena.
Hil-lo, hijo de Hércules y Deyanira.
Nodriza de Deyanira.
Licas, mensajero de Hércules.
Yola, amada de Hércules.
Otro mensajero.
Anciano de Traquis.
Acompañantes de Hércules.
Coro, formado por jovencitas de Traquis.

Entra Deyanira con su nodriza.

Deyanira: Un antiquísimo proverbio asevera que "antes que muera un hombre nadie puede decir si fue feliz o desdichada su vida". La mía es infeliz y apesadumbrada y no necesito bajar a la mansión de Plutón para saberlo. De mi hogar no salía yo aún. Moraba en casa de mi padre Eneo, allá en Pleurón. Fue en ocasión de mis nupcias cuando sufrí la más severa aflicción que haya padecido alguna mujer etolia. Era mi pretendiente un río, me refiero al Aqueloo, que bajo tres formas diferentes me solicitaba de mi padre: ya sea como un bravo toro; ya venía como un dragón de policromos matices y de revueltos giros de su cuerpo, y al fin como un sujeto de varonil figura, pero con frente de toro y chorreando por su barba titánicas corrientes de agua. Desdichada de mí, que por nada quería tales bodas. Hubiera preferido mil veces la muerte. Tiempo después se presentó, con gran satisfacción para mí, el insigne hijo de Júpiter y de Alcumena, quien, trabando feroz lucha con aquél, me libró. ¿Cómo fue ese combate? No puedo decirlo. Nada vi, todo lo ignoro. Relátelo quien pudo presenciarlo sin impresionarse. Yo me mantuve inmóvil. Estaba invadida por el terror de sólo pensar que mi hermosura pudiera causar tanto dolor. Sin embargo, Júpiter, quien preside los combates, dio a la lucha término feliz, si es que feliz puedo llamarlo; porque desde que subí al lecho nupcial con Hércules, a quien elegí, tengo siempre un pavor tras otro pavor; pues llega la noche y transcurre la noche sin cesar nunca mi mortificación. Hemos procreado hijos, pero él es como el agricultor que apenas visita el campo arrendado, sólo para sembrar y para cosechar. Fugaz viene y fugaz se va y ni siquiera sé a quién sirve. Y ahora que a sus trabajos ha dado ya dichosa cima, es cuando más alarmada estoy, porque desde que mató al soberbio Ifito vivimos aquí, en Traquina, confinados, en casa de un extranjero. Y él, ¿en dónde está? ¡No hay quien lo sepa! Sin embargo, al marcharse me ha dejado un puñal clavado en el corazón. Ahora tengo la certeza de que alguna desgracia lo ha alcanzado. Diez meses, cinco más, ¡y ni siquiera un mensajero me ha enviado! ¿Acaso algo grave ocurre? Ésta es la tablita que me dejó al marcharse; tablita que imploro siempre a los dioses pueda yo coger sin mortificación.

Una sierva: Deyanira, señora mía, demasiadas lágrimas te he visto derramar, lamentando la ausencia de Hércules. Permite que yo, tu esclava, me entrometa en tus asuntos personales; tal vez mis consejos te puedan ayudar. ¿Cómo teniendo tú tantos hijos no mandas a uno en busca de tu marido, principalmente a Hil-lo, quien si algún aprecio tiene a su padre, debe preocuparse por saber si está bien? ¡Helo allí! A toda prisa viene hacia esta casa. Si crees que digo lo correcto, allí está mi consejo y aquí está tu hijo.

Llega Hil-lo.

DEYANIRA: Hijo, niño mío, acércate. He comprobado que incluso de esclavos puede tomarse justo consejo. Aunque esta mujer es sierva, acaba de aconsejarme como si fuese una persona noble.

HIL-LO: ¿Qué consejo te dio? Dímelo, madre, si puedo saberlo.

DEYANIRA: Que es muy vergonzoso que estando ausente tu padre desde hace tanto tiempo, no te hayas preocupado por averiguar dónde está.

HIL-LO: Eso lo sé; pero, ¿acaso hemos de dar crédito a todos los rumores...?

DEYANIRA: ¿Y en qué región dicen que se encuentra?

HIL-LO: Dicen que la mayor parte del año pasado estuvo al servicio de una mujer lidia.

DEYANIRA: Pues todo lo que quieran decir de él, si en verdad aguantó tal afrenta, tendrá una que escuchar.

HIL-LO: Pero también he escuchado que ya salió de eso.

DEYANIRA: Entonces, ¿vive o muere? Y si vive ¿en qué región está?

HIL-LO: Dicen que en Eubea, en la ciudad de Eurito, protagonizando o preparando un combate.

DEYANIRA: ¿Sabes acaso, hijo mío, lo que me dijo el oráculo respecto a esa tierra?

HIL-LO: ¿Qué te reveló, madre? No sé a qué te refieres.

DEYANIRA: Que o hallaría en ella el fin de sus días, o alcanzaría el galardón de la victoria... para ser feliz lo que le resta de vida. En tan embarazosa situación, ¿no te apresurarás a ir en su auxilio? Si él se salva, salvos seremos; pero si muere, también moriremos.

HIL-LO: Parto, pues, madre. Si antes hubiera conocido el contenido de esas profecías, tiempo ha que estaría con él. Siempre para él la suerte fue propicia, ¿quién por él abrigaría temores? ¿Cómo angustiarme, si le ríe la fortuna? Ahora lo supe al fin. Voy y averiguo toda la verdad.

DEYANIRA: Parte ahora, oh hijo mío, no hay noticia venturosa que tarde llegue. Todas son de provecho.

CORO: ¡Oh sol, a quien la noche da la vida, a costa del ropaje de estrellas de que se despoja. Oh sol, a quien nuevamente en su silencio de arreboles lo acoge al irse el día! Oh Helios, Helios, yo elevo a ti mi súplica: ¿dónde se halla el hijo de Alcumena? ¡Dímelo, astro de indestructibles rayos! ¿Vive, acaso, en los estrechos que abre el mar?, ¿o en algún continente está asilado? ¡Tu ojo todo penetra: revélalo! Bien sabido lo tengo: Deyanira, la novia que fue galardón de una batalla, con espíritu angustiado y quebrantado vive, cual pajarillo que quedó olvidado. Nunca en sus ojos adormecer pueden los hilos de las lágrimas. La ansiedad le carcome las entrañas al recordar a su esposo que se fue muy lejos. Siente la orfandad de su marital lecho y vive aguardando en su desventura alguna infausta noticia de su esposo. Pues de la misma manera que como en el majestuoso mar ve uno las innumerables olas que van y vienen, agitadas por el inagotable soplo del Noto o del Bóreas, así al hijo de Cadmo revuelven como al mar crético y se le aumentan los penosos trabajos de su vida. Sin duda que algún dios le libra en sus peligrosas empresas de la mansión de Plutón; por lo que te reprendo con cariño y reprocho tu aflicción. Digo, pues, que no debes perder la ilusión de recibir buenas noticias, porque vida libre de dolor, no la concedió a los mortales el supremo rey, hijo de Cronos; sino que la aflicción y la alegría se van alternando sobre todos, como la Osa en su camino circular. Nada hay perpetuo en lo humano: ni el cielo nocturno tapizado de estrellas, ni las desventuras, ni las riquezas: todo es momentáneo, y se van sucediendo en cada uno la dicha y la amargura. Estas consideraciones deben, ¡oh reina!, mantenerte en la esperanza; porque, ¿quién vio jamás que Júpiter abandonara a sus hijos?

Deyanira: Bien lo ves; advertiste mi pena y vienes. Ojalá que nunca por experiencia conozcas los sufrimientos en que yo me hundo, y que aún no has probado. Crece la juventud en sus propios dominios: jardín sereno y placentero, que ni el ardor estival ni las tempestades, ni los vientos furibundos conmover pueden. Y en placeres amables pasa la vida, sin sombra de amargura... hasta que llega un día en que la virgen en mujer se trueca. Ah, entonces... ¡tiene por las noches su herencia de congojas, ya por su esposo, ya por sus hijos...! Aquella que esos males ha sufrido será la única que comprender pueda los males que yo sufro. Y muchos son, por muchos he llorado, sin embargo, hay nueva pena para mí ahora, más inclemente que las ya soportadas. Revelarla deseo inmediatamente. Cuando el viaje final iniciaba Hércules, príncipe y luz de mansión, dejó en casa una vieja tablilla donde anotaba disposiciones nunca dadas. Muchas veces salió a sus proezas, pero nunca dejó tales mandatos. Es que al salir, marchaba siempre a la victoria, jamás iba en pos de la muerte. Y ahora, no. Ya presentía que marchaba a la muerte. E indicó en sus letras qué parte me correspondía como esposa en la herencia y qué había de asignarse a cada hijo. Estableció un tiempo: si transcurría un año y tres meses de su ausencia, era el punto preciso: o había ya perecido o en esa fecha retornaba. Y pasaría la vida subsiguiente en paz y prosperidad. Él decía que ese plazo habían marcado los dioses para que se cumplieran los trabajos de Hércules. Y que la añosa encina misteriosa de Dodona, por medio de las dos Columbas se lo habían augurado. Y ahora estamos precisamente en el cumplimiento de ese plazo. Y ha de realizarse la predicción. Por eso del reposo dulce del sueño me he levantado, oh amigas mías empujada por el temor: ¿va a ser, al fin, amargo momento en que me vea privada del más noble y gallardo de los hombres?

Coro: Dulces palabras profiere ahora: allá miro que viene un hombre coronado de guirnaldas: no puede traer sino gratas noticias.

Entra un mensajero de Traquis, con su corona de guías y flores.

Mensajero: Oh reina Deyanira, antes que nadie he de darte el feliz anuncio. Que cesen tus angustias: vivo está el hijo de Alcumena, vivo y victorioso, y ya viene traído por los dioses patrios, a quienes rendirá el homenaje de las primicias de sus triunfos.

Deyanira: ¿Qué dices, oh anciano? ¿Qué anuncio es ése?

Mensajero: Que el esposo que todas te envidian en breve tiempo llegará a su casa; que regresa hacia ti cubierto de victoria.

Deyanira: ¿De quién lo sabes? ¿De un ciudadano o de un extraño?

Mensajero: En la pradera donde los bueyes pacen lo contaba Licas, su heraldo. Pude escucharlo y emprendí la carrera para venir a ser el primero en darte esta nueva y pedirte las albricias y congraciarme contigo.

Deyanira: Si tan feliz noticia el heraldo reporta, ¿cómo es que él en persona no ha llegado?

Mensajero: ¡Oh señora, no es fácil su empresa; vea, todo el pueblo de Malis lo ha rodeado y le hace mil preguntas para conocer todos los pormenores. No puede así proseguir su camino. Cada uno quiere ser el que más le pregunte y no queda satisfecho, si no se le apuran los datos. Y en esa forma, con gran complacencia de ellos y con gran molestia suya, está allí estacionado. Más pronto lo verás en tu presencia.

Deyanira: ¡Oh Júpiter, dominador y residente de los prados de Eta, me das por fin la alegría tanto tiempo anhelada! Canten, mujeres, las que moran bajo este techo y las que viven fuera, para que celebremos la súbita dicha que me traen con esta noticia.

Coro: ¡Retumbe estridente el palacio feliz que al doncel espera! ¡Resuene el canto rodeando su hogar! ¡A una voz, oh mancebos, eleven tan alto su canto que el cielo toque, exaltando al dios portador del arco, al Protector Apolo! Y simultáneamente entonen un cántico, oh doncellas; loen a Diana, la hermana de Apolo, nacida en Ortigia, que hiere a los ciervos y lleva una antorcha en cada mano; glorifiquemos también a las ninfas, sus vecinas. Yo por mi parte, doy saltos de júbilo; ¡oh mi flauta sonora, no puedo dejar de tocarte, tú que tiranizas con tu cadencia mi espíritu! Me trueca en delirante la hiedra embriagadora y me hace gritar: ¡Evohé, Evohé, en entusiasmo del ardor de Baco, al baile de impetuosos giros! ¡Oh, oh, cántico! Mira, adoradísima mujer, este séquito que viene hacia ti y que ya puedes distinguir.

Mientras se canta y baila llega Licas con un grupo de cautivas, entre las cuales está Yola, hija de un rey.

Deyanira: Lo veo, amigas mías; mis ojos no han cesado de vigilar para que dejara de advertir ese séquito. Salud ante todo deseo al heraldo que después de tanto tiempo se me presenta, si buenas noticias me trae.

Licas: Pues dichosamente llegamos y bien recibidos somos, ¡oh mujer!, conforme a los buenos resultados de nuestra expedición. Para quien venció glorioso, debe haber una recepción triunfal. Es el fruto natural de la victoria.

Deyanira: Oh el más amado de los hombres, dime, antes que todo y sobre todo, ¿vendrá Hércules vivo?

Licas: Yo ciertamente lo dejé gozando de total virilidad, rebosante de energía, salud y brío, sin que le agobie ninguna enfermedad.

Deyanira: ¿En qué país? ¡Ya en tierra patria, o en región extraña? Contesta rápido, por favor.

Licas: En Eubea hay un cabo prominente, allí está consagrando a Júpiter Ceneo altares y ofrendas de frutos.

Deyanira: ¿Y eso es en cumplimiento de algún juramento o lo dispone un oráculo?

Licas: Es un juramento que hizo cuando inició la conquista a mano armada de la tierra de estas mujeres que tienes frente a ti.

Deyanira: Y éstas, por los dioses, ¿de dónde son?, ¿quiénes son? ¿Muy dignas son de lástima... o, quién sabe si me engañen sus desdichas?

Licas: Éstas son las que Hércules eligió luego de asolar la ciudad de Eurito: unas para su servicio, y otras para el de los dioses.

Deyanira: ¿Fue, entonces, el asalto de esa ciudad lo que retrasó tanto su retorno? ¡Largos días que apenas podrían contarse!

Licas: No, sino que la mayoría del tiempo la pasó retenido en Lidia, no como persona libre, sino vendido como esclavo. Y por esto que le voy a narrar, señora, no debe sentir desprecio por él, pues Júpiter es culpable de todo. Todo un año se pasó vendido a la extranjera Onfala, como él mismo lo narra; y tanto le indignó el ultraje que con tal humillación recibía, que juró contra sí mismo si no se vengaba del autor de tal denuesto reduciéndolo a la esclavitud con su mujer y sus hijos. Y como lo dijo lo cumplió. Fue a purificarse de esa mancha, reunió un ejército y marchó a asaltar a la ciudad de Eurito, pues éste —según él decía— era el único culpable, entre los mortales, de la humillación que había recibido; porque cuando llegó él a la casa de éste para que en ella le alojara por ser su antiguo huésped, lo insultó con muy perversa intención, diciéndole que aunque contase con certeras flechas, se quedaría muy por detrás de sus hijos en el concurso del arco; y también que presentándose como esclavo enfrente de un hombre libre, sería ultrajado, además, en un banquete en donde Hércules se había emborrachado, le lanzó de su palacio. Un día salió Ifito a buscar sus caballos perdidos. Llegó hasta la colina de Tirinto, y cuando observaba desde una roca, con la mirada hacia un lado y la mente hacia otro, llegó Hércules y lo arrojó desde la peña, tan alta y tan potente cual la más elevada torre. Indignado por esta infamia, el rey y padre de todo, Júpiter Olímpico, consintió que Hércules fuese vendido como esclavo; y no le perdonó, por el motivo de que era ése el primer hombre a quien había matado arteramente; porque si se hubiese vengado cara a cara, Júpiter le habría perdonado que lo venciera en contienda legítima; sin embargo, la alevosa soberbia la detestan aun los dioses. Y aquellos, hoy, que la legítima venganza soslayaron, yacen en los calabozos del infierno. Su casa está cautiva, y éstas que ves, mujeres infelices, a ti han llegado esclavas. Ricas fueron un día, criadas son ahora. Él las manda que vengan a tu presencia. Yo sólo transmito sus órdenes. Y él, cuando haya cumplido sus ritos con Júpiter, rindiendo homenaje por sus triunfos, ha de venir. De tan prolongado relato como hice, creo que el final es lo que más deleita a tus oídos.

Coro: ¡Oh reina, ahora sí tienes en qué basar tus alardes de júbilo! El suceso que te cuentan y su relato son suficientes para elevar tu delectación.

Deyanira: ¿Cómo no voy a estar feliz, con espíritu y corazón enteramente, cuando escucho el feliz éxito de la empresa de mi esposo? Semejante tiene que ser mi júbilo a su victoria. Y con todo, me niego a demostrar una alegría imprudente. Necesario es contener la alegría. ¿De él mismo, del que sometió, cuál será el destino? Quien hoy sojuzgó, puede sucumbir mañana. Eso en lo más profundo de mi espíritu reflexiono, y la conmiseración dolorosa me desborda. Mírenlas: son desventuradas. En tierra extraña, sin padres ni amigos. Acaso sus padres fueron libres: se ven ahora destinadas a ser esclavas. ¡Oh Júpiter, Júpiter, que la victoria distribuyes entre los mortales, jamás a mis hijos vea en situación parecida! ¡Si les está reservada la desdicha, que no sea en mi vida! Eso pienso, eso digo, ante la misericordia que por estas mujeres me oprime.

Ve Deyanira a Yola y continúa conversando con ella.

Infeliz, ¿quién entre estas damiselas eres tú? ¿No tocada por hombre, o madre ya? Si atiendo a tu aspecto, no sabes nada de eso aún. Noble de nacimiento, sí que lo eres.

A Licas: Licas, ¿quién es esta extranjera? ¿Quiénes son sus padres? Responde, que por ella mayor piedad siento que para las demás. Es la única que se percata de su desgracia.

Licas: No lo sé. ¿Por qué me lo preguntas? Hija de alguno de allá, es de alta alcurnia quizá.

Deyanira: ¿Tal vez de reyes? ¿Tenía prosapia Eurito?

Licas: No lo sé, pues no pregunté yo tanto.

Deyanira: ¿Ni siquiera has escuchado su nombre, dicho casualmente por alguna de sus compañeras?

Licas: ¡Para nada! Y en silencio he cumplido con mi labor.

Deyanira (*nuevamente a Yola*): Responde, infeliz. Tú misma responde. ¿Una nueva desventura es para ti no saber quién eres?

Yola permanece en silencio.

Licas: No cambiará de actitud ahora. No hablará. Nunca lo ha hecho, ni breves ni luengas palabras. Apesadumbrada está por su desdicha; incesantemente sin consuelo llora a torrentes, desde que dejó su patria que los vientos castigan. Infame suerte la suya, al menos nos exige una gran misericordia.

Deyanira: Déjenla en paz, pues, y entre en este palacio sin mayor aflicción. No; a su dolor presente, no he de agregar nuevos sufrimientos: son suficientes los que ahora la acongojan. Entremos todos, sin demora. Tú irás rápidamente a donde debes. Por mi parte, debo ordenar lo que en casa es necesario.

Entran al palacio Licas y las cautivas. Va a hacer lo mismo Deyanira, cuando llega el mensajero.

Mensajero: Entren todos. Tú, no. Aguarda unos segundos, debo advertirte acerca de la clase de personas que introduces a tu casa. Te informaré algo que te interesa. No lo sabes y es necesario que lo sepas. Yo lo sé y te lo revelaré. Bien que lo sé.

Deyanira: ¿A qué te refieres? ¿Por qué me prohíbes el paso hacia el palacio?

Mensajero: Aguarda aquí y atiéndeme. No di insustanciales noticias antes, y no las daré ahora.

Deyanira: Pero a esos que ya se han marchado, ¿los llamamos para que regresen, o solamente a mí y a éstas quieres dar la noticia?

Mensajero: Únicamente a ti y a éstas. Al resto, déjalos.

Deyanira: Han entrado ya. Di tus noticias.

Mensajero: Ese hombre nada dijo verdadero. O mintió ahora, o antes mintió, cuando trajo la nueva.

Deyanira: Pero ¿qué dices? Explícame con claridad todo lo que sabes. Nada logro comprender de todo lo que dices.

Mensajero: Yo escuché hablar a ese hombre, pero no a solas, ni secretamente: ante varios testigos. Se jactaba de que por amor a esa muchacha Hércules había vencido a Eurito y había asolado Escalia, la de las elevadas torres. Eros y únicamente Eros le incitó para que se lanzara en esta empresa. Todo lo demás es mentira. No hubo Onfala, no hubo Ifito, de la roca arrojado y muerto. Fue Eros, y hoy lo deja y todo a la inversa narra. Él ambicionaba que su padre le diera a esta damisela como su concubina. No lo acepta el padre. Y Hércules inventa un pretexto para asaltar la tierra nativa de esa doncella. Asevera que el rey de esta tierra era Eurito. Lo mató, al padre de ella; devastó la ciudad. Ésa es la verdad. Y ahora, lo estás mirando. Viene a su casa. Viene y arrastra a esta muchacha, y al palacio la mete. Y no creas que es esclava. Esclava, no. La adora, por su amor se consume. Tendrá que ser señora. Por eso te lo revelo, mi venerada reina. Literalmente de él lo escuché. Eso mismo comentan muchos en la plaza de Traquis. Si deseas, lo puedes comprobar. Si yo te dije algo que te enfade, en el alma me apena. Sin embargo, sólo la verdad dije.

Deyanira: ¡Pobre de mí! ¿Qué desgracia me subyugará ahora? ¡Desolación y muerte han entrado a mi casa! No tenía nombre, no, eso juraba el que la trajo... ¡Bien sé quién es ahora!

Mensajero: Di mejor que su nombre tiene tanto brillo como su hermosura. Eurito fue su padre. Ella se llama Yola. ¡Qué bien supo el perverso ocultar su nombre! No lo sabía posiblemente.

Coro: Sean exterminados todos los infames... Todos los que pérfidamente urdan crímenes.

Deyanira: ¿Qué debo hacer, mujeres? Estoy trastornada de pavor con sólo escuchar lo que acaban de contar.

Coro: Busca al heraldo e interrógalo, que pronto revelará la verdad, si por la fuerza quieres obligarle.

Deyanira: Lo buscaré; tienes mucha razón.

Mensajero: Mientras tanto, ¿qué haré yo? ¿He de esperar también o...?

Deyanira: Quédate allí. Ese hombre, sin buscarlo, ha de venir. Vendrá espontáneamente. Ya de la casa sale.

Sale Licas del palacio.

Licas: Señora, ¿qué mensaje le debo decir a Hércules? Dímelo, porque estoy listo para partir.

Deyanira: Tan rápido te marchas, tan lentamente llegaste. ¿No se podrá acaso renovar la plática?

Licas: ¿Quieres más informes? En seguida te los daré.

DEYANIRA: ¿Sincero eres? ¿La verdad dices?

LICAS: ¡Lo juro por Júpiter... en cuanto yo lo sepa!

DEYANIRA: ¿Cuál es el nombre de esa mujer que a mi casa trajiste?

LICAS: Eubea de raza, es lo único que sé.

El mensajero interviene en forma violenta.

MENSAJERO: ¡Vaya, hombre! Mírame con atención. ¿Con quién crees que hablas?

LICAS: Y tú, ¿por quién preguntas?

MENSAJERO: Intenta contestar, si estás cuerdo, a lo que te pregunto.

LICAS: Con Deyanira hablo, si no estoy fantaseando. Ella, además de ser mi reina y mi señora, es hija de Eneo y consorte de Hércules.

MENSAJERO: Eso quería escuchar. ¿Has dicho que es tu reina y tu señora?

LICAS: Efectivamente.

MENSAJERO: Entonces, ¿qué castigo sufrirás si se demuestra que le eres desleal?

LICAS: ¿Cómo desleal? ¿Qué tramas?

MENSAJERO: Nada. Quien actúa con falsedad eres tú.

LICAS: Me marcho... ¡fui muy tonto al aceptar escucharte!

MENSAJERO: Alto. Contesta una sencilla pregunta.

LICAS: Está bien; tienes ansias de hablar. ¡Acepto!

MENSAJERO: ¿Conoces a la cautiva que metiste a palacio?

LICAS: Efectivamente. Y, ¿por qué quieres saberlo?

MENSAJERO: Y ésa que decías no conocer, ¿acaso no dijiste antes que era Yola, hija de Eurito?

LICAS: Pero, ¿a quién? ¿Hay quien pueda decir que me lo ha escuchado?

MENSAJERO: Todo el mundo, en medio de la plaza de Traquis lo escucharon de tu boca.

LICAS: Efectivamente, asegurarán que lo escucharon... Sin embargo, una cosa es imaginárselo y otra que sea verdad.

MENSAJERO: ¿Imaginarse qué? ¿No dijiste enfáticamente que ésa que tú traías era la esposa de Hércules?

LICAS: No... eso no dije. Por favor, señora (*a Deyanira*), ¿a qué casta pertenece este hombre?

MENSAJERO: Yo estuve en la plaza de Traquis y te escuché afirmar que a Hércules lo excitó la pasión para asolar la ciudad y no esa mujer de Lidia que se pregona. Sin embargo, era el amor apasionado que hacia esta damisela lo empujaba.

LICAS: ¡Te suplico —oh reina— que ordenes que se aleje este hombre! ¿Quién puede conversar con un demente?

Deyanira: Estás equivocado. Por Júpiter que en el monte de Eta centellea prodigiosamente, quiero que me digas la verdad. Hembra soy. Nada infame abrigo en mi alma. Conozco muy bien a los hombres. Jamás son constantes en lo que aman. Eros es un púgil que incita a la batalla, ¿hay quién le resista? Estuviera loco. Eros manda, en los dioses y en los hombres. Él con capricho todo rige... y a mí también, ¿no habría de gobernar a otras? La demente sería yo, si me indignara, cuando sé que mi consorte fue apresado por un amor extraño. Y contra esa mujer, ¿por qué habría de enfadarme? Lo que gustó, lo que tomó por suyo, ¡no causa agravio a nadie y a mí no perjudica! No es así (*a Licas*): Si tú mientes por recomendación de tu amo, son insulsas sus recomendaciones. Si tú mismo lo inventas, eres ser infame: quieres elogiarme y me traicionas. Habla, di la verdad limpia. Que a un hombre nacido libre pueda echársele en cara el dictado de "mendaz", no es un honor. Y ¿qué puedes ganar con ocultarlo? Muchos son los que te escucharon, ellos pueden rendirme el testimonio. Tienes temor, ¿verdad? No hay por qué amedrentarse. El que yo no lo sepa me lastima; el que lo sepa, no, ¿por qué? ¡Hércules ha entrelazado su cuerpo con tantas mujeres y con tantas y tantas y él solo...! Y a ninguna de ésas mis labios pronunciaron una sola injuria. Tampoco ésta la escuchará. ¡Qué importa que en amores se deshaga! Piedad, piedad... es lo que por ella siento. La perdió su hermosura, sin pretenderlo ella, sin saberlo tal vez. Y perdida ella, a su patria perdió. Pero... ¡que ruede el mundo! Una sola cosa quiero decirte: con otros, sé infiel; conmigo, sincero siempre.

Coro: Qué juiciosamente habla: no dejes tú de escucharla. De esta mujer nunca has de lamentarte, y a mí grato serás.

Licas: Ah, reina venerada... bien lo veo ahora... eres tú misericordiosa en todo. Mortal como eres, comprendes a los mortales. Tú ves las razones, tú todo lo penetras: debo decirte todo. Tal como ése lo dijo, así ocurrió. Un arrebato bestial se alojó en el alma de Hércules. Ése es el único motivo de que cayera bajo sus armas la patria de esta desdichada, la Ecalia triste. Y eso, hay que decirlo en favor suyo, ni lo encubrió, ni jamás lo negó. Yo soy, oh reina, yo, quien con temor de herir tu alma, intenté disimularlo. Si delito es, es mío. No culpes a otro. Sin embargo, ahora, sabes todo. Por él y por ti misma haz un nuevo don: trata con bondad a esa mujer y cuando ha poco de ella decías, llévalo a la práctica. ¡Venció siempre Hércules en sus hazañas: hoy el amor de ésta lo derrotó!

Deyanira: Ése es mi pensamiento, eso he de hacer. No voy a lidiar yo con los dioses buscando nuevas penalidades. Vamos adentro. He de darte mis mensajes y mis presentes para quien tales presentes me ha hecho. Tú se los llevarás. Si con esta corte has llegado, ¿es justo que con las manos vacías regreses?

Entran al palacio Deyanira y Licas.

Coro: Descomunal es la fortaleza de Cipris, siempre triunfos reporta. No diré nada de lo que con los dioses hace, ni cómo al mismo hijo de Cronos sometió. Ni al tétrico Hades, ni al aterrador Poseidón que la tierra misma hace estremecer. ¿Y por esta esposa de ahora quiénes fueron los que en la lidia por obtenerla lucharon? Luchadores de potencia y que no saben retroceder. ¡Puro esfuerzo y pura pericia para la contienda! Fue la fuerza de un río, que cual cuadrúpedo toro y con sus potentes cuernos a contender se presentó: el Aqueloo de la Eniades. El otro era de la tierra de Baco, de Tebas, con su arco que se encorva, con su lanza poderosa que clava, pero era hijo de Júpiter. Y uno y otro al combate vienen deseosos de apoderarse de esta virgen. Y sola Cipris estaba entre ellos como árbitro de la contienda, ella, la diosa de los amores. Resonaba el estrépito de los puños y del arco, y ensordecía el crujir de los cuernos del toro. Ya se trababan, ya se enfrentaban. Era de ver los asaltos que se daban y los mortales golpes que en la frente se inferían, y el rugir de los dos. Y allá sentada en la quietud del prado, una hermosa doncella esperaba cuál de ellos iba a ser su esposo. Yo como espectador narro eso. Pero ella, angustiada, lo mira. Sus ojos de novia se estremecen. Y súbitamente es arrebatada a su madre, cual becerrita que quedó desamparada.

Aparece Deyanira con una sierva que lleva un cofrecito.

Deyanira: Ese extranjero dentro está despidiéndose de las cautivas. Yo, mientras tanto, vine a verlas, amigas mías, en medio del sigilo. Les revelaré la trampa que he urdido. Les pediré que me den clemencia. Es infame la desgracia que sufro. No, no es a una niña la que a palacio trajo: es una auténtica esposa. Es para el barco de mi vida un peso de desastrosas consecuencias, una deplorable mercancía que ha de pisotear mi alma. ¡Ya somos dos para los mismos brazos, ya somos dos para el mismo lecho! Ésa es la recompensa que me da ese hombre, a mí la leal y la obediente, ése que llaman el noble y clemente Hércules. ¡Para esta desilusión lo he esperado tanto tiempo! ¿Enfadada yo? ¿Cómo enfurecerme, si desde hace mucho tiempo padece de la misma inmoralidad? Pero... ¿podré vivir con ella, aquí en el mismo palacio? ¿Alguna mujer lo podrá tolerar? ¿Cuál, cuál es la que quisiera compartir con otra al mismo esposo? Veo, de una parte, la lozanía juvenil que se deteriora, y va en quebranto día con día. Veo la hermosura de la otra que aumenta, que cada día, también, es más encantadora. Y ojo que ama quiere cortar la flor que descuella y, a la ya lánguida, arrojar lejos. Esto es lo que temo: va a ser Hércules para mí, un esposo sólo de nombre, para ella, un esposo que realiza sus funciones de varón. Sin embargo... ¿qué?... Ya lo dije hace poco: una mujer discreta no puede enfadarse. No obstante, amigas mías, tengo un plan para librarme de esta deshonrosa desgracia. Escúchenme. Se los diré en secreto. Tengo en cofre de bronce el don de un antiguo monstruo. Lo cogí del pecho velludo de Neso; cuando él herido moría, de su sangre lo conseguí empapado siendo aún niña. Por mínima paga, Neso cruzaba de un lado a otro las veloces corrientes profundas del río Eveno, a quienes intentaban atravesarlo. Jamás usó remos ni velas; sólo contaba con la fortaleza de sus brazos. Cuando yo, ya esposa de Hércules, era llevada por órdenes de mi padre, Neso me cargaba en su espalda. Al llegar a la mitad del río me tocó con manos lujuriosas. Grité; me escuchó el hijo de Júpiter, quien, iracundo, le lanzó una flecha voladora, la cual se le incrustó en el pecho hasta salirle por los pulmones. Ya agonizante la bestia me dijo: "Hija del viejo Eneo, escúchame y gran ventaja has de obtener de esta travesía. Tú eres la última que atravieso las raudas y profundas aguas del río. Tomen tus manos mi sangre que se está coagulando alrededor de la herida, negra y repugnante, que retiene y guarda el veneno de la hidra de Lema con que la flecha estaba envenenada. Tómala y será para ti un hechizo de amor con que domines la mente de Hércules. Desde ese punto verá mujeres, pero ninguna ha de agradarle si no eres tú." Ahora lo pienso, ahora lo intento, oh amigas mías. Desde que aquel monstruo murió, bien guardada tenía yo esa sangre en mis reservas. Y ahora obediente a su dicho, he empapado en ella esta túnica, y he guardado los ritos que él me señaló. Esto terminado está. Malas artes ni las conozco ni quiero conocerlas, y ojalá no las conozca nunca. Siento repulsión de quienes las practican. ¿Qué de malo tiene que con filtros haya de vencer el corazón de Hércules y logre derrotar a esta niña? Bien planeada y tramada está la obra. Si te parece que es una locura, nada haré.

Coro: Si fe tienes en esos efectos considero que no has tomado mala resolución.

Deyanira: Ésta es la confianza que yo tengo: mi pura creencia. Jamás he hecho alguna prueba.

Coro: Para estar segura, haz una prueba. Puedes pensar bien, sin embargo, antes debe probarse con hechos la creencia.

Deyanira: En breve vamos a verlo. Ya veo a ése en las puertas. Muy pronto se pondrá en marcha. Una sola cosa te suplico: jamás reveles lo que te he dicho. Bajo las tinieblas incluso los infames hechos nunca vergüenza producen.

Sale Licas del palacio.

Licas: ¿Qué es preciso hacer? Dame a saber, hija de Eneo. Largo tiempo va de que ando en retardo.

Deyanira: Eso mismo pensaba hacer, mientras tú dentro conversabas con las cautivas. Vas a llevar esta túnica. Con mis manos la tejí con esmero. Es un don de amor que envío a mi esposo. Cuando se la entregues dile que ninguno de los mortales debe vestirla antes que él, que no debe alumbrarla ni el reflejo del sol, ni el fuego del hogar, ni luz de algún santuario, sino cuando él, relumbrante de gala, se la muestre a los dioses en un día de sacrificio de toros. Así yo hice mi juramento, si retornaba a casa algún día y yo podía verlo, acicalado con esta túnica, presentarlo a los dioses como sacrificador nuevo y con ropaje nuevo. Y en prenda de ser así lleva esta marca grabada en mi anillo. Ella comprende bien. Marcha, pues, y guarda antes que todo las normas debidas. Un enviado eres y no debes exceder tu misión. Que si bien realizas tu cometido, a su gratitud ha de unirse la mía.

Licas: Como que ejerzo el arte mismo de Mercurio, no he de ser un mal mensajero. Mucho menos ahora para ti. He de llevar esta urna y he de ponerla en las manos de él y agregaré de palabra fielmente cuanto me has dicho.

Deyanira: Márchate, pues. Bien has conocido cómo está todo en casa.

Licas: Efectivamente, y he de decirle que todo está en orden.

Deyanira: Y viste también cómo atendí a la extranjera y con amabilidad la alojé.

Licas: Tan bien que mi alma se regodeaba de placer.

Deyanira: ¿Qué más le dirás?... Vaya, mejor espero. No vayas a darle muestras de mi amor, antes de que sepa yo si soy amada.

Sale Licas para el campo. Deyanira entra al palacio.

Coro: Los que viven entre el puerto y la colina rocosa, en las tierras de aguas termales, y en los declives de Eta, o cerca del mar de Malis, o en las playas de la Doncella del arco de oro, donde para Grecia se reúne la asamblea de las Puertas, muy pronto para ustedes resonará la flauta sus delicadas melodías. Ya no los cantos lúgubres del funeral. Han de ser sus notas semejantes a las de la lira cuando acompaña al celestial canto de la musa. Ya llega ceñido de gloria y oprimido al peso del botín guerrero el hijo de Júpiter y de Alcumena, el varón de valor que nunca falla. Ya por luengos doce meses ausente de su patria y errabundo por los mares, no logramos obtener ninguna noticia de él. Su esposa aquí desconsolada en lamentos incesantes se consumía en la penosa tristeza de su desgarrado corazón. ¡Puso Marte fin, al cabo, a su prolongado dolor! ¡Llegue, llegue, que no lo demore la nave de mil remos! ¡Llegue y arribe a su ciudad! ¡Deje esa isla y ese altar en donde dicen que ofrece sacrificios! Venga de allí apasionado de amor, consumiéndose en él cuando haya embebido el bálsamo misterioso de la antigua fiera.

Deyanira sale.

DEYANIRA: Mujeres, parece que exageré procediendo como acabo de actuar.

CORO: ¿Qué ocurre, Deyanira, hija de Eneo?

DEYANIRA: Lo desconozco. Me aterra el pensamiento de que muy pronto me culparán de un crimen, cometido con la esperanza de alcanzar una gran alegría.

CORO: ¿Te refieres, acaso, a los dones enviados a Hércules?

DEYANIRA: Sí; al grado de que yo aconsejo a todos que nadie se lance a inciertos resultados, si no está seguro.

CORO: Confiésanos, si es posible confesarlo, de dónde nacen tus temores.

DEYANIRA: Un suceso ha ocurrido y es tan extraño que, si lo narro, se sorprenderán, oh mujeres. Un prodigio increíble. Escuchen. Para untar aquella radiante túnica que vestirá él, tomé un vellón de blanca oveja, lo usé y lo dejé. Pues hoy ha desaparecido. Nadie lo tocó, nadie lo destruyó, nadie lo robó: él solo se desvaneció, se devoró a sí mismo y se convirtió en humo allí en la piedra donde lo había colocado. Sin embargo, saberlo debes prolijamente y voy a narrarlo más detalladamente. Cuando el bronco Centauro, herido por la flecha que su costado traspasó iba a morir, ya agonizante varias recomendaciones me hizo. No olvidé ninguna. Como en el bronce queda tallada la inscripción, así yo las esculpí en mi memoria. Esto es lo que él me dijo y esto lo que yo he obrado: guardar aquella droga misteriosa lejos del fuego, lejos del rayo solar, y aun de la luz y del calor cualquiera. Debía yacer en un sitio oscuro y secreto hasta el momento en que debiera usarse. Es precisamente lo que yo he hecho. Cuando llegó la hora de poner en práctica mi plan, saqué el ungüento y en lo más recatado de esta mansión oculta a todos, con un mechón de lana blanca que a mis ovejas arranqué, empapé mi don al marido. Sin que la luz le diera, mucho menos el rayo solar, lo acomodé en aquel cofre que han visto. Entro nuevamente, luego de haberlo entregado al mensajero, y veo algo inexplicable. Dejé el vellón al azar en el suelo, luego de haberlo usado, y muy pronto sobre él destellaron los rayos del sol. Empezó a calentarse, comenzó a disminuir, se fue deshaciendo y quedó apenas sobre la tierra como la huella que deja el madero cuando lo han aserrado. Allí está ese polvo intangible que continúa borboteando como si hirviera. Unas burbujas rojinegras, como si fueran gotas del jugo de la uva que salta del lagar de Baco. Ay desdichada de mí... ¿qué hago ahora? Tirito de terror y no encuentro la salida. Empiezo a comprender el crimen que he cometido. ¡Debía haberlo presagiado antes! ¿Iba el Centauro a darme una prueba de amor con ese don, cuando yo era la causante de su muerte? ¡Ah, falso y perverso... era un engaño, era un medio de seducirme ingenua y de vengarse en Hércules de la muerte que le había dado! ¡Y hasta ahora lo comprendo, cuando ya no hay remedio! Yo, sola yo, y nadie más le va a quitar la vida para siempre. ¡Ojalá me engañara yo! Bien sé que la misma flecha que hirió a Neso logró destruir a Quirión, con todo y ser un dios. Esa flecha mata a quien toca, ¿cómo no ha de tener fuerza y energía contra una sangre negra envenenada que recogí de la herida del Centauro? No debo ya dudar. Lo hará. Pero si no, ya lo tengo pensado. Si muere él, moriré yo también y del mismo modo. Insoportable es seguir viviendo con baldón de criminal, si aún se guarda un poco de estimación de sí mismo en la conciencia.

Coro: Hay que temer desgracias similares, sin embargo, nunca dejar que la esperanza desaparezca hasta que el hecho llegue.

Deyanira: Si lo que se intentó ya es un crimen, ¿de qué sirve albergar esperanzas?

Coro: Pero si esos intentos no fueron culpables, menor es el enojo, y éste es el caso en que te puso la suerte.

Deyanira: Eso dijera quien no perece al peso de su mal, sino el que vive tranquilo en su casa con el corazón libre.

Coro: Cuadra ahora el silencio; ni una palabra más. Apenas las que se necesitan para hablarle a tu hijo que ahora llega de la búsqueda de su padre.

Llega Hil-lo excesivamente angustiado y apresurado.

Hil-lo: ¡Madre, ah, madre... si elegir pudiera entre tres posibilidades: que tú murieras, o que aun estando viva, no fueses mi madre, o que otra alma tuvieras mejor que la que tienes...!

Deyanira: ¿Qué ocurre, hijo mío? ¿Qué hay en mí que tan execrable pavor te causa?

Hil-lo: ¡Sábelo al fin: en un día diste la muerte a tu marido y a mi padre!

Deyanira: Ah, hijo... ¡qué palabra... qué noticia reportas!

Hil-lo: Noticia que ya no es sino el más infausto cumplimiento. Y lo que fue ya, ¿hay alguien que haga que deje de ser?

Deyanira: ¿Qué dices, hijo? ¿Qué mortal te ha asegurado que soy yo la autora del crimen que me imputas?

Hil-lo: Nadie me lo contó: lo vi yo mismo. Con estos ojos vi la miserable suerte de mi padre.

DEYANIRA: Y, ¿dónde lo has buscado? ¿Dónde lo encontraste?

HIL-LO: ¡Si es necesario que lo sepas todo, debo contarte todo! Había asolado la ciudad de Eurito, y cargado de despojos, primicia de su victoria, retornaba. Se alza en el mar de Eubea un peñasco escabroso que el mar azota permanentemente. Es el cabo Ceneo. En ese sitio sacrosanto erigió un altar a Júpiter, su padre, y se hallaba en el bosque que lo cubre. Allí lo encontré por fin. Mi corazón de júbilo palpitaba aceleradamente al alcanzar mi deseo. Estaba a punto de matar a las víctimas. Tu mensajero llega. Licas aparece llevando tu regalo, esa infausta túnica, prenda de la muerte. Él se la pone inmediatamente. Ofrenda una docena de toros, perfectos y hermosos. Eran cien los que había llevado hasta ese altar, muy variados. Comenzó a orar revestido con el ornamento brillante que le enviaste. Con serenidad iba haciendo los ritos. Sin embargo, la llama al fin del sacrificio, que tarda en levantarse, porque los leños están plenos de vigor, fue elevándose. Y el cuerpo de Hércules se bañaba en sudor. Y la túnica poco a poco se le aprieta a sus miembros, lo estrecha y lo encadena, ajustando en todo su figura como si un artífice hábil la hubiera modelado. Le torturó entonces un calambre convulsivo que sacudía sus huesos: lo devora el veneno cual si hubiera sido mordido por mortal serpiente. Empezó a vociferar contra Licas, infeliz de él, como si fuera el culpable. El crimen era tuyo. Pero Hércules lo inculpaba por haberle llevado aquella túnica. Licas le respondía que el regalo era tuyo, exclusivamente tuyo, y que él lo había llevado tal como tú lo diste. Entonces Hércules, furioso, presa de una espantosa convulsión que le calcinaba y laceraba el pecho, tomó de un pie a Licas, del tobillo mismo que con la pierna embona, y lo azotó contra un roquedal que emergía de entre las aguas. Le quebró el cráneo, saltaron los sesos mezclados con cabellos y quedó esparcido en mil fragmentos cuajados con su sangre. Alzó la voz la muchedumbre aterrada cuando vio a uno furioso y al otro despedazado. Nadie se atrevía a acercarse a él. Y él se azotaba contra el suelo o daba descomunales brincos; gritaba espantosamente, o mugía como un toro, y a su estruendo repercutía el eco desde los riscos y las elevadas cimas de la Lócrida e incluso de las colinas de Eubea. Concluyó al fin su convulsivo azotarse sobre la tierra y sus gritos espeluznantes acallaron. Dejó de maldecir las nefastas bodas que con tu padre pactó para tomarte: ¡le compraron apenas la ruina de su vida! Alzó al fin los ojos entre el humo espeso que lo rodeaba y pudo descubrir mi presencia entre la muchedumbre. Yo lloraba sin cesar. Centró en mí su mirada y dijo: "Acércate, hijo mío: hoy que enfrento esta severa adversidad, no me abandones. No te importe perecer de la misma manera que tu padre. Sácame fuera, y principalmente colócame donde ningún mortal mirarme pueda. O, si de mí te apiadas, sácame de esta tierra, no quiero en ella morir." Inmediatamente de que nos expresó su voluntad, lo subimos a una barca y lo trasladamos a esta tierra, no sin dificultad, pues venía bufando, en medio de sus convulsiones. Pronto lo verás, o vivo aún, o acabado de morir. ¡Ése es tu crimen, madre! ¡Eres la culpable de haberlo cometido, tú que astutamente lo urdiste! ¡Caiga sobre ti el peso de la justicia vengadora, y te avasalle la furia de las Erinas! ¡Eso pretendo, si es justo...! Y, ¿cómo no ha de serlo? Tú atropellaste todo lo que es justo al asesinar cobardemente a un hombre, ¡el mejor de los hombres y como el cual jamás podrás ver otro!

Luego de unos segundos de silencio total,
Deyanira súbitamente se vuelve y corre al interior del palacio.

Coro: ¿En silencio huyes? ¿No adviertes que con ese silencio muestras tu aquiescencia al acusador?

Hil-lo: ¡Déjala que huya! ¡Ojalá la arrastre el torbellino lejos de mis ojos! Pues, ¿para qué ha de llevar inútilmente el honorable nombre de madre la que se comporta como si no lo fuera? ¡Que se vaya mil veces maldecida! Y que el deleite que a mi padre ha dado, ojalá lo obtenga ella.

Hil-lo entra al palacio.

Coro: Vean, hijas, cómo se ha cumplido en nuestro tiempo el siniestro vaticinio del viejo oráculo, el cual predecía que transcurrirían doce años, rodando mes tras mes, para que finalizaran los trabajos de Hércules, hijo de Júpiter. Y adviertan cómo han transcurrido y van en directa ruta, sin contratiempo alguno, a cumplir su propósito. ¿Cómo podrá estar ya sujeto al trabajo avasallador el que ha cerrado los ojos eternamente? Hoy el Centauro lo aprisiona en la red de la muerte. Con punzante dardo en el costado le inyectó el veneno mortal. Veneno que brotó del dragón reverberante, ¿cómo ha de admirar la luz de un día más si se está extinguiendo en la atroz flema de la hidra? Y además le torturan los letales aguijonazos del Centauro de cabellera negra, que le levantan ampollas en la piel. Cosas que esta desdichada, al considerar irreflexivamente el enorme infortunio que en su casa entraba con la recién casada, en parte no advirtió; pues la otra parte, las que reconocen por causa el perverso consejo de Neso con todas sus nefastas circunstancias, ciertamente que como aciagas las condenan; en verdad que derrama amargo llanto de abundantes lágrimas. Sin embargo, el hado, en su marcha progresiva, pone de manifiesto la enorme perfidia. Brota una fuente de lágrimas; se expande, ¡oh dioses!, la peste; pesadumbre tal, cual jamás el preclaro hijo de Júpiter tuvo que arrepentirse de ninguno de sus enemigos. ¡Oh sanguinario acero de la destructora lanza, que con tu punta hiciste venir prestamente a esta damisela desde la magnánima Ecalia! Mas la condescendiente Venus, sin decir palabra, se manifiesta claramente autora de todo esto.

El coro se divide en dos semicoros que dicen alternativamente:

PRIMERO: ¿Soñando disparates estoy? ¿Acaso no escucho un clamor que brota de los muros de esta mansión? ¿Qué decir puedo?

SEGUNDO: Efectivamente, suena algo dentro; su sonido es preciso. ¡Clamor quejumbroso se eleva en palacio! ¡Desdicha repentina a esta mansión llegó!

CORO: Observa a esa viejecita; cuán triste y adusta se aproxima hacia nosotras como para decirnos algo.

Sale del palacio la nodriza.

NODRIZA: ¡Niñas, que desgracias, cuán despiadadas y brutales nos trajo a todas ese regalo enviado a Hércules!

CORO: ¿Ancianita, qué nuevas nos quieres comentar?

NODRIZA: ¡Que se marchó Deyanira, por el camino final y sin retorno, y sin mover un pie...!

CORO: ¿Acaso ha muerto?

NODRIZA: Todo lo has comprendido.

CORO: ¿Murió la infeliz?

NODRIZA: Óyelo nuevamente.

CORO: ¡Llegó a su fin la miserable! Pero, ¿de qué murió?

NODRIZA: De la manera más horrorosa que puede haber.

CORO: ¡Dinos, mujer, qué muerte pudo hallar!

NODRIZA: Ella misma se quitó la vida.

CORO: ¿Qué disparate, qué perturbación empujó a ella misma la punta de la daga? ¿A una muerte ya cierta otra muerte acumula?

NODRIZA: Tomó el agudo acero que la carne destroza.

CORO: Loca... ¿Tú percibiste ese exceso de locura?

NODRIZA: Sí. Estaba junto a ella.

CORO: ¿Quién fue? ¿Cómo? ¡Dilo, dilo...!

NODRIZA: Ella se mató con su propia mano.

CORO: ¿Qué dices?

NODRIZA: La verdad.

CORO: Dio a luz, dio a luz una gran hija, la recién desposada que entró en este palacio: ¡esa hija es la vengadora Erina!

NODRIZA: Demasiado, en verdad. Y tu misericordiosa repugnancia fuera más grande, si estuvieras allí junto a ella.

Coro: ¿Cómo pudo una mano femenina tener tanto valor?

Nodriza: Asombroso valor por cierto. Y vas a saberlo para que estés de acuerdo conmigo; porque no había entrado totalmente en palacio cuando vio al hijo arreglando en el patio una camilla suave, aderezada con frisas y cobertores para ir a traer a su padre. Ella corre y se esconde donde nadie le vea; se arroja al pie de los altares y lanza el grito apesadumbrado, deplorando que ha quedado abandonada por todos. Rompe en llanto la desdichada al tocar cualquiera de los objetos que en otro tiempo ella solía usar. Deambula como loca de una habitación a otra del palacio. Si por casualidad pasaba frente a alguno de sus fieles lacayos, al verlo gemía ella desconsoladamente y lamentaba su desventura de quedar para siempre sin hijos. Súbitamente con rabia se lanza hacia el aposento de Hércules. Yo la observaba oculta y sin que ella advirtiese mi presencia. Veo que la mujer tendía las frisas sobre la cama de Hércules, y que, cuando hubo terminado esto, saltó encima, se sentó en medio del lecho, y estallando en ardiente fuente de lágrimas dijo: "Oh cámara nupcial, oh dulce lecho de mi boca... nada me resta sino un adiós postrero, adiós para siempre: nunca me verás descansar aquí como esposa." Y luego de decir esto, con brusca mano soltó el broche de oro que sujetaba a su pecho el vestido, colocado entre ambos senos. Con esta acción quedó al descubierto todo el brazo y el costado izquierdo. Me retiré corriendo velozmente a avisar a su hijo lo que ella tramaba, y cuando regresamos corriendo los dos, advertimos que con una espada de dos filos se había herido en el costado por debajo del hígado y del diafragma. Cuando el hijo la vio lanzó un ensordecedor grito de dolor. El desdichado se percató de que él mismo con sus recriminaciones y su rabia la había apresurado a tomar esa determinación. Ya le habían advertido en casa, aunque tarde, que ella había actuado de esa manera obedeciendo los consejos del Centauro. Y entonces el infeliz muchacho no sólo prorrumpió en los más desgarradores lamentos, llorando encima de ella y devorándosela a besos, sino que, acostándose a su lado, costado con costado, se lamentó penosamente de que sin razón había echado sobre ella la culpa de aquel crimen y llorando el que simultáneamente iba a quedar privado para toda su vida de los dos: de su padre y de su madre. Éste es la trágico destino de esta casa. ¿Qué loco habrá que pueda contar con dos días o más de vida? ¡No existe el mañana sino para aquel que ha pasado el día de hoy sin desventura!

Regresa lentamente la nodriza al palacio.

Coro: ¿De estas dos desgracias cuál se debe lamentar primero? ¿Cuál debo condenar más? ¡Desventurado de mí, no puedo decidirlo!

¡Esta desventura ya la padecemos en palacio: a nuestra vista ya está! ¡La otra presentimos que se aproxima: tan penoso es tener como esperar! Llegue ya la tempestad a este palacio y me salve, arrastrándome de esta tierra. ¡Que no perezca yo en ella al ver una vez solo al omnipotente hijo de Júpiter! Llega a su casa, llega quebrantado, agobiado de dolorosos males que no puede eludir. Visión atormentada, ya está próximo el espectáculo majestuoso y espeluznante que ha de llorarse con la voz quejumbrosa del ruiseñor de múltiples sonidos. Vean, vean allá, ya no lejos, sino muy cercana, una abatida turba de gente desconocida que lo trae. Con cuidado lo transportan, como si padre suyo fuera, con paso relajado, con mesurada marcha, y él en silencio viene. Infeliz de mí, ¿qué he de hacer? ¿Está dormido o ya lo dominó la muerte?

Llega un grupo de personas con un anciano y el joven Hil-lo que las va guiando. Llevan en una camilla a Hércules.

HIL-LO: ¡Ay desdichado de mí, ay por ti, padre, ay desdichado de mí... cuánto entristezco por ti! ¿Qué he de hacer? ¿Qué pensar? ¡Ay desventurado de mí, ay infortunado de mí!

ANCIANO (*a media voz*): Guarda silencio, hijo. No excites el penoso tormento de tu padre, rabioso y quejumbroso. Desmayado hasta lo sumo, vivo está aún. Calla, frena tu boca.

HIL-LO: ¿Anciano, qué dices? ¿Aún vive?

ANCIANO: No lo despiertes, lo posee el sueño. Excitarías y pondrías en acción una frenética y espantosa furia que le ataca, ¡oh hijo mío!

HIL-LO: ¡A mí, a mí es a quien oprime un peso sin medida: he perdido ya el juicio y el control!

Despierta Hércules e intenta enderezarse.

HÉRCULES: ¡Ah Júpiter!, ¿en qué país me encuentro? ¿Entre qué estirpe de hombres me hallo aquí tumbado entre dolores insoportables? ¡Ay, ay, desdichado de mí... siento que me consume una vez más mi fatal dolencia, ay, ay, infeliz de mí!

ANCIANO: ¿Lo has comprobado? ¿No te advertí que era mejor guardar silencio? ¿Para qué hacer huir el sueño de sus ojos, que tenía esclavizada su cabeza?

HIL-LO: Y, ¿de qué manera podría yo permanecer indiferente contemplando tal desventura?

HÉRCULES: Roca erguida de mis sacrificios en el Ceneo... ¿éste es el galardón que me ha otorgado, oh Júpiter, el sinfín de víctimas que ofrecí? ¡Un ser repugnante, cuán asqueroso has hecho de mí! ¡Jamás vieron mis ojos esta furia voraz que me hiere y esta violencia que me invade...! ¿No hay en contra encantamientos, no hay un mago que pueda remediarla, no hay un médico acaso que contenga y apacigüe este loco furor...? Uno sólo hay, es Júpiter. Maravilla sería que yo pudiera verlo lejano ya de mí.

Van mudando de la hamaca a la camilla a Hércules y él prosigue al tenor de lo que hacen.

¡Ah, ah... déjame! (*laguna*) un desdichado perpetuo. El sueño final ambiciono, permíteme reposar ya en el sueño perpetuo. No me toques; no me recuestes en ese lugar... ¿para qué me revuelves? ¡Provocas que retorne el dolor ya sosegado! La muerte siento, la muerte que me lastima en tus manos. ¡Ah, ya me invade nuevamente el delirio impetuoso y agobiante, me carcome y me abrasa...! ¿Quiénes son, quiénes son ustedes, los más severos y despiadados de los griegos? Muchos años empleé, apurando trabajos por el mar y por la tierra, para salvarlos, por peñascos y por bosques y ahora que sufro tanto, ¿no hay alguno que me hunda una espada, o me calcine en el fuego?

(*Laguna*)

¿No hay quien corte mi cabeza de un solo golpe? ¿Quién puede dar fin a mi afligida vida? ¡Ay, infeliz de mí!

Anciano: Hijo de este caballero ilustre... ya está sobre mis fuerzas este bulto descomunal. Ayúdame. Tómalo tú. Doble potencia tiene comparado tu brazo con el mío.

Hil-lo: Ya lo tomo; sin embargo, nada hay en mí ni fuera de mí con que yo pueda atenuar un ápice sus tormentos. Quien impone las leyes de la vida es exclusivamente Júpiter.

Hércules (*medio incorporado*): Ay, ay, hijo mío, ¿en dónde te encuentras? Por aquí tómame, por aquí álzame, tal vez con eso me cures un poco. ¡Ah inhumana deidad! Regresa nuevamente, regresa el dolor descomunal que me deshace y me atormenta, cruel y feroz. ¡Palas, ah, Palas, vuelve a mí una vez más! ¡Ay, hijo mío, misericordia... Desenfunda la espada, nadie ha de recriminarte, húndela bajo la clavícula, rescátame de esta torturante dolencia con que me enloqueció tu incrédula madre... Ojalá ella caiga bajo el mismo suplicio en que yo me retuerzo, ella que me ha matado! (*Laguna*) ¡Oh infierno dulce, oh deidad favorable, hermana de Júpiter, dame el descanso, dame la paz final, mátame ya con súbita muerte. Acabe un desventurado!

Coro: ¡Se me eriza el cabello de pánico y angustia, oh amigas mías, cuando contemplo estos infortunios del rey! ¡Varón tal en grandeza, inmerso en tales desdichas!

HÉRCULES: ¡Oh violentos trabajos, múltiples y crueles sobre toda ponderación, con brazos y con hombros pude tolerar! Pero ni la mujer de Júpiter, ni el abominable Euristo me dieron tan graves, como el que echó sobre mí la hija de Eneo, la de doloso rostro: una cota tejida por las Erinas mismas, y muriéndome estoy. Compenetrada a mis costados, va carcomiendo mis carnes hasta llegar al hueso, y me absorbe el aliento y me asfixia. Se ha embebido mi sangre tan potente y vigorosa y todo mi cuerpo está carcomido por sus tremendas ataduras. No lo consiguió la lanza en la batalla, ni el ejército de gigantes que la tierra engendró, ni el poder de las bestias, ni la Hélade toda, ni el mundo de los bárbaros, ni el conjunto de tierra que yo recorrí errante en busca de los monstruos que las emponzoñaban... ¡Nada pudo en mí todo, pero sí una mujer, una hembra, sin rasgo de virilidad, ha logrado arruinarme, sin blandir siquiera un puñal... ¡Hijo, ah, hijo: demuestra ahora que eres mi hijo verdadero y no te imponga miedo el nombre de tu madre! Ve tú mismo y tómala en tus manos, tráela acá y colócala en las mías. Veré entonces qué dolor te toca más el alma, si el de ella, que será martirizada hasta el exceso, destrozada, y hecha polvo en mis manos, o este infame dolor que me tortura. ¡Ve, hijo, ve: ten piedad de mí, ya que a otros soy objeto de compasión! Yo que, cual niña, estoy aquí llorando y lanzando lamentos... ¿cuándo hubo un mortal solo que me viera hacerlo antes? Ni un gemido, ni una lágrima hubo en mí cuando realizaba mis trabajos heroicos, y hoy, ¿en qué me he convertido? ¡En una hembra doliente y desdichada! Arrímate, colócate cerca de tu padre: contempla el mal que me está martirizando. Voy a exhibirlo ante tus ojos, quitadas todas las envolturas. Mira, obsérvenlo todos: este cuerpo desdichado, miren sus dolencias, vean su estado de exterminio... ¡Ay, ay de mí, infortunado de mí! ¡Otra vez el dolor espasmódico y torturante me domina! Penetra a mis entrañas, no me deja reposar ni un instante; ardor, ardor insufrible me va royendo... ¡Príncipe del averno, acógeme ya en tu mansión! ¡Rayo de Júpiter, descarga en mí tu furia! ¡Oh!, padre, padre, príncipe supremo de los cielos, envía contra mí tu rayo tremendo! ¡Arde y carcome ya; me calcina esta llama que me invade! ¡Ah, manos, manos mías; ah, espaldas y hombros; ah, pecho robusto, brazos potentes, ¿son aún los mismos? ¿Los que al león de Nemea hicieron añicos? ¿Ése que era inasible y que inspiraba pánico a pastores? Nadie podía dominarlo, nadie podía derrotarlo: ¡lo pude yo! Y, ¿esa Hidra de Lerma? ¿La tropa tumultuosa de esos monstruos que, mitad hombres y mitad caballos, sin freno y sin pudor, sanguinarios y violentos, a todos los vejaban? ¿Y la bestia indómita de Erimanto? ¿Y el tricápite perro de los abismos del Hades tenebroso, hijo de la horripilante bicápite serpiente? Y ¿aquel dragón que atalaya los árboles frondosos que fructifican en manzanas de oro, allá en la linde más lejana de la tierra? ¡Ésas y muchas otras fueron mis aventuras en la tierra inmensa! ¡En ellas se esfumó mi vida, y no hubo un mortal solo que cantara victoria sobre estas manos! Y aquí estoy ahora. Quebrantado, destrozado, sin uso de mis miembros. Un funesto y oculto enemigo me ha dejado así. A mí, el hijo de Júpiter, de madre sin igual nacido... ¡Y es mi padre el rey del cielo constelado de estrellas! Véanlo, entiéndanlo. Nada soy ya. Ni arrastrarme puedo. Ah, pero a ella, a ella, la que este martirio me ha procurado, la haré añicos en mis manos, y sin ninguna demora. Venga, venga acá luego: ella dará testimonio al mundo de cómo sabe pagar Hércules sus deudas. Está a la muerte, pero tiene bríos.

CORO: ¡Grecia desdichada, qué infamias te esperan, si de un varón como éste quedas privada!

HIL-LO: Padre, padre, pues callas, me autorizas a hablarte. Estás furioso, sin embargo, debes escucharme; lo que voy a suplicar es justo. Domina tu ira, aplaca tu rabia. Permite que yo te hable. Si no me dejas, no podrás comprender la trama dolorosa de estos hechos y el rencor seguirá carcomiendo tu espíritu.

HÉRCULES: Di lo que creas necesario. Sufro mucho para escuchar sutilezas.

HIL-LO: Te hablaré de mi madre. Te diré cómo está. Y el error que ella pudo cometer, sin advertir lo que hacía.

HÉRCULES: Ay infeliz, ¿aún te atreves a hablarme de la madre que ha asesinado a su esposo? ¿Crees que te voy a escuchar?

HIL-LO: ¡Me escucharás! Hecho es que callarse no puede.

HÉRCULES: ¡Tienes razón! Tales son los crímenes que ella ha cometido.

HIL-LO: No será éste tu dicho, si llegas a saber lo que tengo que exponerte.

HÉRCULES: Habla, entonces. Pero, cuidado... no vayas a aparecer como traidor.

HIL-LO: Hablo. Ha muerto hace un momento. Y nadie la mató.

HÉRCULES: ¿Ha, qué? Noticias atroces. De nefasto presagio. Ésas me das.

HIL-LO: Ella misma se da la muerte. Ningún extraño interviene.

HÉRCULES: ¡Cómo me duele. Ay... ella debió sucumbir al empuje de mis poderosos brazos!

HIL-LO: Si tú lo sabes en su integridad, habrás de cambiar de opinión.

HÉRCULES: Rara proposición; haz más comprensible lo que dices.

HIL-LO: Es todo. Bien pensó hacer, pero obró mal.

HÉRCULES: ¿Pensó bien... y ha matado a tu padre?

HIL-LO: Quería cautivar tu amor con un filtro, cuando vio que traías otra esposa y le falló su intento: fue engañada.

HÉRCULES: ¿Quién de entre los traquinios pudo tal mago ser?

Hil-lo: Neso fue en otro tiempo. Él pudo convencerla que con este mágico ungüento de amores conseguiría tu adhesión para siempre.

Hércules: ¡Ay, ay pobre de mí, desdichado... me extingo para siempre, perdido estoy ya sin remedio. Ni un día me resta ya! ¡Ay, ya comprendo ahora a qué extremo llegué de mi desgracia! ¡Márchate, hijo mío: ya no tienes padre! Convoca aquí a toda mi progenie, a mis hijos, a tus hermanos. Llama también a Alcumena desventurada, mi madre, que algún día se sintió mujer de Júpiter. Vengan y escuchen todos los finales oráculos que en mi mente yo solo he conservado.

Hil-lo: Ni tu madre está aquí. Fue a morar a la marina Tirinto. Se llevó de tus hijos algunos para darles crianza. Otros están en Tebas. Los que en esta mansión hemos quedado, obedientes escucharemos lo que tú mandar quieras.

Hércules: Escucha entonces, tú, al menos, la obra que te atañe. Va a llegar el momento en que des a conocer que en realidad eres mi hijo. Mi padre me predijo que mi muerte sería no por manos de un ser que aún viviera: me tendría que matar uno que ha tiempo fuera morador del Hades. Se cumplió el augurio. Quien me mata es el centauro Neso, muerto ya, mata a un vivo. Y con estos vetustos oráculos están conformes otros más nuevos. Yo entré a tierra de Selos, gente que al sueño rudo se recuesta, y una encina de mil lenguas me previno de augurios que tuve buen cuidado de poner por escrito. Esa encina es instrumento de Júpiter mi padre. En ese entonces se me dijo que llegaría un día en que yo quedaría liberado de los trabajos que siempre me angustiaron. Torpe de mí: pensaba que era la hora de la dicha al fin: y era la de la muerte: únicamente los muertos ya no sufren penas. Se ha cumplido el pronóstico del oráculo. Tú debes ayudarme. No me sulfures, ni provoques la rabia de mi lengua. Haz todo lo que yo te diga. La ley más sublime es someterse a las órdenes de un padre.

Hil-lo: Padre, siento terror por lo que han expresado tus labios. Sin embargo, no rehuso. Obedeceré todos tus mandatos.

Hércules: Antes dame tu mano; estrecha tu diestra con la mía.

Hil-lo: ¿Tan solemne es así? ¿Qué lealtad me exiges?

Hércules: Dámela y pronto, ¿no quieres acatar al fin las órdenes de tu padre?

Hil-lo: Observa, la extiendo hacia ti... ya nada impugno.

Hércules: Jura por la cabeza de Júpiter, mi progenitor.

Hil-lo: ¿Qué debo jurar? ¿No terminarás de decírmelo?

Hércules: Jura que cumplirás lo que te ordene.

Hil-lo: Lo juro, Júpiter es mi testigo.

Hércules: Y que si desobedeces, tú mismo te procuras el castigo.

Hil-lo: No me lo echo encima. Lo haré. Me hago, con todo, reo ante los dioses.

Hércules: ¿Conoces la cima más elevada del Eta, donde gobierna Júpiter?

Hil-lo: La conozco. Más de un millar de veces he ido a ese sito a ofrecer sacrificios.

Hércules: Perfecto, hasta esa cima tendrás que llevarme. Pero tú mismo y en tus brazos, con la ayuda de quien designes. En ese sitio cortarás suficiente madera de las encinas que se enraízan profundamente y de olivos monteses que talarás. Encima de ese ramaje colocarás mi cuerpo. Después con una antorcha de pino encenderás todo eso. ¡Pero, recuerda, no debes emitir ni un gemido, ni un lamento, ni una lágrima! Así tienes que actuar, si en verdad eres mi hijo. De lo contrario, desde el fondo del infierno, estaré sobre ti como un peso intolerable en maldición perpetua.

Hil-lo: ¡Ay desdichado de mí, padre mío!, ¿qué dices? ¿Qué compleja tarea me asignas?

Hércules: Eso debe ejecutarse. ¿No lo quieres hacer? ¡Sé hijo de otro y no mío!

Hil-lo: Ay desventurado de mí, una vez más... ¿a qué me obligas? ¿Padre, quieres que sea tu asesino, tu verdugo...?

Hércules: Estás equivocado: tú serás mi médico, el único que pueda aliviar mis males.

Hil-lo: ¡No comprendo cómo podré curarte con sólo quemar tu cuerpo!

Hércules: ¿Tienes miedo a eso? Haz al menos lo demás.

Hil-lo: Llevarte sí, no puedo rehusarme.

Hércules: ¿Y en el arreglo de la fogata, como te he dicho?

Hil-lo: ¡Cuanto pueda lo haré, pero tocarla con mi mano, no! Haré el resto, únicamente por agradarte.

Hércules: Para mí eso es suficiente. Agrega un favor nuevo a los que me has concedido.

Hil-lo: Lo haré, por grande que sea.

Hércules: ¿Conoces a la hija de Eurito?

Hil-lo: ¿Te refieres a Yola?, si no percibo mal.

Hércules: Efectivamente, a ella. Pues bien, escucha, hijo mío: luego de que haya muerto, si muestras para mí compasión, cumple la promesa que me has hecho. Cásate con ella. No, no me contradigas. Ella mi lecho compartió y nadie debe tomarla, si tú no la tomas. Haz estas bodas. Obedéceme en lo pequeño, ya que en lo grande no lo hiciste.

Hil-lo: ¡Ay, infeliz de mí! Cruel es enojarse con un enfermo, sin embargo, ¿habrá quien tolere ver que un hombre tan estúpidamente piensa?

Hércules: ¿Qué susurras? ¿No quieres obedecer?

Hil-lo: Y ¿quién estaría de acuerdo con lo que pides? ¿Acaso no fue ella la causa de que mi madre se suicidara? ¿No es ella también la causante de tu estado actual? ¿Obrar como quieres puede hacerlo un hombre en su juicio? ¡Un dios habrá de privarlo de seso para que tal cosa haga! ¡Padre, morir prefiero que habitar con quien detesto!

Hércules: ¡Ya lo veo: este hombre no quiere agradar a un padre que agoniza...! Entonces, que la maldición de los dioses caiga sobre ti, si no obedeces mis órdenes.

Hil-lo: ¡Ay, bien lo veo, pronto vas a expresarte como un loco!

Hércules: ¿Acaso no eres tú quien aviva una herida ya curada?

Hil-lo: ¡Ah, desventurado de mí... qué apuros me asedian!

Hércules: ¿No quieres escuchar las rectas peticiones de quien te dio el ser?

Hil-lo: ¿Vas a enseñarme, oh padre, a ser cruel?

Hércules: No es ser cruel cumplir mis deseos.

Hil-lo: ¿Sin embargo, lo ordenas en rigor? ¿Es cierto?

Hércules: Efectivamente, y a los dioses llamo por testigos.

Hil-lo: Obedeceré, entonces; ¿cómo rehusarme? Sepan los dioses que esta acción es tuya. Someterse a los mandatos de un padre no puede ser algo que se culpe.

Hércules: ¡Está bien, acabaste! Sin embargo, añade la premura. No vaya a ser que un nuevo ataque de furia me desborde. Llévame ya y colócame en la fogata. ¡Ea, rápido, llévame! Éste es el final de mis suplicios, ésta es la consumación de la vida de un hombre.

Hil-lo: Nada hay que estorbe, oh padre. Tú lo dispones, y tus órdenes son una obligación.

Los acompañantes de Hil-lo alzan
la camilla en donde va a ser llevado Hércules.

Hércules: Partamos antes de que se desborde nuevamente la cólera de mis dolencias. Espíritu bravío el mío, sella mi boca con piedras de muro que se aferran atadas con el acero. ¡No más lamentos ya! Hijo, cumple mi deseo más vehemente, aunque con renuencia de tu voluntad.

Hil-lo: Levántenlo, amigos, y para mí tengan la más grande clemencia. ¿No ven cómo los dioses se muestran inmutables? ¡Dicen que ellos procrean, los llaman padres, y ya ven cómo contemplan el sufrimiento sin angustiarse! ¿Qué va a suceder?, nadie lo sabe: el presente nos pide llanto perpetuo y para ellos injuria y vergüenza. Sin embargo, más dolor, dolor y amargura sin igual para éste que resiste su destino.

El cortejo se va alejando lentamente. El coro permanece en silencio unos segundos y después dice:

No te quedes tú, muchacha, en palacio, ya que has sido testigo de las espantosas y recientes muertes y las desastrosas fatalidades que por primera vez experimentas, de todas las cuales no hay otro autor sino Júpiter.

EDIPO EN COLONO

Escenario

A la izquierda el bosque sagrado de las Euménides en Colono, villa cerca de Atenas. En el bosque varios asientos de piedra. Un camino real atraviesa la escena.

PERSONAJES:
Edipo, anciano ciego y mendigo.
Antígona, su hija que lo va guiando.
Ismena, su hermana.
Teseo, rey de Atenas.
Creonte, cuñado de Edipo.
Polinices, hijo de Edipo.
Un mensajero.
Un transeúnte.
Coro formado por ancianos de Colono.

EDIPO: Antígona, hija de este anciano ciego, ¿a qué ciudad hemos llegado? ¿Qué personas viven en esta región? ¿Quién albergará hoy al errante Edipo, que sólo lleva pobreza? En verdad, poco es lo que pido y menos aún lo que traigo conmigo, no obstante esto es suficiente para mí. Las penas, la vejez y mi carácter me han enseñado a condescender con todo. Sin embargo, hija mía, si ves algún asiento vacío, ya sea en un lugar público, o en el bosque sagrado, detente y siéntame hasta que averigüemos dónde nos encontramos; pues como somos forasteros es nuestra obligación preguntar a los ciudadanos y actuar como nos indiquen.

Antígona: Padre mío, desdichado Edipo, las torres que resguardan la ciudad se ven algo lejos de nosotros. Parece que este sitio es sagrado, pues está tapizado de laureles, viñas y olivos, e innumerables ruiseñores cantan dentro de él melodiosamente. Encima de esta roca reclina tus miembros, has caminado más de lo que conviene a un anciano.

Edipo: Entonces, siéntame y hazlo con cuidado.

Antígona: Durante mucho tiempo te he cuidado, por lo que no necesito que me lo recomiendes.

Edipo: ¿Sabes dónde estamos?

Antígona: En Atenas, sin embargo, desconozco el sitio.

Edipo: Esa misma respuesta nos la han dicho las personas que hemos hallado en el camino.

Antígona: ¿Quieres que pregunte en dónde nos encontramos?

Edipo: Sí, hija mía, y dime si es habitable.

Antígona: Efectivamente, es habitable; y no tendré que alejarme demasiado, pues un hombre se acerca a nosotros.

Edipo: ¿Viene hacia acá?

Antígona: Sí; incluso ya lo tenemos enfrente. Pregúntale lo que quieres saber, que aquí lo tienes.

Edipo: Transeúnte, enterado por mi acompañante, cuyos ojos ven por ella y por mí, de que llegas muy a propósito para informarnos de lo que necesitamos saber, y decirnos...

Transeúnte: Antes de que continúes con tu pregunta, retírate de ese asiento. Estás descansando en un sitio prohibido para hollar.

Edipo: ¿Qué lugar es éste? ¿A qué dios está consagrado?

Transeúnte: Este sitio santo que no se puede habitar está consagrado a las infames diosas, hijas de la tierra y de las tinieblas.

Edipo: ¿Me puedes decir su venerable nombre? Dímelo, para que les dirija mis plegarias.

Transeúnte: La gente de este país les da el nombre de Euménides, las que todo lo ven. Tienen también otros, bellos por todos conceptos.

Edipo: ¡Sean propicias, entonces, para éste que les suplica! De este sitio no me levanto, ni de este sitio salgo: buen asilo me brinda esta tierra.

Transeúnte: ¿Qué quieres decir, anciano?

Edipo: Que aquí se encuentra el resumen de mi fortuna.

Transeúnte: Pues no me atrevo a echarte de este lugar sin preguntar antes a los ciudadanos, para que me indiquen qué debo hacer.

Edipo: ¡Por todos los dioses, transeúnte, no desprecies a este vagabundo, y contéstame a lo que te ruego que me digas!

Transeúnte: Dime qué quieres saber, pues no seré yo quien se niegue a darte informes.

Edipo: ¿A qué país hemos llegado mi hija y yo?

Transeúnte: Todo cuanto sé lo escucharás de mi boca. Todo este terreno sagrado pertenece al santo, el venerable Neptuno, y también al dios portador del fuego, el titán Prometeo. Ese paraje que pisas se llama aquí "Umbral de Bronce" y es el "Baluarte de Atenas", y de toda la región circunvecina. Los campos cercanos se envanecen de estar bajo la protección de Colono; y todos llevan en común el nombre de este célebre caballero, con el que son designados. Así son las cosas. No se habla mucho de eso, pero aquí todos están al tanto.

Edipo: ¿Entonces hay quien habite en estos sitios?

Transeúnte: Efectivamente, y llevan todos el nombre de su dios protector.

Edipo: ¿Los rige un monarca o es el pueblo el que manda?

Transeúnte: Los gobierna el rey que reside en la ciudad.

Edipo: Y, ¿el que rige ahora, quién es?

Transeúnte: El nombre del actual gobernador es Teseo, hijo y sucesor de Egeo.

Edipo: ¿Alguno de ustedes podría llevarle un mensaje de mi parte?

Transeúnte: ¿Con qué propósito? ¿Para darle alguna noticia o para pedirle que venga?

Edipo: Para que haciendo un leve beneficio pueda recibir, en cambio, gran ventaja.

Transeúnte: ¿Y qué ventaja se puede obtener de un hombre ciego?

Edipo: Lo que yo le diré es algo que ve bien.

Transeúnte: ¿Tienes la certeza, ¡oh extranjero!, de lo que debes hacer para no errar? Y puesto que de noble progenie pareces, aunque desgraciado, aguarda aquí hasta que entere de todo a los habitantes de estos lugares, sin necesidad de ir a la ciudad. Ellos decidirán si puedes permanecer allí donde estás, o proseguir tu camino sin rumbo.

Se marcha el transeúnte.

Edipo: Hija mía, ¿se ha marchado ya el transeúnte?

Antígona: Ya, padre. Ha quedado esto en total calma, tanto que puedes decir con confianza todo lo que quieras. Nadie hay más que yo.

Edipo: ¡Oh reinas, oh terribles! La primera región donde encuentro algún reposo es de ustedes. Sean indulgentes conmigo y con Apolo, quien cuando me anunció todas mis desgracias, me indicó también que el término de ellas lo encontraría después de mucho tiempo, cuando al llegar a lejana región hallase asilo en mansión de venerandas deidades, donde terminaría mi penosa vida en beneficio de los habitantes que me dieran alojamiento y en castigo de aquellos que desterrándome me expulsaron; y además, que como señales que me indicaran el cumplimiento del oráculo, acontecería un terremoto, un trueno o un relámpago. Lo veo ya. Fue así. Leal presagio de su mano me condujo a este bosque sagrado. Sin él no encontraría yo nunca este sitio donde moran ustedes las que detestan el vino, yo que de él me abstengo, ni hubiera buscado reposo en este asiento que ningún hombre ha tocado. ¡Oh diosas, hagan realidad los vaticinios de Apolo y den ya a mi vida un término, o una mudanza, si es que no parezco a sus ojos indigno de tal don y condenado siempre a eterna desventura! ¡Vengan, oh dulces hijas del antiguo Escoto!; ven también tú, que llevas el nombre de la poderosa Palas, ¡oh Atenas!, la más respetable de todas las ciudades, tengan piedad de esta ambulante sombra de lo que fue Edipo: nada quedó de él sino la imagen.

Antígona: Guarda silencio. Unos ancianos se aproximan a revisar tal vez el lugar donde te has sentado.

Edipo: Te obedeceré. Y tú ahora con diligencia y cautela escóndeme en el bosque, muy lejos del camino. Primero escucharemos lo que dicen. La mejor ciencia de las cosas es la gran norma que regula la acción.

Se retira Edipo al bosque, llevado por su hija.
Va entrando el coro de ancianos lentamente.

Coro: Mira bien: ¿quién era? ¿Dónde se acogió, dónde se metió, en dónde se oculta el más osado de los hombres? Mira bien, examina, búscalo en todos los sitios. ¡Un vago, sí, un vago ha de ser ese anciano y no es de los nuestros! ¿Cómo, si lo fuera, iba a profanar ese recinto santo dedicado a las doncellas indomables, cuyo nombre siquiera pronunciar nos espanta? Cuando por este sitio pasamos, bajamos la vista, en silencio nos vamos y apenas musitar podemos lo que el corazón atemorizado nos dicta. Mas ahora se propaga el rumor de que sin ningún respeto ha entrado aquí un impío a quien yo no puedo ver por este bosque ni saber dónde se esconde.

Edipo y Antígona abandonan su escondite de entre los árboles.

Edipo: Esa persona a quien buscan soy yo. En su voz conozco lo que vaticinó el oráculo.

Coro: ¡Ay, ay! ¡Qué horror da el verlo! ¡Qué espanto el oírle!

Edipo: No me consideren un perverso, se los ruego.

Coro: Júpiter salvador, ¿quién es este anciano?

Edipo: ¡No, no es un hombre dichoso elevado por la suerte, oh custodios de esta tierra, que bien pueden comprobarlo! ¿Cómo va a ser feliz el que requiere apoyar su peso sobre la debilidad de una niña que le va prestando sus ojos?

Coro: ¡Ah! ¡Está ciego! ¿Acaso, desdichado, eres ciego de nacimiento? ¿Bien mirarse puede que tu vida ha sido larga, que tu vida ha sido doliente, sin embargo, mientras de mí dependa, no te permitiré añadir un sacrilegio a tanta calamidad. ¡Aléjate de ahí! Márchate, márchate, pero ve con tiento, no sea que llegues al manantial en donde se mezclan las sagradas libaciones de miel ofrendada ante los dioses. ¡Enorme es el sacrilegio, fuera! ¡Cuídate de él! ¡Haya entre ti y nosotros un largo camino!... ¿Lo oyes, infeliz vagabundo? Si tienes que decirme algo, sal de ese sitio prohibido, y cuando estés en lugar público, habla, pero antes guarda silencio.

Edipo: Hija mía, qué resolución hay que tomar.

Antígona: Padre, es necesario que obedezcamos a los ciudadanos y ejecutemos con gusto lo que nos ordenan.

Edipo: Dame tu mano.

Antígona: Tómala.

Edipo: Extranjeros, no me traten con injusticia. He hecho lo que me ordenaron, y me retiro de este sitio.

Coro: ¡Nunca jamás! Toma este otro asiento. De él nadie habrá de desalojarte, anciano.

Edipo: ¿Voy más adelante?

Coro: Avanza un poco más.

Edipo: ¿Así está bien?

Coro: Niña, camina un poco más. Tú sí puedes ver.

Antígona: Sigue, padre, sigue, con tu cuerpo ciego, por donde te guío.

Edipo: Ay, ay.

Laguna de aproximadamente cuatro versos en el texto.

Coro: Ánimo, viajero; sin ventura y en tierra extraña, procura aborrecer lo que el país aborrece y exaltar lo que glorifica.

Edipo: Llévame, hija, al sitio donde guardando el adecuado respeto, podamos conversar y escuchar. ¿Para qué luchar contra una ley impuesta?

Salen ambos del bosque.

Coro: Alto, no des un paso más. Detente en esa piedra.

Edipo: ¿Así está bien?

Coro: Basta, como te lo he dicho.

Edipo: ¿Me permites sentarme?

Coro: Sí, por este lado. Lentamente, vete inclinando y colócate en el borde de esa piedra.

ANTÍGONA: Padre, permíteme ayudarte, eso a mí me toca. Con suavidad...

EDIPO: ¡Infeliz de mí!

ANTÍGONA: Ajusta tus pasos con los míos, apoya tu decrépito cuerpo en mi brazo.

Se sienta Edipo en la roca.

EDIPO: ¡Ay de mí, qué infeliz suerte!

CORO: Ahora sí, desventurado, ya que hallaste dónde descansar, empiézame a contar. ¿Qué clase de hombre eres? ¿Qué infame desdicha te aqueja? ¿Cuál es tu patria?

EDIPO: ¡No tengo patria, extranjeros...! Pero no...

CORO: ¿No qué, no qué, anciano? ¿Qué quieres ocultar?

EDIPO: No, no me preguntes quién soy; ya nada preguntes, ni insistas.

CORO: ¿Qué es, qué es?

EDIPO: Un ignominioso origen.

CORO: Habla.

EDIPO: ¡Ay, hija!, ¿qué digo?

CORO: Viajero, ¿de qué alcurnia eres? ¿Quién fue tu padre?

EDIPO: ¡Ay, hija mía!, ¿qué me va a ocurrir?

ANTÍGONA: ¡Ya te acorralaron: confiésalo todo!

EDIPO: Pues hablaré: ya no tengo ninguna escapatoria.

CORO: Te demoras mucho, anciano; habla pronto, pronto...

EDIPO: ¿Tienes alguna noticia de un hijo de Layo?

CORO: ¡Ah, oh!

EDIPO: ¿Y de la progenie de Labdácidas...?

CORO: ¡Por Júpiter!

EDIPO: ¿De un miserable llamado Edipo?

CORO: ¡Con que tú eres!

EDIPO: Efectivamente; ¡pero no los asuste lo que les diga!

CORO: ¡Ay, ay, ay!

EDIPO: ¡Un infortunado soy!

CORO: ¡Oh, oh!

EDIPO: Hija, ¿qué sucederá ahora?

CORO: ¡Largo, márchate de esta tierra inmediatamente!

EDIPO: ¿No cumplirás las promesas que hiciste?

CORO: Nunca castiga el Destino por devolver el agravio que antes se ha recibido. Un engaño que se hace, con otro engaño ha de compensarse. Hacerlo es la venganza del mal recibido. ¡Levántate, pues, inmediatamente: sal de aquí! ¡Rápido! ¡Lárgate de este lugar, márchate de este país... no sea que bien pudieras atraer desgracias a mi ciudad!

Antígona suelta la mano de Edipo y se coloca entre él y el coro.

ANTÍGONA: ¡Honorables extranjeros, ya que a mi padre escuchar no quisieron el relato de sus desventuras, anciano que es la víctima del Destino y cometió sus desatinos inconscientemente, a mí al menos, escúchenme! ¡Soy desdichada, soy una pobre mujer desamparada, tengan misericordia de mí! Por él se los imploro, mis ojos no son ciegos y se clavan como dardos en los ojos de ustedes al suplicar. Por mis venas corre similar sangre a la de ustedes: tengan misericordia de un padre desdichado. Vuestras manos imitan hoy las manos de los dioses: en ellas nos ponemos. Dos desdichados somos; esta gracia pedimos: ¿seremos expulsados? ¡Lo imploro por los seres más venerados: el hijo, la esposa, el tesoro, el dios! Y más: ya lo están viendo: no hay hombre que escape a su destino cuando es un dios quien lo persigue.

El coro se detiene en silencio.

CORO: Hija de Edipo, compréndelo. Sentimos profundamente tu aflicción y la de tu padre. Pero por temor a estas diosas no podemos decir sino lo que hemos dicho antes.

EDIPO: ¿Para eso sirve la gloria, para eso sirve la fama? ¡Al suelo perdidas caen! ¿No se proclama que Atenas es la ciudad de la misericordia a los dioses y a las leyes eternas? ¿La única que ampara al vagabundo flagelado por la desdicha, la única que sabe defenderlo? ¡Es verdad eso para todos: menos para mí! ¡Me echan de este asilo, me expulsan de su tierra...! Y eso, ¿por qué? Tan sólo por mi nombre. Bastó mi nombre para infundir pánico. ¿Mis actos, no? De ellos yo fui víctima, no actor, si puedo aún recordar a mi padre y a mi madre. Por eso me ven tan aterrados y me echan nuevamente a la aventura de los caminos. Vamos a cuentas: ¿Yo qué delito cometí? Fue pura defensa natural contra quien me agredía. Y aun si con toda conciencia hubiera obrado, ¿no estaba en mi mano repeler el mal? Y ahora, por los dioses yo les imploro que, de la misma manera como me han sacado de mi refugio, así me den una medida de salud. Si a los dioses veneran, a los dioses no vilipendien. Ellos tienen la vista puesta en los mortales y bien distinguen entre el recto y el cruel. Jamás se vio que el perverso de la mano de los dioses escapara. Unidos a estos dioses, no oculten con un velo de infamia la gloria de Atenas. Cuando llegué doliente y suplicante me disteis la promesa: defendedme ahora. Nada os impidan las huellas dolorosas que en este rostro llevo de mi desgracia. Yo llego como un ser que los dioses tocaron y que lleva en el alma devoción a ellos. Y soy la garantía de bienes múltiples para esta ciudad y sus habitantes. Cuando el señor que gobierna nuestra vida se presente, todos lo escucharán y todos lo conocerán. Mientras tanto, no actúen injustamente.

Coro: Anciano, tus raciocinios me obligan a ceder. Poderosas son tus palabras para dominar mi mente. Corresponde a los príncipes que esta tierra gobiernan decidir en ello con total autoridad.

Edipo: Y el que esta tierra rige, ¿dónde se encuentra?

Coro: En la ciudad patria. El mensajero que te vio antes que nadie, de la misma manera que me hizo venir, ha de llamarlo a él.

Edipo: Y, ¿crees que un ciego sea suficiente para interesarle y aun para hacer que venga él en persona aquí?

Coro: Claro; le será suficiente con escuchar tu nombre.

Edipo: Y, ¿quién va a decírselo?

Coro: El camino es largo, sin embargo, las noticias de los extranjeros tienen tal ligereza que vuelan inmediatamente. En seguida de que él se entere, tenlo por cierto, ha de venir acá. Tu nombre ha penetrado en todos, a tal grado que aunque él estuviera durmiendo, aunque estuviera agotado, vendrá rápido cuando lo escuche.

Edipo: ¡Venturoso sea él, si así lo hiciere, próspera su ciudad, y dichoso yo! ¿Quién hay que no desee su propio bien?

Antígona: ¡Oh Júpiter! Y yo, ¿qué digo?

Edipo: Antígona, hija mía, ¿qué te pasa?

Antígona: Una mujer se aproxima hacia nosotros. Cabalga un caballo del Etna, y cubre su cabeza con un enorme sombrero de Tesalia. ¿Qué digo? ¿Es ella? ¡Sí, ella! ¡No, no es! Estoy confundida: ya afirmo, ya niego. No sé qué decir. ¡Ah, sí, estúpida y torpe, ella es: no es otra! ¡Ya su mirada me acaricia radiante a medida que se aproxima. Es ella, es ella, mi adorada Ismena!

Llega Ismena con la disposición que ha dicho Antígona.

Edipo: ¿Hija, qué dices?

Antígona: A tu hija, a mi hermana, tenemos aquí. Yo puedo verla; tú, escucha su voz.

Ismena: ¡Ay, padre y hermana, dos nombres los más tiernísimos para mí! ¡Qué adversidades he sufrido para hallarlos, y con qué amargura los estoy viendo!

Edipo: ¿Has venido, hija mía?

Ismena: ¡Padre desdichado, qué espectáculo el tuyo!

Edipo: Hija, al fin apareces.

Ismena: Y a costa de qué penas.

Edipo: Abrázame, hija mía.

Ismena: En un solo abrazo a los dos los uno.

Edipo: ¡Ay, progenie mía... ay, mutuas hermanas!

Ismena: ¡Funestos tumbos de la vida!

Edipo: ¿De ésta o de mí?

Ismena: ¡Y de mí, la tercera en desventura!

Edipo: Hija, ¿a qué vienes?

Ismena: Estaba angustiada por ti, padre mío.

Edipo: ¿Deseabas verme?

Ismena: Y traerte nuevas, en compañía de este lacayo, único fiel aún.

Edipo: ¿Y tus dos jóvenes hermanos? ¿No están allá ahora? ¿A qué se dedican?

Ismena: Déjalos dondequiera que se encuentren; que crueles rencores hay entre ellos.

Edipo: ¡Ah, se han habituado a las prácticas egipcias, con la misma idiosincrasia y los mismos modos! Allá los varones permanecen en sus casas, perezosos cerca del hogar tejiendo, mientras sus esposas viven sin cesar fuera procurando lo que hay que comer. Así también, hijas mías, ocurre con ustedes. Ellos están en casa bien recluidos, como si fueran doncellas, y se preocupan ustedes, en lugar de ellos, por su desdichado padre. Esta niña, esta niña... ¡apenas sale de la infancia y adquiere algún brío y corporal robustez, va siempre conmigo en mis caminos, errante y sin dicha, cual guía de un ciego desventurado! ¡Cuántas veces vagando, extraviada en las selvas, sin pan, y sin abrigo y sin calzado, anduvo sin tino! La bañaban las lluvias, la abrasaba el sol... y ella, impávida, no pensaba en sí misma: pensaba únicamente en la desdicha de su padre. Nada la perturbaba carecer de un hogar: sólo se esforzaba por conseguir para mí un pedazo de pan... y tú, ahora tú. Un día viniste ya, sin que lo advirtieran los de Cadmo, a traer los oráculos que hacían los dioses respecto de mí. Y tú fuiste, también, mi único apoyo y consuelo el día en que me echaron de la patria. Y ahora vienes también. ¿Qué noticia me traes? Ismena mía, ¿qué te ha obligado a abandonar tu hogar? ¡No es inútil tu viaje: temo que me anuncies alguna nueva desgracia!

Ismena: No te narraré, amado padre, las penurias que enfrenté durante tu búsqueda. Fue muy difícil descubrir en dónde posaba tu vida desdichada. ¿Para qué renovarlas? El dolor se sufre al recibir las penas, y se vuelve a sufrir al recordarlas. Escucha a lo que vengo: a informarte de los males que asedian y fustigan a tus dos hijos. Al principio disputaban acerca de dejar a Creonte el trono y, al fin, se pusieron de acuerdo. Tenía que ser así. ¿Para qué seguir contagiando la ciudad con la mancha que pesa sobre nuestra estirpe? Ahora ya no. Un dios perverso los ha empujado. Una terrible avaricia los subyuga. Locos están y sedientos de poder. Y en la actualidad disputan la sucesión del trono para ostentar el dominio real. Es verdad que Polinices es más joven. Menos derecho tiene. No obstante, ha confinado a su hermano, le ha arrebatado rabiosamente el mando. Sin embargo, el otro, Eteocles, no se ha quedado apático. Cuenta la voz popular que se fue a refugiar a Argos, donde se ha desposado con una extranjera y está ganando aliados y advierte ufano que Argos someterá a Tebas, o alcanza al menos la mayor de las victorias. Una conquista que lo encumbra hasta los cielos. Y no es mentira, padre mío. Acción es y terrible... Y recapacito y me pregunto: "¿Cuándo acabarán los dioses por apiadarse de tus desdichas?"

Edipo: ¿Pudiste mantener la ilusión de que un día los dioses volverían a mí su mirada, para sanar mis dolencias? ¡Vana ilusión fue!

Ismena: Di crédito, padre, a los recientes augurios.

Edipo: ¿Cuáles augurios? ¿Qué predicen ellos, hija mía?

Ismena: Que llegará un día en que, ya estés muerto o vivas, tendrán que buscarte los de esta tierra para disfrutar de bienestar y felicidad.

Edipo: ¡Bienestar, felicidad...! ¿Qué ofrecerles puede un infeliz como yo?

Ismena: Y afirman que de ti todo bienestar depende.

Edipo: ¡Yo ya casi no existo...! ¿Y habré de ser el hombre necesario?

Ismena: Ahora los dioses reparan lo que antes devastaron.

Edipo: ¡Encumbrar a un viejo, cuando han derrumbado a un joven... gran favor, por cierto!

Ismena: Y entérate de algo más: para eso viene Creonte, y no dentro de años. Dentro de unos instantes.

Edipo: ¿Y qué pretende él? ¡Oh dioses, dilo, hija!

Ismena: Que cuentes con un albergue próximo de la tierra de los cadmeos, sin entrar jamás a ella. Allí estarás a su mando.

Edipo: Y de uno sepultado a sus puertas, ¿qué beneficio intentan conseguir?

Ismena: Que tu sepultura, si no cuenta con todo lo que los ritos disponen, será para ellos el origen de infortunios.

Edipo: ¡Para saber esto no se necesitan oráculos!

Ismena: Eso, eso quieren: que estés cerca y que no seas libre, sino sometido a ellos.

Edipo: ¿Ha de cubrirme el polvo de la tierra de Tebas?

Ismena: Una sangre que viertes, siendo tuya, te impide este derecho.

Edipo: Jamás de mí podrán tener dominio.

Ismena: Y va a ser difícil para los cadmeos.

Edipo: Y eso, ¿por qué? ¿Qué causa? ¿En qué caso?

Ismena: Por tu rabia misma, si hollan tu sepultura.

Edipo: Y, ¿de dónde conoces todo eso que me has dicho, hija mía?

Ismena: De hombres iluminados que fueron a Delfos.

EDIPO: Y, ¿habló Febo de mí? ¿Qué cosas dijo?

ISMENA: Eso dicen los que retornaron a las tierras de Tebas.

EDIPO: ¿Y alguno de mis hijos pudo escuchar tal cosa?

ISMENA: Los dos lo escucharon.

EDIPO: ¡Perversos, y luego de haberlo escuchado, prefieren el poder al amor de su padre!

ISMENA: Una enorme angustia me invade al escucharte decir eso. Sin embargo, no puedo eludir la verdad.

EDIPO: ¡Bien, bien! Pues los dioses jamás apaguen su contienda y a mí me corresponda dar la palabra final en esta división en que combaten el uno contra el otro. No ha de guardar el mando el que lo tiene y si en el trono se sienta, será como un vuelo de viento. Breve habrá de durar. Y el expulsado no retornará. A la hora aciaga en que fui desterrado de la ciudad, yo su padre que los engendró, en forma tan infame fui desterrado, ni uno ni otro supo ni detenerme, ni acompañarme. Inmutables me vieron, cuando a voz de pregón iba a ser expulsado. Podrás decir, acaso, que en esta expulsión la ciudad secundaba mis deseos. Es que yo lo había pedido. No fue así; escucha bien: En ese funesto día, cuando mi espíritu se agitaba en locura y terror, era para mí la mayor satisfacción morir inmediatamente, y caer apedreado. Y nadie hubo que ese deseo me cumpliera.

"Transcurrió el tiempo, y reflexionando, comprendí que era exagerado lo que para mí pedía. Delincuente como era, no merecía tanto. Y, tras un prolongado plazo, al fin Tebas me echó de su seno. Lo vieron ellos, muy bien lo entendieron. ¡Y no me dieron ninguna ayuda, aunque bien lo podían hacer! ¡Hijos para su padre! Les hubiera bastado una palabra, mínima, pero efectiva. No la dijeron. Y así voy desde entonces deambulando y dolorido limosneando mi pan por la tierra. Y éstas que niñas son, éstas que son doncellas, éstas que son endebles y no cuentan con medios para ayudarme, jamás me han desamparado. Gracias a ellas tengo pan para mi cuerpo, apoyo y sostén en mi camino, y lo que vale más que todo eso, el calor de los míos. Mis hijos los varones prefieren ostentar el poder que en el trono los mantiene, el cayado del mando y el régimen de su suelo. No tengas tú celo: jamás perteneceré a su partido y ese mando en Tebas no ha de serles nada provechoso. Tengo la certeza de ello. Ahora lo miro claro. Los vaticinios que mi hija me ha traído, con los antiguos que yo guardo en mi mente, y que Febo ha ido cumpliendo en mi vida, bien comparados, me indican que así es y así será. Venga, entonces, Creonte, que ellos me envían, o quienquiera que sea. Si me auxiliáis vosotros, y sois colaboradores de las diosas colosales que esta región tutelan, habréis logrado en mí un salvador excelso, para vosotros; un ariete indomable contra los enemigos."

Coro: Merecedor, muy merecedor eres, Edipo, tú y tus hijas de que te tengamos misericordia. Sin embargo te llamas tú un salvador. He de darte un consejo.

Edipo: Amigo, tú dirígeme: lo obedeceré escrupulosamente.

Coro: Antes que nada, purifícate ante estas divinidades, cuyo recinto sacrosanto has osado pisar.

Edipo: ¿Cuáles son los ritos? ¡Muéstrenmelos, señores!

Coro: Primero, las piadosas libaciones. Agua de una fuente santificada tomada con manos puras.

Edipo: Y, ¿qué he de hacer cuando haya ofrecido la libación?

Coro: Encontrarás grandes tazones, fabricados con diestras manos, y cubrirás su borde y las asas de un lado y otro.

Edipo: ¿Con ramas?, ¿con guedejas de lana?, ¿con algún otro material?

Coro: Con copos de lana cortados de una pequeña oveja.

Edipo: Hecho está, ¿ahora qué?, ¿con qué termino?

Coro: Girarás el semblante hacia el oriente y verterás las ofrendas.

Edipo: ¿Son para eso los tazones de que hablaste?

Coro: Sí; tres libaciones por tazón, y la última toda de un solo golpe.

Edipo: ¿De qué los llenaré?

Coro: De agua y miel solamente. Nada de vino.

Edipo: ¿Y cuando la tierra cubierta de sombrío ramaje reciba las libaciones?...

Coro: Pon encima de ella, con ambas manos, tres veces nueve ramos de olivo y dirás este ruego...

Edipo: Ansío escucharlo, pues es lo más importante.

Coro: "Caritativas Euménides, las llamo: amparen con misericordioso corazón a este suplicante." Di tú mismo la rogativa o que la haga otro por ti; pero sin que se escuchen las palabras ni llegue a articularse la voz. En seguida retírate, sin volver la cara. Cuando todo eso hayas hecho, será cuando yo me atreva a tratar contigo. ¡Ah, que si no lo hicieras, temería por tu vida, oh extranjero!

Edipo: ¿Han escuchado, hijas, lo que dicen los que viven en esta región?

Ismena: Sí, padre, y ordena lo que deberá hacerse.

Edipo: ¡Yo no puedo ir, pues la energía y la vista me han abandonado! Vaya una de ustedes y hágalo en mi nombre. Una persona vale por mil al cumplir con un rito, si hay en su alma misericordia verdadera. Háganlo pronto. Pero no me dejen solo, pues abandonado y sin guía no puedo mover mi cuerpo.

Ismena: Yo iré, pero, ¿a qué sitio hay que llegar?

Coro: Allende el bosque sagrado, extranjera, y si algo te hace falta, allí vive un hombre que te dará instrucciones.

ISMENA: Me marcho pues; tú, Antígona, quédate a cuidar a mi padre, que los hijos no deben guardar memoria de las fatigas que pasen por el autor de sus días.

Se marcha Ismena.

CORO: Infame es arrancar la costra a la herida envejecida y ya sanada, cuando ha transcurrido mucho tiempo... y, no obstante, oh extranjero, estoy inquieto por saber.

EDIPO: ¿Qué deseas saber?

CORO: La infausta desgracia, la pavorosa miseria que te abrumó.

EDIPO: ¡Apreciado amigo, te imploro por la hospitalidad que me has brindado, no me obligues a revelar hechos indignos! .

CORO: Quiero saber la verdad. Miles de rumores he escuchado y siguen propalándose por doquier.

EDIPO: ¡Ay, ay, infeliz de mí!

CORO: Resígnate, te lo imploro.

EDIPO: ¡Oh, oh!

CORO: Obedéceme, que yo también te concederé lo que me pidas.

EDIPO: Yo tuve que llevar a cuestas, yo tuve que tolerar terribles atrocidades, ¡oh amigos! No fue por mi voluntad, sino que me impusieron la ley. Los dioses lo saben.

CORO: ¿Y cómo?

EDIPO: La ciudad misma, en infausto momento, me convirtió en criminal al obligarme a celebrar una boda, sin que yo lo advirtiera. Y ella fue mi desdicha.

CORO: ¿Y es verdad que invadiste el tálamo donde yacía tu madre? ¡De ahí tu nombre execrable!

EDIPO: ¡Aayyy!, me mata el escuchar esos comentarios... Sin embargo, es verdad: estas dos hijas son el resultado de esa unión...!

CORO: ¡Qué has dicho!

EDIPO: ¡Dos hijas, dos maldiciones!

CORO: ¡Ay, Júpiter!

EDIPO: Han nacido del mismo seno al que yo para nacer hice padecer terribles dolencias.

CORO: ¿Realmente son hijas tuyas y además...?

EDIPO: Y también hermanas de su progenitor.

CORO: ¡Ah, ah!

EDIPO: Y origen de innumerables desgracias que me corroen. ¡Oh torbellino de temores!

CORO: ¿Has sufrido?

EDIPO: Sufrí males imborrables.

CORO: Pero cometiste...

Edipo: Nada cometí.
Coro: ¿Cómo no?
Edipo: Acepté de la ciudad un premio que jamás, infeliz de mí, debía haber aceptado.
Coro: ¿Infeliz, es que acaso no cometiste asesinato...?
Edipo: ¿Qué es eso? ¿Qué quieres saber?
Coro: ¿...de tu padre?
Edipo: ¡Oh, oh! Segunda herida me causas sobre la primera.
Coro: ¿Lo mataste?
Edipo: Sí, pero fue en defensa propia.
Coro: ¿Cómo?
Edipo: La justicia me ampara.
Coro: ¿Pero cómo puede ser?
Edipo: Voy a decirlo. Yo sin saber quién era lo maté. Lo destruí. Ante la ley estoy limpio. Llegué a ese punto, sin saberlo.

Llega Teseo con su séquito.

Coro: Ha llegado el príncipe Teseo, hijo de Egeo. Atendiendo a tu mensaje ha venido ante ti.
Teseo: De varias personas lo escuché antes. El ensangrentado desgarramiento de tus ojos. Lo advertí en seguida, oh hijo de Layo. En el camino iba aclarándose mi duda, con los testimonios que iba acopiando. Sin embargo, ya es certidumbre total ver tu rostro sin hermosura, sin pundonor, y tus andrajos: ¡tú, tú eres! Te tengo una lástima profunda y sincera, infeliz Edipo. No obstante, dime: ¿qué demandas de mi patria? Lo mismo tú que esa muchacha desventurada que te acompaña. Dilo pues. Tendrían que ser exageradas tus desdichas para que yo las desestimara. Igualmente yo, como tú, crecí en el exilio y en tierra extraña se acumularon en mí muchos males. Eres un extranjero vagabundo. Lo fui yo también. ¿Cómo negarte ayuda, cómo negarte sostén? ¡Hombre soy y el futuro es tan incierto para mí como para ti!
Edipo: ¡Oh Teseo, tu generosidad incluso en la concisión de tu discurso se ha mostrado! Poco puedo añadir. Ya tú expresaste quién soy y quiénes fueron mis padres, y de qué pueblo provengo. No tengo más que expresar lo que anhelo. Y calla mi discurso.
Teseo: ¡Habla; así lo sabré todo!
Edipo: Un solo obsequio te ofrezco: mi débil cuerpo. Nada valioso tiene, sin embargo el provecho que me proporciona es más estimable que el rostro más bello.
Teseo: ¿Y qué beneficios puedes ofrecernos?
Edipo: El tiempo ha de mostrarlos. Aún no es el momento.

Teseo: Y, ¿cuándo será revelado ese beneficio?

Edipo: Luego de que yo muera y tú me sepultes.

Teseo: Por el ocaso de tu vida imploras; sin embargo, tu estado actual, o lo tienes en el olvido o en nada lo aprecias.

Edipo: Porque en el ocaso de mi existencia se resume todo lo demás.

Teseo: Mínimo es el favor que en este caso pides.

Edipo: Piénsalo bien, no es de poca monta la contienda.

Teseo: ¿Contienda? ¿Quién? ¿Tus hijos o tú mismo?

Edipo: Han de luchar ellos por llevarme.

Teseo: Y si eso mismo quieres tú, ¿por qué oponerse?

Edipo: Cuando yo lo reclamaba, me lo negaron.

Teseo: ¡Ay, infeliz! La soberbia en la desventura es inconveniente.

Edipo: Antes que me reprendas, escucha mis razones. Por ahora, guarda silencio.

Teseo: Habla. Primero quiero escucharte y luego dar mi sentencia.

Edipo: ¡La desgracia más inhumana la he padecido yo! Un mal, Teseo, sobre infinitos males.

Teseo: ¿Te refieres al destino aciago de esa antigua progenie?

Edipo: No, eso no... todos los griegos lo saben.

Teseo: ¿Entonces? ¿A que infortunios te refieres? ¿Esos que son sobrehumanos?

Edipo: Te explicaré. Fui de mi nación desterrado y eso por influencia de mis hijos. No puedo retornar a Tebas estigmatizado como un criminal.

Teseo: ¿Cómo, pues, te han de obligar a volver para no vivir en ella?

Edipo: Los dioses lo ordenan: de labios celestiales procede.

Teseo: ¿Y qué desgracias anuncia el celestial vaticinio?

Edipo: Que ellos serán sometidos por esta misma tierra...

Teseo: ¿Nosotros contra ellos? ¿Cómo es posible?

Edipo: Adoradísimo hijo de Egeo, únicamente los dioses tienen el privilegio de no conocer ni vejez ni muerte. El resto es arrastrado por el torbellino del tiempo. Lo revuelve todo y lo aniquila. La energía de la tierra se consume, lo mismo le ocurre al cuerpo. Fenece la lealtad, progresa la falsedad y no es ya el mismo espíritu el que va entre los hombres y menos entre las ciudades. Para unos, hoy; para otros mañana, lo que era afable se torna en rígido y lo que era rígido se vuelve afable. ¡Eso mismo ocurre con Tebas! Hoy placenteros y fascinantes transcurren los días ante ti. Sin embargo, el tiempo infinito engendra infinitos días, infinitas noches. Y llega un día y una hora en que a punta de lanza se disuelven los que ayer parecían confundidos en dulce amor de paz. Y todo por una insignificancia. Mi rígido y gélido cadáver beberá alguna vez la candente sangre de ellos... Eso, si Júpiter no miente, ni miente

Febo, el hijo de Júpiter. Sin embargo..., ¿para qué hablar de lo misterioso, lo secreto en el misterio? No pasaré de aquí. Una cosa te imploro: mantén tu juramento, y no tendrás derecho a decir que recibiste a Edipo como un huésped sin provecho para tu patria. ...¡a menos que los dioses me engañen a mí!

Coro: ¡Príncipe: desde hace tiempo este hombre se ha mostrado dispuesto a cumplir ciertas promesas en beneficio de esta tierra!

Teseo: ¿Quién podría rechazar la bien dispuesta mente que este hombre nos muestra? Siempre se mostró amigo y fue aliado de los de Ateneas. Un hogar tiene aquí, abierto para los extranjeros. Llega y hace jaculatorias a las deidades. Y promete a la patria y a su rey un cúmulo de bienes. Recibo el don. No desairo la gracia. En esta tierra le daré alojamiento. Sin embargo, si él quiere permanecer en esta región, a ti te responsabilizo de su vida y bienestar. Pero, Edipo, si tú prefieres ir conmigo, tú decides. Estoy de acuerdo con todos tus sentimientos.

Edipo: ¡Concede Júpiter a todos estos hombres un grato bien!

Teseo: ¿Qué deseas, pues, decídete? ¿Vienes a mi casa?

Edipo: ¡Si pudiera hacerlo! Sin embargo, mejor aquí...

Teseo: ¿Pero, qué harás aquí? Claro, ¡yo no te contradiré!

Edipo: ... es donde debo someter a los que me desterraron.

Teseo: Gran don, al parecer, aportas a tus huéspedes.

Edipo: ¡Efectivamente, con tal que tú persistas en cumplirme tus promesas!

Teseo: En mí confía. Nunca he de traicionarte.

Edipo: Ofenderte fuera pedirte juramento.

Teseo: ¿Qué validez tendría el juramento? ¡Más valiosa es mi palabra!

Edipo: ¿Cómo obrarás tú?

Teseo: ¿A qué le temes, oh, a qué les temes?

Edipo: Vendrán hombres...

Teseo: Pero serán tus defensores.

Edipo: Ah, pero si tú me dejas...

Teseo: No me digas lo que debo hacer.

Edipo: Me estremece el miedo...

Teseo: Mi corazón no teme.

Edipo: ¿Sabes algo de las amenazas?

Teseo: Sólo sé que nadie podrá echarte de este sitio si tú no lo consientes. Muchas veces inflamadas por la ira las amenazas se desbordan en fútil charlatanería. Y cuando un corazón es sólido, vienen las amenazas a estrellarse contra él. Eso será. Si ellos han planeado echarte de estas tierras, tendrán que ahogarse en un mar inmenso, sin prudencia ni amor. Ten confianza. Febo te ha traído y yo estoy a tu lado. Y si yo falto, será suficiente mi nombre para avasallar violencias.

Se aleja Teseo.

Coro: ¡Has llegado a Colono, tierra que nutre caballos robustos: la región más bella de la tierra! ¡Has llegado a Colono, donde el ruiseñor eternamente afina su alegre canto en el suave resguardo de los bosques floridos, o en la hiedra hosca como si fuera vino! ¡Se recata en las frondas del santuario del dios, tupidas de racimos sin número y que el sol no se atreve a atravesar con sus rayos, ni puede la tormenta traspasar con su rabia! En donde Dionisos, el libidinoso y alborozado, va y viene incesantemente con las diosas que lo nutrieron.

Florece aquí bajo el rocío del cielo, día tras día el narciso, de hermosos racimos, de grandes diosas ya añeja corona, y junto a él, el azafrán de visos de oro. Sin dormir nunca y siempre en abundancia aquí las fuentes fluyen de Cefiso; día tras día, por la pradera musitando se desplazan y fecundan sus aguas las verdes llanuras de la huerta zigzagueante. Los coros de las Musas no la miran hostiles. Afrodita, la de riendas de oro, también le sonríe. También florece aquí, cual yo nunca lo he oído ni de la tierra de Asia ni tampoco de la gran dórica isla de Pélope, el árbol que jamás envejece, nacido espontáneamente y terror de enemigas lanzas; pues crece muy bien en esta tierra el olivo, de azulado follaje, educador de la infancia, al cual ningún adalid, ni joven ni viejo, derribará con su destructora mano, porque con la mirada siempre fija en él, lo protegen el ojo de Júpiter y la de centelleantes ojos Minerva. Ésa es terrible para los enemigos y aquí se esparce y crece como en lugar ninguno. Es la glauca oliva que a los niños nutre y que joven, y anciano con amor cuida y nunca a destruir se atreve. Vela sobre ella Júpiter y Atenea. Y otra alabanza queda cantar en esta patria ciudad. Don de un excelso dios y mi divino orgullo: buenos corceles, buenos mares. Hijo de Cronos, fuiste tú, príncipe Poseidón, quien nos alzaste a gloria tal, cuando en nuestras llanuras subyugaste al freno a los potros indomables, y también tú fijaste la ayuda de los remos para cruzar los mares en veloz carrera arrebatada en seguimiento de las Nereidas de cien pies.

Se ve llegar a Creonte.

Antígona: Tierra sagrada que tantas alabanzas glorifican; vamos a comprobar si los hechos demuestran la luciente fama.

Edipo: ¿Qué de nuevo hay, hija mía?

Antígona: Creonte viene hacia nosotros y no sin escolta, padre.

Edipo: Veneradísimos ancianos: de ustedes hoy nacer debe en esta tierra nuestra salvación.

Coro: Ten confianza. Eso se hará realidad. Que si yo soy anciano, la energía de esta tierra no se agota.

Llega Creonte acompañado de soldados.

Creonte: ¡Oh nobles habitantes de esta tierra, advierto que su semblante palidece de temor a mi llegada! No tengan miedo, ni me injurien. Mi propósito no es cometer iniquidades. Anciano soy y bien sé que llego a una ciudad poderosa y grande, la primera de Grecia. No obstante mis años, la tierra de los cadmeos me envía a convencer a este señor a que vuelva a su patria. Tampoco vengo, pues, con una ambición personal, sino como enviado de una ciudad entera. Ciertamente, soy el más cercano en su parentela y por esta razón me envían. Yo como nadie puedo compartir sus infortunios. Vamos, infeliz Edipo, escúchame: vuelve a casa. Todo el pueblo de Cadmo insistente te llama, pero más que todos ellos yo. ¡Tendría yo que ser el más miserable de los hombres, si no me llegaran al espíritu tus infortunios! Desventurado anciano, en tierra extraña, errando siempre, limosneando el pan... Y como sostén único, ¡una niña! ¡Ay, desdichada: nunca pude pensar que llegara a este extremo! humillada en su nobleza, hecha pobre la que es rica, cuidando siempre de un anciano ciego, sin perspectiva alguna. ¿Quién va a buscarla para el matrimonio? ¡Lo más que puede suceder es que en el camino la arrebate cualquiera...! ¿No sería ése el mayor ultraje contra ti, contra mí, contra la progenie toda? Sin embargo, eso es claro: nadie negarlo puede. Tú lo puedes, Edipo; tú puedes ocultar esta injuria. Yo te lo demando por los dioses patrios: vuelve a tu palacio, ve a morar en la ciudad de tus ancestros. Da una despedida de amor a esta ciudad, que tan bien te ha tratado. Pero retorna a tu patria, regresa a esa tierra que te nutrió la vida.

Edipo: ¡A todo te atreves, perverso! Incluso usas razones justas para ocultar tus calumnias y fraudes. ¿Vienes hoy nuevamente a tenderme la red que más detesto? ¿Quieres hacer de mí tu presa? Hubo un día en que descorazonado por mis desdichas pedía a gritos que me desterraran. Y tú no lo aceptaste. Pero cuando sosegada la tormenta de furias y angustias, yo pretendía permanecer en el silencio, arrinconado en el hogar, tú me lanzaste a todos los inciertos caminos. ¡Nada te importó: ni la parentela, ni la compasión que te imponían mis desventuras! Y ahora que adviertes que toda esta ciudad y sus hijos me reciben, me demuestran amor, quieres arrebatarme su aprecio, y ocultas con suaves palabras los falsos pensamientos que se anidan en tu espíritu. ¿Vienes a mostrarme amor? ¿Quién te lo pide? ¿Quién, siquiera, lo acepta? Es como si tú te sientes invadido por el hambre y nadie hay que te auxilie, nadie que te proteja. Y cuando estás saciado, satisfechas todas tus aspiraciones, es cuando te ofrendan con dones. ¡Dones que ya no lo son! ¡Eso es lo que me ofreces, eso divulgas con voces aduladoras, que esconden el veneno! Revelaré a éstos tu traición. Quieres llevarme, no para que yo sea emplazado en mi trono, sino para que me mantenga en un apartado rincón del territorio. Es esta la forma como podrás librar a esa tu ciudad de los perjuicios y amenazas que de ésta pudieran provenirle. Eso a ti no te corresponde. ¿Sabes lo que te incumbe? ¡Escúchalo bien! En esa tierra estará por siempre mi alma justiciera y será su eterno verdugo. Y mis hijos no tienen otro destino que el terreno que cubra sus cadáveres. ¿Notas que todo lo sé; que nada ignoro? Eso es Tebas. Y es que tengo maestros celestiales: Febo y Júpiter su padre. Y ahora llegas con lengua pérfida, bien afinada para el ardid, pero de cuanto dices, sólo habrás de cosechar venganzas. Bien entiendo que tú no comprendes razones de persuasión. Márchate, sin embargo. Permite que viva en paz en esta tierra. Incluso con el mal presente, soy más dichoso aquí que allá, pues vivo como quiero.

Creonte: Medita antes que nada que en esta querella, ¿soy yo el que pierde, o eres tú?

Edipo: Para mí lo más agradable es que no puedes persuadirme y menos a éstos.

Creonte: Desdichado, ni la vejez te ha permitido ser cuerdo. No haces más que enlodar tus años.

Edipo: Conversando eres atroz, sin embargo, no he conocido un hombre que tenga para todo la palabra justa.

Creonte: Hablar mucho es una cosa; hablar lo apropiado, otra.

Edipo: ¿Hablas poco y adecuadamente?

Creonte: Efectivamente, sin embargo, no para personas que piensan como tú.

Edipo: Márchate, te lo ordeno también en nombre de éstos; y no te preocupes de mí, pensando en el sitio donde deba habitar.

Creonte: Pongo por testigos a éstos, no a ti, que ya conocerás las palabras con que respondes a los amigos, si te cojo yo algún día.

Edipo: ¿En tu mano? ¿Y cómo, si ellos me defienden?

Creonte: E incluso en esta forma, tendrá que pesarte.

Edipo: ¿Y esa amenaza qué es? ¿Qué decir quieres?

Creonte: De dos hijas que tienes, una la tengo prisionera y la he enviado lejos. La otra, la tomaré muy pronto.

Edipo: ¡Ay, desdichado de mí!

Creonte: Clamarás con mayor razón dentro de poco.

Edipo: ¿Te has apoderado de mi hija?

Creonte: Y de la misma manera actuaré con ésta antes de mucho tiempo.

Edipo: ¿Qué piensan hacer, señores? ¿Acaso me traicionarán y no echarán a ese perjuro de esta tierra?

Coro: ¡Lárgate, extranjero, lárgate y rápido! Arbitrario es lo que haces; arbitrario lo que hiciste.

Creonte (*a los soldados*): ¡Es tiempo de cautivarla, incluso por la fuerza, si ella se rebela!

Antígona: ¡Ay, infeliz de mí...! ¡En dónde podré refugiarme! ¡Un hombre, un dios...! ¿No hay quien me ampare?

Coro: ¿Qué estás haciendo, extranjero?

Creonte: A ese hombre no lo toco, pero ella ya es mía.

Edipo: ¡Príncipes de esta tierra!...

Coro: Extranjero, lo que haces no es justo.

Creonte: Sí es justo.

Coro: ¿Por qué justo?

Creonte: Porque recojo lo que me pertenece.

Edipo: ¡Ay, ciudad!

Coro: ¿Qué haces, extranjero? ¿No la sueltas? Muy pronto sentirás el peso de mis manos.

Creonte: ¡A un lado!

Coro: De ti no, si tanto intentas.

Creonte: Si a mí me afrentas, con mi ciudad tendrás que pelear.

Edipo: ¿No les anuncié todo esto?

Coro: Deja de poner las manos en esa niña.

Creonte: No me ordenes; no tienes poder en mí.

Coro: ¡Déjala!

Creonte (*al soldado*): Y tú márchate con ella.

Coro: ¡Auxilio, auxilio: vengan, vengan, vecinos todos. Nuestra ciudad es profanada, nuestra ciudad sufre embestida, auxilio, auxilio!

Antígona: ¡Ah, señores, señores, me llevan involuntariamente!

Edipo: ¿Dónde estás, hija mía?

Antígona: Me atropellan, padre.

Edipo: Dame tus manos, hija.

Antígona: No puedo...

Creonte (*a su gente*): ¿No la sacan por fin?

Edipo: Desdichado soy, desdichado de mí.

Creonte: Ya no te apoyarás en estos dos bastones, tampoco caminarás bajo su protección. Y aun así derrotar quieres a tu patria y a tu familia. Yo por órdenes suyas vengo, aunque soy el que rige en el país. Obstínate: bien sé que vendrá un día en que te harás un mal, como te lo hiciste antes. Cuando contra los tuyos resuelves movido por tu enojo, contra ti mismo obras.

Hace el intento de retirarse.

Coro: ¡Alto, extranjero!

Creonte: ¡Infeliz de ti si me tocas!

Coro: ¿Robas las niñas y he de soltarte?

Creonte: No importa, mi ciudad pedirá algo más, y no sólo me llevaré a estas muchachas.

Coro: ¿Cuál es tu intención, pues?

Creonte: A ése también lo tomo y me lo llevo.

Coro: Terrible cosa dices...

Creonte: Y ahora mismo se cumplirá, si no es que el rey mismo me lo viene a impedir...

Edipo: Insolente lengua... ¿llegarás a tocarme?

Creonte: Calla, te lo ordeno.

Edipo: ¡Que las sacrosantas deidades de este sitio no detengan en mis labios la imprecación! ¡Abominable y repugnante entre todos los hombres: ciego me ves y me despojas de mis dos hijas que son mis ojos e intentas marcharte! ¡Que el sacrosanto Júpiter que todo lo ve haga que lleves tú y tu raza una vejez desventurada como la mía!

Creonte: ¿Ven esto, vecinos de esta tierra?

Edipo: Lo ven, y te ven a ti y me ven a mí y ven que sólo tengo palabras qué impugnar a tus actos de violenta perversidad.

Creonte: No puedo controlar mis arrebatos. Te llevaré violentamente. No importa que lo haga yo solo, no importa que sea pesado por la vejez.

Edipo: ¡Ay, desdichado de mí!

Coro: ¡Eh, insolente!, ¿qué piensas? ¿Con ese cinismo llegas a esta tierra?

Creonte: Sí.

Coro: Pues a esta ciudad, ya no la tendré yo por tal.

Creonte: Los que actúan con justicia, incluso siendo débiles, al poderoso someten.

Edipo: Lo escucharon bien. ¿Escucharon cómo alucina?

Coro: ¡Nada hará: estoy seguro!

Creonte: Eso tú no lo sabes: Júpiter es el único que lo sabe.

Coro: ¡Qué arrogancia la tuya! ¡Pueblo, pueblo... todos, soberanos y ciudadanos... vengan, vengan inmediatamente... corran, corran... el intruso se sobrepasa...!

Llega Teseo con sus soldados.

Teseo: ¿Qué lamentos son esos? ¿Qué sucede? ¿Qué pánico los ha invadido, que del altar mismo me han arrancado? Estaba ofreciendo un sacrificio al dios de los mares, que protege nuestra ciudad de Colono. Díganme: ¿qué ocurre? Quiero saberlo. Han sufrido mis piernas un enorme agotamiento para llegar hasta aquí que no quisiera ya.

Edipo: ¡Eres tú, querido... por la voz te reconozco! ¡Qué ofensas, qué afrentas he recibido del hombre ése!

Teseo: ¿Qué te hizo? ¿En qué te daña? Confiésalo.

Edipo: ¡Ese Creonte que ves me ha despojado de toda mi ventura: se llevó a mis hijas!

Teseo: ¿Qué dices? ¿Es verdad lo que dices?

Edipo: Escuchaste ya lo que me ha ocurrido.

Teseo: (*a sus soldados*): Salga uno de ustedes en seguida; llegue a los altares donde el pueblo está reunido. Tráiganlo acá. Vengan rápido, a pie o a caballo, y éstos, a rienda suelta. Corran al sitio donde se dividen los caminos. Allí emplazados, eviten que las dos muchachas sean sacadas. ¿Voy yo a ser ahora la burla de este extranjero? ¿Se atreverá a jugar conmigo? ¡Vamos, pronto, de prisa y al momento! Y respecto a éste (*señala a Creonte*)... ¡Ah, si dejara yo desbordar mi ira... arruinado quedara de mis manos...! ¡Qué heridas serían las suyas...! Pero, no. Esas leyes que él mismo viene pregonando son las mismas que se le aplicarán.

Se vuelve a Creonte.

Recuerda: tú no abandonas esta tierra sin antes haber presentado, aquí frente a todos, y en particular de mí, a esas dos muchachas que tomaste. ¡Deplorablemente actuaste: contra ti mismo, contra tu estirpe, contra tu país! Has entrado a una ciudad gobernada por leyes justas y donde no hay otro monarca que la ley... has hollado con tus impúdicos pies los más sagrados preceptos... vienes haciendo violencia, entras como invasor y arrebatas lo que te agrada, sin dispensar a las personas... Y cuando has agarrado a quien querías, alevosamente te lo llevas. ¿Piensas tú que ésta es una ciudad indefensa? ¿Piensas que no hay hombres? ¿Crees que éste es un pueblo de esclavos? ¡Y en mí ni siquiera piensas! Tebas no te ha autorizado esa forma de actuar y esa invasión de derechos: ella no tiene el triste don de criar perversos que lesionen la justicia. Ella no consentirá, al saberlo, que tú vengas a robar lo que me pertenece. Los dioses lo custodian. Y tú arrancas violentamente a desdichados hombres que están llorando en súplica ante los dioses. No, yo no. Jamás iría a tu país. Aun teniendo derechos, aun con justa razón. Buscaría al gobernante, fuese quien fuese. Nada tomar, y nada arrebatar por la fuerza. Bien supiera en qué forma ha de comportarse un extranjero en tierra extraña. Tú deshonras a tu ciudad, sin que ella lo merezca. Y el tiempo pleno de años sólo ha dejado en ti un anciano agotado y una cabeza hueca. Lo dije y lo repito: ¡Devuelve rápido esas muchachas...! ¿O quieres quedarte a vivir aquí para siempre y por la fuerza? Sería tu propia sepultura. Y esto que mi boca manifiesta es lo que mi corazón piensa.

Coro: ¿Ves a lo que has llegado, oh extranjero? ¡Tienes apariencia de hombre justo, pero te has dejado ver como un rufián!

Creonte: ¡No, no; no creo que esta ciudad esté indefensa y sin hombres! Hijo de Egeo, jamás pensé que alguien pudiera tomar a cargo suyo personas de mi prosapia, ni darles el sustento, sin que yo lo consintiera. ¿Iba yo a imaginar que ampararías voluntariamente al asesino de su propio padre, al que en enlace infame se unió con su propia madre? Bien sabido tenía que en esta ciudad, en su Areópago está la mansión de la sabiduría, ¿cómo pensar que, entonces, diera hospedaje a unos vagabundos? Esos fueron mis pensamientos. Eso me animó a actuar como he actuado. Ésa es la intención de dar caza a éstos. Y aun ni eso habría hecho, si él no me hubiera atiborrado de insultos y de amenazas contra mí y contra mi estirpe. Cuando así se me trata, tengo derecho de vengarme. La cólera jamás envejece sino al morir el hombre. Ya los muertos no sienten su aguijón. Ante esto procede como desees. Solo estoy, aunque tengo en mi favor la justicia. Nada puedo hacer. Sin embargo, viejo y todo, sabré corresponder a tus acciones con otras acciones.

Edipo: ¡Espíritu atrevido...! ¿Qué has pensado? ¿A quién insultas? ¿A mí infeliz anciano, o a ti mismo? Contesta. Tu boca clama contra los asesinatos, las bodas pecaminosas, las mil vicisitudes que debí soportar. Es verdad todo. No obstante, ¿fui yo el culpable? ¿No era la sentencia de los dioses? Ellos con el odio guardado por algún antiguo crimen de nuestra estirpe, así lo ordenaron. Juguete fui del destino; de nada soy culpable. No podrás tú dar un solo hecho que me hiciera merecedor de tanta desdicha. Calamidades contra mí, calamidades contra los míos... verdad es innegable... pero de ellos el culpable no soy yo. Y vamos razonando. El divino oráculo pronosticó a mis padres que un hijo suyo debía ser patricida y mezclarse en horrible matrimonio con su propia madre... ¿Fui yo el culpable? ¡Aún no existía, aún mis padres no me habían engendrado, nada era yo entonces! Y nací, nací en esa forma, sin saberlo. Me encontré con mi padre y lo maté, sin saber quién era... ¿también soy el culpable de lo que desconocía? ¡Mi madre, ah, mi madre es tu propia hermana...! Desdichado, y aún así, ¿osas deshonrarla con tu lengua? Me casé con ella, sí. Debo hablar ya, pues tú me obligaste con tu lengua perversa. Ella me dio a luz, ella, sin saberlo ni desearlo, me hizo nacer al infortunio, y después ella me dio hijos. Los engendré en el seno mismo donde yo fui engendrado. ¡Ni ella ni yo sabíamos el enigmático propósito de las deidades! Algo más hay que decir: tú echas lodo sobre nosotros, sobre ella y sobre mí, con todo conocimiento y con toda conciencia. Nosotros nos unimos en aquel connubio, sin saber ella, sin saber yo quiénes éramos. ¿En dónde está la culpa? Ni al asesinar al padre, ni al casarme con la madre hay culpa mía. Y ahora te pregunto. Debes responderme. Vas por un camino y te asaltan, quieren quitarte la vida, ¿te detendrías a preguntarle, si era tu padre? ¡Loco que fueras, te defenderías! Adoras tu vida, tienes que defenderla, sometes al agresor y lo matas. Lo demás no importa. Ésa fue mi desdicha: no la busqué yo, me la impusieron los dioses. Y eso que digo podría certificarlo el espíritu de mi padre, si a la vida retornara. Sin embargo, eres el único que me veja por ello ante todos éstos. Y eso tú, hombre sin pudor, hombre sin justicia, que afecta el bien solamente en los labios y suelta cuanto puede, lo íntegro y lo corrompido. Sí, halagas a Atenas; la pones como modelo de íntegra ordenación. Halagas a Teseo, como el gran regidor, y has olvidado lo más importante: es una ciudad que honra a los dioses y mantiene en su puesto los magnánimos principios de la justicia. Y en esta ciudad es donde has osado arrebatarle sus hijas a un pobre ciego a quien únicamente lo amparan los dioses a que se ha acogido. Yo, por mi parte, suplico a las diosas protectoras que vengan y amparen; vengan y vigilen. Sean ellas mis guardias. Entonces has de saber tú qué estirpe de hombre domina en esta ciudad.

Coro: Príncipe, este extranjero es un hombre justo. Víctima de la desventura, su vida quedó arruinada. Debe ser ayudado para que quede libre de él.

Teseo: ¡Basta de hablar! ¡Prestos huyen los secuestradores y nosotros estamos mano sobre mano!

Creonte: Desamparado he quedado... ¿qué es lo que tú ordenas?

Teseo: Muestra el camino, indica el itinerario. Te acompañará una comitiva que yo dispongo. Si por algún lugar has ocultado a las muchachas, confiésalo en seguida. Revélamelo a mí. Iremos a librarlas. Demos que los raptores hayan escapado. No nos agotemos. Habrá quien los persiga, habrá quien los atrape... ¡No, no conseguirán que los dioses de esta tierra protejan su fuga...! ¡Vamos, inmediatamente! ¡Por delante! ¿Viniste a hacer presa y quedaste preso, verdad? ¡Cazador bien cazado! Cuando hay iniquidad, puede el engaño huir, sin embargo, queda atrapado en manos de la desgracia. Nadie habrá en tu favor. Si alguien te apoya, falla. Tienes quien te ampare acaso, pero eso será inútil. No habrá de ser esta ciudad escarnio tuyo... ¿Lo comprendiste por fin? ¿No crees ahora lo que antes creías que yo era un falto de diligencia?

Creonte: Nada responderé a tus cuestionamientos, mientras que me halle en tu patria. Y cuando en mi casa esté, bien sabré cómo actuar.

Teseo: Puedes amenazarme, si te satisface, pero ahora comienza la marcha. Y respecto a ti, Edipo, queda en paz aquí. Y tenlo por seguro: a menos que la muerte me subyugue, he de verte con la dicha de tener a tus hijas.

Edipo: Gracias, Teseo, gracias. Por tu humana piedad y por tu diligencia. Tú sí sabes proteger mi derecho.

Salen Teseo y Creonte con sus respectivos acompañantes.

Coro: Allí quisiera estar, donde el enemigo acorralado intenta defenderse. Hace estruendo tosco de metal que se hiere. Y allá en la playa, o en la ribera pítica, nos descubren las diosas sus misterios. Con llave de oro los labios cerraron de los fieles adoradores de Eumolpo. Allí, en consorcio bello, se encuentran Teseo y las doncellas. Clamaban con gran grito los adalides, en sus fronteras mismas. Mas si huyeron acaso tras el peñón nevado, y pasaron ya las llanuras de Ea, en rápidas carrozas, o en corceles que al certamen se adiestran, es difícil captarlas. Pero se han de alcanzar, habrán de ser capturadas. Fuerte es el poder de los ciudadanos, fuerte el poder de Teseo. Ved... ya los frenos brillan, ya las riendas dejan correr a los bridones, y todos corren enardecidos en pos de Atenea que cabalga. Ella, la que ama al dios de los mares, el hijo de Rea. ¿Se armaron en contienda? ¿Van a emprender la lucha? Me dice el corazón que serán salvos, que han de quedar incólumes. Ya llegarán las niñas, tan vejadas por uno mismo de su misma prole. Pero este día es Júpiter quien pondrá el límite... ¡Lo veo, lo veo: ya viene el triunfo definitivo...! ¡Quién pudiera convertirse en paloma para cruzar los vientos y en las alturas de las nubes, contra toda racha del viento enardecido y rabioso, ver desde la altura la contienda terrible! ¡Júpiter, Júpiter, sumo rey omnipotente, permite que estos nobles puedan llegar a alcanzar el triunfo! Tú y tu Atenea, hija sacra, y el cazador Apolo hagan con Artemis, que los ciervos sin descansar hostiga, vengan, vengan a mí y denme el amparo para mí y para esta ciudad entera.

Coro: No digas, extranjero, que soy un mal profeta que anuncio bienes y resultan falsos. Veo venir a las niñas. Las custodian escoltas.

Llegan Ismena y Antígona con Teseo.

Edipo: ¿Dónde, dónde están ellas? ¿Qué dices? ¿Qué dijiste?

Antígona: ¡Padre, padre..., ojalá te dieran los dioses la gracia de ver al varón heroico que aquí me ha traído...!

Edipo: Hija, hija, ¿las dos están aquí?

Antígona: ¡Sí, padre... pudo la mano de Teseo y de sus auxiliares darnos la libertad...!

Edipo: Vengan, hijas, vengan, vengan a su padre. Dejen que abrace el cuerpo amado que recobrar jamás pensé.

Antígona: ¡Lo harás, nosotras también lo deseamos!

Edipo: Mas, ¿dónde, dónde están?

Antígona: ¡Ya junto a ti, padre...!

Edipo: ¡Oh hijas, hijas mías...!

Antígona: ¡Para un padre los hijos son la dicha!

Edipo: ¡Y bordón que me sostiene en mi vejez!

Antígona: Un dolor que apoya otro dolor.

Edipo: Tengo ya conmigo lo que más amo. Aun muerto, si están a mi lado, me sentiría feliz. Vengan, vengan, apriétenme con sus brazos. Una a un lado y la otra al otro. Son frutos de mi vida. Me hacen olvidar toda pena. ¿Qué importa una vida errante, una vida de mendigo solitario y doliente, si están conmigo? Vaya, cuenten ahora su aventura. Pocas palabras, como competen a una niña.

Antígona: Él nos salvó. Que él hable. ¿Ven qué breve he sido?

Edipo: Tú, señor, tú no te admires. Tengo en mi poder toda mi dicha. Mis hijas. Puedo ser largo en mis palabras. Pero eres tú, tú el único que me ha dado la dicha de tocarlas, de tenerlas a mi lado una vez más... ¡Paguen los dioses todo: a ti y a esta tierra: cuanto bien yo deseo les concedan! Aquí, aquí hay almas, que veneran al numen, hay almas que sienten el dolor de otras almas, mentes que no engañan, labios que no mienten. Bien sabido lo tengo. Todo lo debo a ti. ¿Cómo pagar mi deuda con puras palabras? Dame tu mano, deja que la estreche, oh príncipe leal, y si no es mucho lo que pido, deja que bese tu rostro. ¡Ah, estoy loco...! ¿Un hombre destinado a la desgracia, un hombre a quien hirió el Destino, podrá tocar el rostro de un noble varón? ¡Yo el cúmulo de todas las miserias! ¡No, ni yo mismo lo tolero! El que nació infeliz es el único que puede participar de esta desdicha! ¡Gracias, gracias... y queda allí en tu sitio! Prosigue siendo el gran bienhechor que para mí has sido.

Teseo: Largo fue tu discurso. No me admira. La alegría de haber recobrado a tus hijas, cuando no había esperanzas, es suficiente para explicarlo. Y si acaso me desdeñaste un poco, nada me irrita. No en palabras; en obras radica nuestra norma de conducta. Lo ves cumplido. Prometí y juré y está hecho. En nada falté, anciano. Vivas e intactas tienes aquí a tus hijas, cuando tales amenazas se profirieron. Nada diré del modo como se logró la victoria. Lo dirán ellas mismas. Morarán contigo. Ahora, hay un asunto nuevo: cuando venía hacia acá se me presentó. Quiero saber tu opinión. Si parece de poca importancia, no por eso hay que despreciarlo. Ni lo más pequeño debe desatender el hombre.

Edipo: ¿Qué es, hijo de Egeo? Dámelo a conocer. Nada conjeturo de lo que decirme quieres.

Teseo: Dicen que un hombre que es de tu ciudad y al parecer aun de tu linaje, ha caído postrado a los pies del altar de Poseidón, en donde yo hace poco ofrecía mi sacrificio.

Edipo: ¿De dónde es? ¿Qué intenta con su disposición de súplica?

Teseo: Nada más sé. Pero me dicen que quiere hablar contigo breves palabras, muy leves y sin gran importancia.

Edipo: ¿Para qué pues? ¡Para eso hacer plegarias a los dioses!

Teseo: Dicen que habrá de hablarte brevemente y regresar por el mismo camino por donde ha venido.

Edipo: ¿Quién puede ser el que tales plegarias está haciendo?

Teseo: Mira si acaso en Argos hay algún deudo vuestro que algo de vosotros necesite.

Edipo: ¡Amado mío, no sigas...!

Teseo: ¿Qué te sucede?

Edipo: ¡No me preguntes...!

Teseo: ¿De qué, de qué, dímelo!

Edipo: ¡He entendido... basta escucharte... sé quién es el suplicante!

Teseo: ¿Quién es por fin? ¿Habré de reprocharle algo?

Edipo: ¡Es mi hijo, oh venerado rey, el odiado...! ¡Sus palabras, entre las de todos los mortales, son las que menos escuchar quiero...!

Teseo: ¿Qué? Puedes escucharlo, aunque no hagas lo que él te pida. ¿Qué mal te ha de causar en que le escuches?

Edipo: ¡Ah, rey, su voz, su simple voz es insoportable para su padre... no me obligues a escucharlo!

Teseo: Su misma actitud suplicante te obliga a ello. Reflexiona, no sea que el dios que lo protege...

Antígona: Padre, escúchame. Aunque muy joven soy para darte consejos, pero accede. Acepta que ese hombre dé gusto a su corazón, y al dios también. Y a nosotras concédenos que venga nuestro hermano. ¿Por qué temer? ¿Crees que puede él obligarte, por mucho que hable, a hacer lo que tú no quieres? ¿Se pierde algo con escuchar palabras? Quien piensa mal, hablando se delata él mismo. Tú lo procreaste, padre. Pese a que te haya infligido los mayores males, ¿vas a pagar con la misma moneda? Otros también engendraron hijos perversos y guardaron odio en sus almas, sin embargo, al consejo de los seres amados, se sometieron a dulces sentimientos. La palabra del amor es como conjuro de paz. No atiendas a tus presentes desdichas: trae a tu mente más bien las pasadas, aquellas que te dejaron tu padre y tu madre. Y si eso reflexionas, advertirás que de un inmenso odio sólo pueden germinar males. ¿Nada te dicen esos huecos de tus perdidos ojos? ¡Buen testimonio dan de lo que digo! Condesciende a nuestras súplicas. Porfiar es el derecho de quien tiene justicia en lo que pide. Y es de justicia conceder favores cuando perpetuamente se están recibiendo de otros.

Edipo: Hija mía, muy severo es lo que deseas. Sea lo que quieres. Una cosa te imploro, oh rey: si él va a venir, que nadie se apodere de mi persona jamás.

Teseo: Una vez lo has dicho. No me lo dirás dos veces. Ten la certeza de que mientras me mantengan vivo los dioses, tú estarás siempre a salvo.

Se marcha Teseo.

Coro: Quien ambiciona vivir más de lo normal, despreciando una módica edad, demuestra ser muy estúpido. Porque los prolongados días le aproximan mucho al dolor, y el placer no se encuentra en ninguna parte cuando alguien cae un poco más allá de lo que se propone. Sin embargo, viene a auxiliarnos, procediendo de la misma manera en todos, la muerte, cuando la parca del Orco se nos presenta sin himeneos, sin liras, sin danzas, en los supremos momentos.

Épodo: Y no soy únicamente yo el desdichado. Observa a este desventurado. Como se impactan los oleajes contra el cantil que hacia el norte avizora y sus acometidas permanentes lo laceran y la tormenta se quiebra rabiosa contra sus rocas..., de la misma manera a este anciano lo vapulean todos los infortunios. Vienen furiosas del oriente y vienen también del ocaso y aun del mediodía, o del abrupto monte Ripeo, erguido en las tinieblas del Septentrión.

Antígona: Se aproxima el extranjero. ¡Estoy segura! Viene solo, nadie lo acompaña, y brotan, oh amado padre, de sus ojos, dos finos hilillos de lágrimas.

Edipo: ¿Quién es él?

Antígona: Es quien pensábamos: Polinices.

Entra Polinices y luego de contemplar durante varios segundos a su padre, dice:

Polinices: ¡Ah, ah, desdichado...! ¿Qué puedo hacer? ¿Qué desventuras lamentaré, oh niñas? ¿Las mías primero? ¿Las de mi anciano padre, a quien al fin descubro y contemplo? ¡Él y ustedes en tierra extranjera, solos, y con sus andrajos zarandeados por el viento, todo él sucio y reseco por el sol, mostrando los costados ennegrecidos...! ¡Y su rostro con los huecos vacíos de sus perdidos ojos, con la blanca cabellera enmarañada que sacude el viento en su violento giro...! Y, ¿su comida, cuál? ¡Ah, su comida debe ser semejante a su ropaje! Tarde lo he entendido, tarde, perverso, criminal he sido! Yo mismo lo pregono en penoso testimonio. Soy el más infame de los mortales que descuidó a su progenitor... ¡Me acuso y me condeno! Sin embargo, si Júpiter mismo sienta en su mismo trono a la Clemencia para los actos de los hombres, ¿no la dejarás ponerse a tu lado, oh padre mío? ¡Gravísimos fueron mis crímenes, pero puede ser más grande tu indulgencia! ¿Por qué guardas silencio? ¡Di una palabra, padre... no me rechaces! ¿Nada respondes? ¡Prefieres que parta sin escuchar tu voz, sin conocer el motivo de tu rencor! Hermanas mías, hijas de mi padre. Intenten hacer que él mueva los labios. Severo, hermético, como una roca para mí. ¡Que hable, que hable..., que no me desprecie, pues he venido en súplica a los dioses!

ANTÍGONA: Explícale, infeliz, cuál es la causa de tu visita. Nada hay como repetir las súplicas. Ya sea que agraden, ya sea que causen ira, las palabras prolongadas arrancan voz incluso a los mudos.

POLINICES: ¡Entonces hablaré... pues considero que es un buen consejo el que me has dado! Tomo yo por amparo y protección al dios mismo ante cuyo altar me encontraba postrado, cuando el monarca de esta región me pidió venir acá. Él me aseguró que yo podría hablar, escuchar, y tornar a mi patria sin ningún agravio. Sé que lo haréis, señores, que lo harán mis hermanas, que lo hará así mi padre. Escucha tú, ahora, por qué vengo, padre: soy un fugitivo expulsado de su tierra patria. El único delito que cometí fue haber intentado sentarme en el trono que fue tuyo. Primogénito soy y el derecho me asiste. Sin embargo, Eteocles, menor que yo, me echa de la tierra natal. Y no lo hace con razonamientos, no lo ha hecho con armas y contiendas; no: ha convencido a toda la ciudad para que lo siga y a mí me desdeñe. En todo eso veo el poder de la Erina vengadora contra ti furiosa. Y eso mismo han confirmado los adivinos. No bien llegué a Argos, tomé por mujer a la hija de Adrasto y tengo ya en mi ejército a todos los del país de Apis, hombres muy valerosos y diestros en el manejo de las armas. Con ellos tomaré Tebas. Llevo siete escuadrones. Y pereceré en la demanda, o echaré de su suelo a los desleales malhechores. Eso es. Ahora escucha por qué vine a buscarte. Vine a implorarte en mi nombre y en el de los siete jefes que enarbolan la lanza al frente de sus batallones y van a sitiar las llanuras de Tebas. Escucha sus nombres: el primero es Anfiareo, sumamente hábil en el manejo de la lanza como en la interpretación de las predicciones. Viene en segundo lugar Tideo, el etolio, hijo de Eneo. El tercero es Etéoclo, que nació en Argos. A Hipomedón, el cuarto, lo mandó su padre Talao. Es quinto Capaneo, quien se jacta de que arrasará Tebas y la dejará en cenizas. Colmado de rabia viene el sexto, Partenopeo de Arcadia, hijo de Atlanta, y digno por cierto de ella: virgen durante mucho tiempo, al fin rindió la frente, y el fruto de su amor es él. El séptimo soy yo, tu desdichado hijo... ¡No tu hijo: hijo del infortunio, aunque tuyo me dicen! Encabezo a los soldados de Argos, quienes no conocen el miedo... ¡Esos, esos son, padre. Y todos te imploramos, por el amor de estas niñas hijas tuyas, que hagas a un lado tu rabia, que mires a tu hijo que se encuentra en tu presencia! ¡Me echó mi hermano, pues quiere vengarse de mí... me priva de lo mío...! ¡Si algo valen las celestiales predicciones, éstas revelan que alcanzará el triunfo quien de ti tenga el apoyo!

Se hinca ante Edipo.

¡Padre, padre... te imploro... recuerda los orígenes de nuestra estirpe, recuerda las deidades protectoras de nuestra ascendencia...! ¡Yo, yo, nada soy! Un mendigo, un refugiado, en busca de asilo, como lo buscas tú. Me lamento bajo el peso del mismo destino que a ti te oprime. Los dos en tierra ajena, los dos entre personas desconocidas... ¡Y él reina, él se encumbra en tu mismo trono y se burla de ti y de mí y se carcajea arrogante ante nuestra desventura! Ponte a mi lado, ponte. Y en un instante yo lo someteré. Sus cenizas las arrastrará el viento. Y yo reinaré en tu trono. Y allí reinarás tú mismo... Empero, esto no podrá ser realidad si tú no vienes conmigo. Si no vienes, ¡sólo padeceremos destrucción y desolación!

Coro: Edipo, magnánimo Edipo, por amor a Teseo, no rechaces orgulloso a ese hombre. Te lo presentó él. Dile alguna palabra y que se marche.

Edipo se pone en pie. Parece meditar durante unos segundos y va diciendo con solemnidad:

Edipo: Señores, guardianes de este reino... si no hubiera sido Teseo quien hizo venir a ese hombre ante mi presencia, y él me pidiera que yo le hablara, jamás, jamás podría ése escuchar mi voz. Me va a escuchar ahora. Me va a escuchar y no serán palabras que le alegren la vida. ¡Maldito: cuando el reino y el trono eran tuyos...! ¡Ese reino, ese trono de los que tu hermano te despoja!... me lanzaste del país, me hiciste a mí, tu padre, un infeliz vagabundo, sin patria, sin destino... ¿Quién me ha obligado a cubrirme con estos andrajos que ahora te causan amargura, ahora que tú mismo has llegado a una condición similar? Todo lo soporto, todo lo olvido. No hay que lanzar lamentos. Pero mientras viva, tu abominable recuerdo estará como saeta clavado en mi corazón. ¡Tú me quitas la vida, tú eres un criminal! ¡Este averno de desventuras donde me revuelco, a ti lo debo! Me expulsaste de la patria, me obligas a mendigar el pan cada día, y si no hubiera yo dado el ser a estas dos niñas... ¡qué tiempo hiciera que ya estaría en la tumba! Era igual para ti. Ellas me dan la vida, a ellas debo el sustento, ellas son varones y mujeres simultáneamente, en trabajar y en sufrir. ¿Y ustedes, qué son? ¡No, yo no soy su padre...! ¿Quién los habrá procreado? Ya la divinidad tiene en ti fijos los ojos, ya te amenaza la perdición y mayor ha de ser, si llegan esos cuerpos amados de que hablas a las puertas de Tebas. ¡No vencerás, no! Caerá tu cuerpo ensangrentado y enfangarás la tierra que te vio nacer con tu repugnante muerte. Y tu hermano padecerá lo mismo.

Ésta es mi maldición. Ésta desde hace mucho tiempo la había proferido, y la repito hoy. Ya aprenderán con ella a respetar a sus padres, a atender con menos deshonra y burla a quien los procreó, ahora que está ciego. ¡Qué diferente comportamiento el de estas niñas! ¡Tu plegaria ante Júpiter, tus súplicas e imploraciones...! ¡Nada importa: hay ley eterna que gobierna el mundo y en ella rige la Justicia! ¡Largo, pues... lejos, lejos... tu padre te maldice, maldecido seas todo y sobre todos! Lleva como un tesoro que se recoge estas maldiciones: ¡ojalá que nunca veas la victoria; que nunca asaltes a Argos; que seas sometido por la mano de tu hermano y tú ultimes a quien te proscribió! Esto anhelo, esto imploro... Venga en mi auxilio el tenebroso Tártaro y disponga ya para ti el alojamiento en su mansión del dolor. ¡Suplico a las aterradoras furias vengadoras, ruego a Ares violento e indómito, que impregnó en vuestra sangre aquella insaciable sed de venganza...! ¿Lo escuchaste ya? ¡Márchate, corre velozmente a decir a los descendientes de Cadmo y a todos sus aliados cuál es la herencia que deja Edipo a sus hijos!

Coro: ¡Ah infeliz Polinices, nadie te hubiera felicitado por tus antiguas proezas, y, ¿qué decir ahora? ¡Rápidamente márchate!

Polinices: ¡Ay desdichado... qué viaje y qué infame desilusión! ¡Ay, mis amigos...! ¿Para sufrir estas vejaciones vine a Argos? ¿Con ellos voy ahora? ¿Qué les diré? ¡Callo y lejos iré a ocultar mi desgracia! ¡Niñas suyas, hermanas... si su palabra se cumple, si esa implacable maldición me alcanza, no permitan que mi cuerpo sea insepulto, consigan para mí la gracia de la tumba, celebren las pompas fúnebres sobre mis restos...! ¡Lo imploro por los dioses! Y esa satisfacción de acompañar al anciano padre como guardia y sostén será acrecentada con la de haber dado la paz de la sepultura al miserable hermano.

Antígona: Polinices, una gracia te pido...

Polinices: Adoradísima hermana, ¿qué quieres?

Antígona: Da media vuelta a Argos con tu ejército. Pronto, muy pronto, ¡no la ciudad y tu persona misma destruyas en un punto!

Polinices: ¡No es posible! ¿Pudiera alguna vez comandar a mis huestes si el terror un día me subyuga?

Antígona: Pero, hijo, ¿qué conseguirás con devastar a tu patria?

Polinices: ¡Humillante es andar errando, degradante es ser títere del hermano menor!

Antígona: ¿Acaso no adviertes que tú mismo estás poniendo en práctica lo que habrá de traer la realización de las maldiciones del padre...? ¡Matarse mutuamente los dos hermanos!

Polinices: El Destino lo establece... ¿quién puede oponerse?

Antígona: Infeliz de mí... ¿habrá quien vaya detrás de ti cuando se entere de las predicciones infaustas de tu padre?

Polinices: No diré malas nuevas. Un capitán juicioso únicamente informa acerca de los bienes y nunca habla de las adversidades.

Antígona: ¡Porfiado eres, hijo!

Corre a abrazar a su hermana.

Polinices: No me impidas, no... ¡Voy ya por esos caminos: no hay otros ya: ese mi padre establece; ése establecen las Erinas vengativas... Sea Júpiter para ustedes benévolo, si cumplen conmigo en la muerte... ¡nada pueden hacer por mí en vida...! ¡Me marcho, salud, hermanas...! ¡Me verán en otra ocasión, pero muerto!

Se separa de los brazos de Antígona.

Antígona: ¡Ay, ay, desdichada de mí!

Polinices: ¡No llores por mí!

Antígona: ¿Me pides que no llore, que no llore, cuando te miro tú mismo lanzarte al averno?

Polinices: ¡Si hay que morir, muramos!

Antígona: ¡No, no, escucha mi voz y haz lo que pido...!

Polinices: No me aconsejes lo que hacer no debo.

Antígona: ¡Ay, desdichada de mí!

Polinices: Las deidades gobiernan todo: para el bien y para la desdicha. ¡Y a ellas yo imploro que no permitan brotar la desdicha en vuestro camino..., todos, todos lo saben: vosotras no son merecedoras de esa suerte!

Sale precipitado Polinices.

Coro: Nuevas desgracias me acechan. Me angustio por ese anciano, extranjero y sin ojos. ¿Llegó el momento en que los dioses hagan valer sus designios al fin? ¡La Moira jamás anula la sentencia que formuló! ¡Ve, ve sin cesar el Tiempo, ve sobre ellos: para unos, muchos años, para otros, únicamente un día: es el término que pone como límite! ¡Ha estallado el estruendo del trueno: es Júpiter quien desencadena el rayo!

Edipo: ¡Ah, hijas, hijas mías...! ¿Ninguna persona de este país podrá traerme a Teseo? ¡A Teseo el excelso en piedad!

Antígona: Padre, y, ¿cuál es tu propósito al llamarlo?

Edipo: ¡No escuchas el estruendoso trueno con que Júpiter me va a lanzar al averno? ¡Venga, venga de prisa Teseo!

Coro: ¡Mira, temible y brusco, en zigzagueo se lanza de Júpiter el rayo...! ¡Me horrorizo y el pánico eriza mis cabellos. Un frío glacial me carcome los huesos...! ¡Mira otro más: el relámpago refulgente cruza y vuelve a cruzar el cielo! ¿Qué suerte nos espera? ¡Jamás los rayos de Júpiter fulgen inútilmente! ¡Éter inmenso: Júpiter!

Edipo: Niñas, está próxima mi hora final augurada por los dioses... la vida se me escapa... ¿alguien puede hacer que retroceda?

Antígona: ¿Cómo lo sabes? ¿Qué fundamento tienes?

Edipo: ¡Bien que lo sé... Pero, al rey, al rey de esta tierra anhelo!

Coro: ¡Basta, basta... otro trueno sobre nosotros resuena! ¡Oh dioses, sean benignos: no traigan mal augurio para mi patria! Apiádense de mí que puse los ojos en un perverso por el Destino... no me dañe el mal. ¡Júpiter, una vez más a ti imploro!

Edipo: ¿Llega el rey? ¿Cuando llegue me hallará vivo, hijas mías? ¿Tendré mi pleno juicio?

Antígona: ¿Qué secretos guardas? ¿Qué pretendes decirle?

Edipo: Quiero darle las gracias, y cumplir con la promesa que al llegar le hice.

Coro: ¡Ven, ven oh rey! (*laguna*). No importa que en campo estés ante el altar de Poseidón ofreciendo sacrificios de bueyes. Ven... te lo ruegan tus amigos, la ciudad, este infeliz extranjero... él dará el pago de tus bondades... ¡Ven, ven volando, oh rey!

Llega Teseo con su corte.

Teseo: ¿Qué escándalo, qué alarma? Lo mismo mi ciudad que el extranjero. Una algarabía eterna todos. ¿Qué ocurre? ¿Un rayo? ¡Un rayo de Júpiter! El granizo en tormenta se precipita... ¡Únicamente eso! De algún dios la rabia desata la tempestad.

Edipo: Príncipe, llegas cuando yo te ansío. Fue un dios el que te trajo hasta mí.

Teseo: ¿Hay algo más nuevo ahora, hijo de Layo?

Edipo: Es el último escalón de mi vida. Y yo al morir no quiero dejar sin cumplir la promesa que hice a ti y a tu ciudad.

Teseo: ¿Y qué señal tienes de eso que me dices?

Edipo: Pregoneros los dioses vienen a anunciarlo: no me han mentido en lo que me auguraron.

Teseo: ¿Y de qué manera, anciano, ves que lo declaran?

Edipo: Truenos interminables, relámpagos, y abundantes rayos... es la mano invencible la que los lanza.

Teseo: Debo creerte. Jamás resultaste falso profeta. Jamás me engañaste. Ahora di qué debe hacerse.

Edipo: Te obsequiaré un tesoro, hijo de Egeo. Si lo conservas, jamás la vejez marchitará tu patria. Muy pronto moriré y te he de llevar por mi mano, sin guía ya. Pero tú a nadie lo reveles. No digas dónde ha quedado oculto. Mi sepulcro te servirá como fortaleza, más fuerte y más impenetrable que si la resguardaran miles de lanzas y escudos. Otros misterios hay que la palabra revelar no debe. Cuando allá estés conmigo, te los revelaré. Nadie debe saberlos, ni del pueblo, ni estas niñas, mis hijas, que son mi amor todo. Ese secreto lo has de guardar tú solo. Y cuando tu vida llegue a su fin, lo revelarás a uno solamente. Al mejor de tus compatriotas. Y él, por su parte, lo confesará a otro para que se transmita de generación en generación. Es la forma como preservarás ilesa a tu ciudad contra el ataque de los hijos de la tierra que Tebas habitan.

"¡Ah, porque las ciudades pueden ser bien gobernadas, pero hay siempre quien, arguyendo imprudentes pretextos, las azuza contra sus gobernantes! El ojo de los dioses está constantemente en guardia... no importa que demoren... a su tiempo castigan al desleal. No esperes que te lo enseñe la experiencia, hijo de Egeo. Bien sé que tú lo sabes: ya son inútiles mis instrucciones... Vamos, pues. Vamos al sitio convenido para que en él descanse yo eternamente. Me están apremiando los dioses. ¡Hijas, síganme! Ahora yo seré su guía. Ya mucho han sido guías de su padre. ¡Marchen, nada de mano... ya distingo yo solo el lugar donde mi sepulcro se encuentra! ¡Allí tendré que ser uno en el polvo confundido en la tierra...! Por aquí, por aquí... marchen... ¡Me conduce Hermes y la que guía a pie los muertos, la diosa suprema del Hades...! ¡Oh, luz... ya no te veo... Un día fuiste mía... únicamente mi cuerpo recibe de ti tu caricia. Es la última vez. Parto hacia el Hades. Y allí enterraré mi vida para siempre! Y tú, huésped estimado, tú y los tuyos, amigos y descendientes, sean dichosos, y en esa su ventura, dedíquenme un recuerdo. Muerto ya, cuidaré de ustedes."

Sale Edipo con Teseo. Lo acompañan sus hijas y toda la corte.

Coro: ¿Podré dirigir una súplica a la invencible diosa? ¿Podré dirigirla al señor de las tinieblas, Aidoneo, Aidoneo? ¡Entonces les imploro que sin pena ni llanto éste a la Estigia baje, a la planicie gigantesca donde los muertos vagan! Y venga un dios justo a acoger su desgracia, a él que tantas adversidades soportó injustamente.

Antígona: ¡Ah, deidades maléficas... Ah, invencible monstruo, que echado a la puerta no permites pasar a quienes allá arriban... y en bufidos aterradores a todos amedrentas a la entrada de la caverna sin fondo, como cancerbero de la puerta del infierno! Y tú también, la hija de la Tierra y el Tártaro, muerte sin misericordia, deja que pase la infranqueable puerta... ¡Ya baja al valle inmenso, ya se aproxima a ti, oh diosa que no duerme, oh diosa que da el sueño interminable!

Llega un mensajero apresurado.

MENSAJERO: Señores, ciudadanos... ¡seré muy breve! ¡Ha muerto Edipo! Cómo ocurrió, no puede explicarse con una palabra, ni es posible... ¡qué terribles fueron esos sucesos!

CORO: ¿Entonces, Edipo murió?

MENSAJERO: Efectivamente, ingresó a la vida sin fin.

CORO: ¿Cómo ocurrió? ¿Divino fue el medio? ¿Fue suerte indecible?

MENSAJERO: Eso, eso sucedió y sorprende el hecho. Escucha. Salió de aquí —lo sabes, pues fuiste testigo—. Salió, sin guía y él mismo los guiaba. Llegó hasta el precipicio donde los escalones de bronce se aferran al suelo. Durante unos segundos detiene su marcha. Se sitúa al lado del tazón que cual cráter atesora el recuerdo del pacto entre Teseo y Piritoo. Se sentó en ese sitio durante unos segundos. Era el punto equidistante del peñón de Toricio, del peral enmohecido y corroído por los años y de la tumba de Piedra. Se fue quitando sus andrajos. Ordenó que se acercaran sus hijas. Les pidió agua para sus libaciones y su limpieza ritual. Las niñas fueron por el agua hasta una meseta dedicada a Demeter, la que grana los trigos, y cumplen solícitas lo que ordena su padre. Asearon y arroparon su cuerpo con los miserables andrajos. Cuanto él pedía se hizo. Sin embargo, fue entonces cuando el infierno Júpiter estalló en estruendos. Las doncellas se asombran, entristecen y lloran. Caen cerca de su padre y entre llantos abrazan sus rodillas y golpean sus pechos, y lanzan aterradores gemidos... Cuando él escuchó alzarse doliente el gemido, tendió sus manos sobre ellas y dijo: "¡Hijas: desde hoy no tendrán padre...! ¡Lo que fui, cuanto fui, sepultado ha quedado...! Ya no tendrán que realizar la afectuosa labor de darme el sustento, ya no habrán de llevarme a su cargo... Cruel destino el suyo, sin embargo, todo lo hace tolerable el amor. Y amor no me ha faltado hacia ustedes. Ya de mí quedarán faltas para toda la vida." Y mientras esto decía, los tres formaban un grupo de amargura. Unidos, abrazados, sollozando y lamentándose. Al fin guardan silencio. No se escuchaba ningún murmullo. Se escuchó una voz repentinamente, que platica con él y a todos nos aterra. ¿De quién era? De un dios que lo llamaba y con fuerte insistencia lo llamaba sin cesar: "¡Eh, tú, tú, Edipo... es tiempo ya! ¿A qué tardas? ¿Qué retraso pones? ¡Es obligatorio partir!" Cuando advirtió que un dios lo llamaba, hizo venir a Teseo. Al llegar éste a su lado, le dijo: "Amigo mío, dame esa diestra, prenda de dicha interminable. Dala a mis hijas, y ustedes den la suya. Promete que jamás has de dejar de ser su amparo, sino que por ellas harás todo el bien que fuere necesario." Y nuestro noble rey juró lo que el extranjero le pedía y ni siquiera emitió un suspiro. Y al acabar, Edipo puso sus manos sobre sus dos hijas y dijo con dolor:

"¡Hijas, ahora es necesario que se muestren severas! Márchense de aquí, y no vean, ni escuchen lo que voy a decir. ¡Nadie sino Teseo quede a mi lado!" Todos en silencio nos fuimos retirando, en triste comitiva que seguía a sus hijas. Ya un poco lejos, volvimos el rostro. Sólo estaba Teseo; el otro, ya no se veía. Y Teseo se cubría con las manos los ojos, como ahuyentando espeluznante visión. Cayó por tierra luego y en una sola plegaria imploraba a la Tierra y al divino Olimpo. Solamente Teseo sabe cómo se perdió ese hombre... ¿Fue un rayo del cielo? ¿Fue una violenta tormenta? ¿Fue una embestida de los mares? ¡Nadie puede explicarlo! Pudo ser un enviado de los dioses; tal vez la tierra se abrió a su paso para llevarlo, dócil y cariñosa, hasta el más profundo abismo. Así murió Edipo: no hubo una lágrima que lo llorara, no hubo un lamento que siguiera su muerte. No muere de dolencia. Es un enigma profundo, como jamás con hombre alguno hubo... ¡Eso es, y no me importa que me consideren loco... a nadie obligo que me crea!

Coro: ¿Pero las niñas, dónde han quedado? ¿Dónde los otros que con él se fueron?

Se escucha el llanto de las dos hijas de Edipo.

Mensajero: Están cerca de ti. Escúchalas. Lloran, imploran. Van a entrar ya.

Coro: ¡Ay, ay... sí, ahora es cuando llorar podemos... ya no hay freno al llanto... y llorar por la sangre misma, herencia de ese padre, que en nosotras alienta y corre...! Por él mucho sufrimos, por él mucho penamos, pero no hay pena igual a la de ahora. No hay palabras para explicarla. ¿Y qué es?

Antígona: ¡Amigos... ya lo pensaron!

Coro: ¿Ya partió?

Antígona: ¡Como él quisieras tú partir...! ¡Ni el furioso Ares, ni el mar lo arrebataron! ¡Lo sometió la tenebrosidad en su descomunal llanura y dio con él en las simas del misterio... Pero también la noche más recóndita ha caído sobre nuestros ojos. ¿A dónde hemos ahora de volverlos? ¿Por tierras extrañas? ¿Por la mar imponente y sin caminos, tumultuosa y estrepitosa? ¿Dónde encontrar nuestro pan?

Ismena: ¡Yo no lo sé...! ¡Que el infierno que todo destruye me arrebate y me lleve hasta donde se encuentra mi padre anciano...! Ah, yo desdichada... ¿cómo vivir pudiera tal vida ahora?

Coro: ¡Gemelas en amor y en cariño: hay que llevar a cuestas lo que marcó el Destino! ¿Para qué enfadarse y consumirse en imprecisos dolores? ¡No es mala senda la que vas buscando! ¡Terribles, crueles eran aquellos males, ahora de ellos siento melancolía... para mí delicados fueron! Desconsolado y abatido, pobre y abandonado, yo al menos con mi brazo lo sostenía... ¡Ah; padre, padre... ahora, la lobreguez sin fin te subyuga; amado padre, ya vives en la profundidad de la tierra...! ¡No sin amor has de vivir, el mío y el de mi hermana! ¡Lo hizo así!

ANTÍGONA: ¡Lo hizo, como él deseó!

CORO: ¿Y qué fue?

ANTÍGONA: ¡Quiso morir en tierra extraña: en tierra extraña ha muerto! Yace bajo la tierra: nadie habrá que su tumba violar intente. Y nuestros ojos dan y seguirán dándole el tributo del llanto. ¿Padre, podrá algún día quedar segada la fuente de mis lágrimas? ¡Quién puede reconfortarme! Sola, en exótica tierra, y abandonada... ¡Ay, ay!, ¿por qué has muerto sin que muriera yo contigo?

ISMENA: ¡Infeliz! ¿Qué suerte nos aguarda, a ti y a mí, adorada hermana, hoy ya huérfanas...?

Laguna

CORO: ¡Buen final tuvo...! ¿Para qué sollozar y quejarse! ¡Amigas: nadie de la desdicha vivió libre!

ANTÍGONA: ¿Adorada mía, volveremos?

ISMENA: ¿Y para qué retornar?

ANTÍGONA: Un sueño me subyuga...

ISMENA: ¿Qué te domina?

ANTÍGONA: Contemplar el altar subterráneo donde yace...

ISMENA: ¿De quién hablas?

ANTÍGONA: ¡De quién más, de mi padre... ay, desdichada de mí!

ISMENA: No está permitido hacer eso. ¿No te das cuenta?

ANTÍGONA: ¿Y por qué me lo reprochas?

ISMENA: Y eso, ¿a qué fin tiende?

ANTÍGONA: ¿Cómo a qué tiende?

ISMENA: ¡Yace sin sepulcro, de todos desconocido!

ANTÍGONA: ¡Llévame allá y mátame!

Laguna

ISMENA: Ay, ay de mí... desdichada... ¿tendré que tolerar una vida desdichada, sola, sin nadie que me acompañe?

CORO: Amigas, ya nada teman.

ANTÍGONA: ¿Y a dónde huir?

CORO: Ya huiste mucho.

ANTÍGONA: ¿De qué huí?

CORO: De un horroroso azote en tu contra.

ANTÍGONA: He comprendido.

CORO: Y, ¿en qué piensas ahora?
ANTÍGONA: ¡En cómo regresar a casa... no encuentro el método!
CORO: ¡No pienses en eso!
ANTÍGONA: ¡Me oprime el dolor!
CORO: ¡Y así era antes!
ANTÍGONA: ¡Males insólitos antes; ahora infames!
CORO: Un descomunal mar de dolor los agobia.
ANTÍGONA: ¡Efectivamente, efectivamente!
CORO: ¡También yo estoy de acuerdo!
ANTÍGONA: ¡Ay desdichada de mí... oh Júpiter!, ¿a dónde voy? ¿A dónde me obligan a ir las deidades?

Vuelve Teseo.

TESEO: ¡Basta de sollozos, niñas! No se debe regar con lágrimas a los muertos, si en la muerte encontraron la felicidad. Sería ir contra lo establecido.
ANTÍGONA: Hijo de Egeo, ante ti nos rendimos.
TESEO: ¿Qué desean, niñas?
ANTÍGONA: Anhelamos ver el sepulcro de nuestro padre.
TESEO: Está prohibido.
ANTÍGONA: ¿Qué dices, rey, señor de los atenienses?
TESEO: Así lo dispuso él. Ningún hombre ha de violar con su presencia el sitio donde yace. Y si esto se cumple —lo prometió él— permanecerá mi tierra sin peligro, sin ruina, sin amargas fortunas.
ANTÍGONA: ¡Si así lo dispuso, que así sea! A nosotras envíanos a Tebas, la tierra de nuestros abuelos... para ver si en ese sitio obstaculizamos el paso al homicidio que amenaza a nuestros hermanos.
TESEO: También lo haré. Y todo lo que pueda para dar algo útil a vuestra vida y al padre que ha bajado a las entrañas de la tierra. Eso haré siempre.
CORO: ¡Cesen los llantos y los lamentos, pues éste es el fin de esta historia!

EDIPO REY

PERSONAJES:
Edipo, rey de Tebas.
Sacerdote de Zeus.
Creonte, hermano de Yocasta.
Coro de ancianos tebanos.
Tiresias, vidente de la ciudad, anciano ciego, guiado por un lazarillo.
Yocasta, esposa de Edipo y viuda del rey Layo.
Un mensajero.
Un criado de Layo.
Un segundo mensajero.

EDIPO: ¡Oh hijos, nueva progenie del antiguo Cadmo! ¿Por qué acuden presurosos a celebrar esta sesión, llevando en vuestras manos los ramos de olivos de los suplicantes? El humo del incienso, los cantos de dolor y los tristes gemidos llenan a la vez toda la ciudad. ¿Qué es? —me dije—, y decidí, hijos, venir personalmente a indagar, en vez de que los mensajeros me lo dijeran; yo, a quien todos llaman el excelso Edipo. Dímelo, tú, ¡oh anciano!, que natural es que interpretes los sentimientos de todos éstos. ¿Qué motivó esta reunión? ¿Qué temen? ¿Qué desean? Si de mí depende poder complacerlos, gustoso los ayudaré, porque insensible sería si no me compadeciera de vuestra actitud suplicante.

SACERDOTE: ¡Oh poderoso Edipo, soberano de mi patria!, ya ves que somos de muy diferente edad quienes nos hallamos aquí al pie de tu altar. Unos son niños que apenas pueden andar; otros, ancianos sacerdotes encorvados por la vejez; yo, el sacerdote de Júpiter, y éstos, que son los más selectos entre la juventud, y luego todos tus vasallos. El resto del pueblo, con los ramos de los suplicantes en las manos, está en la plaza pública, arrodillados ante los templos de Minerva y sobre las fatídicas cenizas de Imeno. Como puedes ver, la ciudad tan conmovida violentamente por la desgracia, no puede levantar la cabeza del fondo del sangriento torbellino que la sacude. Los frutos de la tierra en los mismos tallos se secan; caen muertos los rebaños que pacen en las praderas, y los niños fallecen en los pechos de sus madres. La ciudad ha sido invadida por el dios que la enciende en fuego: la destructora peste que deja desolada y silenciosa la mansión de Cadmo y llena el infierno con lamentos y gemidos interminables. No, no, ni yo ni estos jóvenes, que estamos junto a tu hogar, venimos a implorarte como un dios, sino te juzgamos el primero y para conseguir el auxilio de los dioses. Tú, que recién llegaste a la ciudad de Cadmo nos libraste del tributo que pagábamos a la terrible Esfinge, y esto sin haberte dicho nosotros nada, ni haberte dado ninguna indicación, sino que sólo con el auxilio divino —así se dijo y se creyó—, tú fuiste nuestro salvador. ¡Oh poderosísimo Edipo!, vueltos a ti nuestros ojos, todos te imploramos que busques remedio a nuestras desgracias; ya sea que hayas oído la voz de algún dios, ya que te hayas aconsejado de algún mortal, porque sé que casi siempre en los consejos de los hombres de experiencia está el buen éxito de las empresas. ¡Oh mortal excelentísimo!, salva esta ciudad, ¡anda!, y recibe nuestras bendiciones; y ya que esta tierra te proclama su salvador por tu anterior providencia, que no tengamos que olvidarnos de tu primer beneficio, si después de habernos levantado caemos de nuevo en el abismo. Con los mismos felices auspicios con que entonces nos proporcionaste la felicidad, dánosla ahora. Siendo rey de esta tierra mejor es que la gobiernes bien poblada como ahora está, y no que gobiernes en un desierto; porque de nada sirve una fortaleza o una nave sin soldados o marinos que la gobiernen.

Edipo: Hijos míos, ¡dignos de lástima son! Conozco sus males, cuyos remedios me están pidiendo. Sé bien que todos sufren; los males se acumulan, aunque no hay nadie que sufra más que yo. Cada uno de ustedes siente su propio dolor y no el de otro; pero mi corazón sufre por mí, por ustedes y por la ciudad; y de tal modo, que no habrán de encontrarme entregado al sueño, sino sepan que ya he derramado muchas lágrimas y reflexionado sobre todos los mil remedios sugeridos por mis desvelos. Tras mucho meditar encontré uno, al momento lo puse en ejecución; pues a mi cuñado Creonte, el hijo de Meneceo, lo envié al templo de Delfos para que se informe de los votos o sacrificios que debamos hacer para que la ciudad se salve. Y transcurrido el tiempo suficiente para su regreso, estoy inquieto por su suerte, pues tarda mucho más de lo que debiera. Ya regresará. Pero esto no es culpa mía; mas lo sería si cuando llegue no ejecuto todo lo que ordene el dios.

Sacerdote: Muy a propósito has hablado, pues me informan que ya viene Creonte.

Edipo: ¡Oh rey Apolo! Ojalá venga con la fortuna salvadora, como lo manifiesta su alegre semblante.

Sacerdote: Al parecer, viene contento; pues de otro modo no llevaría la cabeza coronada de laureles.

Edipo: Pronto lo sabremos, pues ya está tan cerca que me puede oír. Príncipe, querido cuñado, hijo de Meneceo, ¿qué respuesta nos traes de parte del dios?

Entra Creonte.

CREONTE: Buena, digo; porque nuestros males, si por una circunstancia feliz encontrásemos remedio, se convertirían en felicidad.

EDIPO: ¿Qué significan esas palabras? Porque ni confianza ni razón me inspiran esas palabras que acabas de mencionar.

CREONTE: Si quieres que lo diga ante todos, así será; y si no, entremos en palacio.

EDIPO: Habla delante de todos, pues siento más el dolor de ellos que el mío.

CREONTE: Diré, pues, la respuesta del dios. El rey Apolo ordena claramente que expulsemos de esta tierra la mancha que en ella se está generando, y que no soportemos más porque terminará por ser incurable.

EDIPO: ¿Con qué purificaciones? ¿De qué mal se trata?

CREONTE: Desterrando al culpable o purgando con su muerte el asesinato cuya sangre impurifica la ciudad.

EDIPO: ¿A quién se refiere al mencionar ese asesinato?

CREONTE: Teníamos aquí, ¡oh príncipe!, un rey llamado Layo, antes de que tú gobernaras la ciudad.

EDIPO: Lo sé porque me lo han dicho; yo nunca lo vi.

CREONTE: Pues habiendo muerto asesinado, nos manda ahora el oráculo que se castigue a los asesinos.

EDIPO: ¿Dónde están? ¿Cómo encontraremos las huellas de un crimen tan antiguo y difícil de probar?

CREONTE: En esta tierra, ha dicho. Lo que se busca es posible encontrar, así como se nos escapa aquello que descuidamos.

EDIPO: ¿Fue en la ciudad, en el campo o en tierra lejana donde Layo murió asesinado?

CREONTE: Partió, según nos dijo, a consultar con el oráculo, y jamás regresó.

EDIPO: ¿Y no hay ningún mensajero ni compañero de viaje que presenciara el asesinato y cuyo testimonio pudiera servirnos para esclarecer el hecho?

CREONTE: Todos han muerto, excepto uno, que huyó tan asustado, que no sabe decir más que una cosa de lo que vio.

EDIPO: ¿Cuál? Pues de una sola podrían deducirse muchas, si proporcionara un ligero fundamento a nuestra esperanza.

CREONTE: Dijo que le salieron al paso unos ladrones, y como eran muchos, lo mataron; pues no se trató de uno solo, sino de una gavilla.

EDIPO: ¿Y cómo el ladrón, si no hubiese sido sobornado por alguien de aquí habría llegado a tal grado de osadía?

CREONTE: Eso pensábamos aquí, pero en nuestra desgracia no apareció nadie como vengador de la muerte de Layo.

Edipo: ¿Y qué desgracia, una vez muerto el rey, qué les impidió descubrir a los asesinos?

Creonte: La Esfinge de cantos enigmáticos y falaces, que obligándonos a pensar en el remedio de los males presentes, nos hizo olvidar un crimen tan misterioso.

Edipo: Pues procuraré retomar el asunto desde su origen. Apolo ha actuado con rectitud y tú haz hecho otro tanto; ambos han manifestado su solicitud por el muerto; de manera que hallarán en mí al vengador, como es mi deber, de esta ciudad y al mismo tiempo del dios. Y no por causa de un amigo lejano, sino por mí mismo, disiparé las tinieblas que envuelven este crimen. Pues quien haya matado a Layo, es posible que también me quiera matar a mí; así que cuanto haga en bien de aquél, lo hago en provecho propio. Ea, niños, levántense de sus asientos y pongan en alto los ramos suplicantes, y que otro reúna aquí al pueblo de Cadmo, pues yo he de averiguarlo todo; y no hay duda de que o nos salvamos con el auxilio del dios, o pereceremos.

Entra Edipo a su palacio.

Sacerdote: Levantémonos, niños, que nuestra venida aquí no tuvo otra finalidad que la que éste nos propone. Ojalá Apolo, que nos envía este oráculo, sea nuestro salvador y haga cesar la peste.

Llega el coro de quince ancianos.

Coro: ¡Oráculo de Júpiter, que consoladoras palabras tienes!, ¿qué vienes a anunciar a la ilustre Tebas, desde el riquísimo santuario de Delfos? Mi asustado corazón palpita de terror ¡ay, Delio Peán!, preguntándome qué suerte tú me reservas, ya para los tiempos presentes, ya para el porvenir. Dímelo, ¡hijo de la dorada Esperanza, oráculo inmortal! A ti primero yo invoco, hija de Júpiter, inmortal Minerva, y a Diana, tu hermana, protectora de esta tierra, que se sienta en el glorioso trono circular de esta plaza, y a Apolo, lanzador de dardos. ¡Oh trinidad liberadora de la peste, acudid en mi auxilio! Ya en otros tiempos, cuando la anterior calamidad surgió en nuestra ciudad, extinguisteis la extraordinaria fiebre del mal, venid también ahora. ¡Oh dioses!, muchas desgracias me afligen.

"Se va arruinando todo el pueblo, y no aparece idea feliz que nos ayude a liberarnos del mal. Ni llegan a su madurez los frutos de ésta antes fértil tierra, ni las mujeres soportan ya los intensos dolores del parto; sino que, como pájaros de ágil vuelo y más veloces que devoradora llama, llegan los muertos a la orilla del dios de la muerte, despoblándose la ciudad con tan innumerables defunciones. Los cadáveres insepultos yacen sin compasión sobre el suelo donde se asienta la muerte; nadie los llora; jóvenes esposas y encanecidas madres lloran al pie de los altares implorando remedio a tal calamidad que los aflige. Por todas partes se oyen himnos plañideros mezclados con gritos de dolor, contra el cual, ¡oh espléndida hija de Júpiter!, envíanos el remedio, y al cruel Marte, que ahora sin escudo ni lanza me destruye acosándome por todas partes, haz que retroceda y se vuelva en fugitiva carrera lejos de la ciudad, que el violento vendaval lo arrebate. Se dirija al ancho tálamo de Anfitrita, y a los inhóspitos riscos del mar de Tracia, pues ahora en verdad, si la noche me lleva algún consuelo, durante el día me lo desvanece. A ése, ¡oh padre Júpiter, dueño del arco dorado, destrúyelo con tu rayo! ¡Oh dioses de Licia! ¡Oh defensor Apolo! Salgan ya de tu arco los invencibles dardos, dirigidos en mi auxilio; y también los encendidos dardos dorados de Diana, con los cuales se lanza a través de las licias montañas. Yo te invoco también, dios de los rizos de oro, el vinoso Baco, el rubicundo y bello, incitador de gritos de orgía, compañero de las Ménadas, hasta nosotros vengan. Eleve resplandeciente y encendida antorcha, contra el dios que es deshonra entre los dioses."

Edipo: He oído tu súplica; y si quieres prestar atención y obediencia a mis palabras y ayudarme a combatir la peste, podrás conseguir la defensa y alivio de tus males. Yo voy a hablar como si nada supiera de todo lo que se dice, ajeno como estoy del crimen. Pues yo solo no podría llevar muy lejos mi investigación, si no tuviera algún indicio. Mas ahora, aunque soy el último de vosotros que ha obtenido la ciudadanía en Tebas, ordeno a todos los descendientes de Cadmo: Quien de ustedes conozca al hombre que asesinó a Layo el Labdácida, tendrá que decírmelo, pues se lo ordeno; quienquiera sea el culpable, que no tema presentarse de manera espontánea, pues sin importarle pena ninguna, ileso saldrá desterrado de este país. Si alguien sabe que el asesino es extranjero, que me lo manifieste, pues le premiaré y le quedaré agradecido. Pero si callan y rehúsan darme las noticias que les solicito, ya por temor de algún amigo, ya por miedo propio, conviene que escuchen lo que en tal caso dispondré.

"Sea el culpable que fuere, prohíbo a todos los habitantes de esta tierra que gobierno, que lo reciban en su casa, que le hablen, que lo admitan en sus plegarias y sacrificios y que le den la ablución lustral. Que lo expulsen todos de sus casas y de la ciudad entera como ser impuro, causante de nuestra desgracia, según el oráculo de Apolo me acaba de revelar. Así creo yo que debo ayudar al dios y vengar al muerto, y espero que todos ustedes cumplirán este mandato, por mí mismo, por el dios y por esta tierra que tan infructuosa y desgraciadamente se arruina.

Y aun cuando esta investigación no hubiese sido ordenada por el dios, nunca debieron haber dejado sin castigo el asesinato del más eminente de los hombres, de nuestro rey. Ahora que yo me hallo a cargo de la posesión del imperio que él tuvo antes, y tengo su lecho y la misma mujer que él fecundó, y míos serían los hijos de él, si los que tuvo no los hubiese perdido —aun en esto la fortuna le fue adversa—, por todo esto, yo, como si se tratara de mi padre, lucharé y llegaré a todo, deseando atrapar al autor del asesinato del hijo de Labdaco, nieto de Polidoro, biznieto de Cadmo y tataranieto del antiguo Agenor. Y para los que desoigan este mandato, pido a los dioses que ni les dejen cosechar frutos de sus campos, ni tener descendencia, sino que los abata la calamidad que nos aflige o los mate otro infortunio más poderoso. Y pido para el asesino, que escapó, ya sea solo, ya con sus cómplices, que en su desgracia arrastre una vida ignominiosa y miserable. Y pido además que si apareciera viviendo conmigo en mi palacio sabiéndolo yo, sufra yo mismo los males con que acabo de maldecir a todos éstos. Y a ustedes, los demás cadmeos que estén de acuerdo conmigo, que la Justicia venga en nuestro auxilio y que todos los dioses nos protejan siempre."

Coro: Ya que me obligas con tus maldiciones, hablaré en el mismo tono. ¡Oh rey!, te diré: ni lo maté, ni puedo precisar quién es el culpable. Pero Apolo, que nos ha enviado el oráculo, debía darnos la pista o descubrir al asesino.

Edipo: De acuerdo, ¿pero hay hombre mortal alguno que pueda obligar a los dioses a hacer algo que ellos no desean?

Coro: Formularé, si me lo permites, mi segundo parecer.

Edipo: Y también un tercero, si lo tienes. No ocultes nada de lo que tengas que decirme.

Coro: Sé muy bien que el preclaro Tiresias adivina el porvenir, lo mismo que el dios Apolo. Si de él te aconsejas, ¡oh rey!, podrías descubrir el misterio.

Edipo: Tampoco he descuidado ese aspecto, ni siquiera para ordenar eso, porque apenas me lo dijo Creonte, envié dos mensajeros. Lo que me sorprende es que no hayan regresado aún.

Coro: No contamos con mayor cosa; todo lo demás son insustanciales e inútiles habladurías.

Edipo: ¿Cuáles son ésas? Quiero examinarlas todas.

Coro: Se dice que lo mataron unos caminantes.

Edipo: También eso he oído; pero no hay quien haya visto al culpable.

Coro: Y si éste tenía algún miedo, no esperará al oír tus maldiciones.

Edipo: A quien no asusta el crimen, no lo intimidan las palabras.

Coro: Pues aquí está ya quien lo descubrirá: mira a ¡esos que vienen con el vidente, único entre los hombres, que nació con el don de la verdad!

Llega Tiresias llevado por un niño y con dos criados de Edipo.

EDIPO: ¡Oh Tiresias!, que todo lo comprendes: lo que puede decirse y lo inefable, y lo divino y lo humano. Aunque eres ciego, bien sabes en qué ruina se encuentra la ciudad, Tú eres el único que puede salvarla y protegerla, ¡oh excelso!, pues Apolo, si no lo sabes ya por los mensajeros, contestó a la consulta que le hice, que el único remedio a nuestra desgracia está en descubrir a los asesinos de Layo y ajusticiarlos o al menos desterrarlos. No descartes, pues, ninguno de los medios de adivinación, ya sea que te valgas del vuelo de las aves, o de cualquier otro recurso, y procura salvarte a ti mismo, luego la ciudad, y al final a mí. Salva a esta ciudad de la impureza del asesinato. En ti depositamos nuestra esperanza. Servir a sus semejantes es el más bello trabajo que un hombre puede hacer de su ciencia y su riqueza.

TIRESIAS: ¡Ay, ay! ¡Qué terrible es el saber cuando no brinda ningún provecho al sabio! Bien lo sabía, y se me ha olvidado. No debía haber venido.

EDIPO: ¿Qué significa eso? ¿Te pesa haber venido?

TIRESIAS: Deja que vuelva a casa; será lo mejor para ti y para mí, te lo ruego.

EDIPO: Ni tus palabras son acertadas ni muestras amor por esta ciudad que te ha criado, al negarle la adivinación que te pide.

TIRESIAS: Tampoco veo discreción en lo que dices, ni quiero caer en ese mismo defecto.

EDIPO: ¡No, por los dioses, no rehúses decirnos todo lo que sabes, pues te lo pedimos de rodillas!

TIRESIAS: Todos están equivocados; pues nunca revelaré mis desdichas, por no decir las tuyas.

EDIPO: ¿Qué dices? ¿Lo sabes y lo callas? ¿No sabes que callándolo nos traicionas y arruinas a la ciudad y la dejas perecer?

TIRESIAS: Ni deseo afligirme ni afligirte. ¿Por qué, pues, me preguntas en vano? Nada de mí lograrás.

EDIPO: ¿No, perverso y malvado, capaz de irritar a una piedra? ¿No hablarás ya, dejando de mostrarte tan obstinado?

TIRESIAS: Me reprochas mi obstinación, sin darte cuenta de que la tuya es mayor, y me reprendes.

EDIPO: ¿Quién no se irritará con esas palabras que manifiestan tu desprecio por la ciudad?

TIRESIAS: Ya vendrá eso que deseas saber, aunque yo lo calle.

EDIPO: ¿Llegará? Eso que ha de venir es preciso que me lo digas.

TIRESIAS: No diré ni una palabra más. Obra como quieras, si lo deseas, déjate llevar por la más salvaje cólera.

Edipo: Pues en verdad que nada callaré, tal es mi ira, de cuanto conjeturo. Me parece que tú eres el instigador del crimen y el autor del homicidio, aunque no lo hayas perpetrado con tu mano. Y si no estuvieras ciego, afirmaría que tú solo has cometido el asesinato.

Tiresias: ¿De veras? Todo lo que dices contra el culpable cae sobre ti. No; tú ya no puedes hablar, ya no nos dirijas la palabra ni a éstos ni a mí, porque tú eres el culpable que mancilla esta tierra.

Edipo: ¿Y así, con tal descaro, lanzas esa injuria? ¿Crees que escaparás sin castigo?

Tiresias: Nada temo, pues digo la verdad, y en ella fío.

Edipo: ¿De quién lo sabes? No será de tu arte.

Tiresias: De ti, porque tú me obligaste a hablar contra mi voluntad.

Edipo: ¿Qué dices? Repítelo, quiero oírlo mejor.

Tiresias: ¿No lo has comprendido ya? Me obligas a repetirlo.

Edipo: No tanto que pueda responderte; repítelo.

Tiresias: El asesino que buscas eres tú, tú eres el asesino de Layo.

Edipo: Te aseguro que no repetirás con tanto gozo esa injuria que por dos veces me has lanzado.

Tiresias: ¿Quieres que revele otras cosas que aumentarán tu ardor?

Edipo: Di cuanto quieras, que en vano será.

Tiresias: Digo que tú ignoras el condenable contubernio en que vives con los seres que te son más queridos; y no te das cuenta de la infamia en que estás.

Edipo: ¿Y crees que puedes continuar calumniándome siempre sin recibir castigo?

Tiresias: Sí; porque la verdad tiene sus fueros.

Edipo: Los tiene, pero no en ti. No en ti, ciego del alma y de los ojos, ciego de oído y de entendimiento.

Tiresias: Tú eres desdichado al insultarme de esa manera, que no hay nadie entre éstos que pronto no los haya de volver contra ti.

Edipo: Estás muy alterado; de manera que ni a mí ni a otro cualquiera que vea la luz puedes causar daño.

Tiresias: No está decretado por el hado que sea yo la causa de tu caída, pues suficiente es Apolo, quien cuida de todo esto.

Edipo: ¿Todas esas maquinaciones, son de Creonte o tuyas?

Tiresias: Creonte no te ha causado ningún daño, sino tú mismo te lo has hecho.

Edipo: ¡Oh riqueza y realeza y arte de gobernar, el más difícil de todos en esta ciencia de la adivinación, superior a todas las demás ciencias en esta vida agitada por la envidia! ¡Cuánto odio siembran en los demás, si por un imperio que la ciudad puso graciosamente en mis manos, sin haberlo yo buscado, el fiel de Creonte, que se dice mi amigo conspira contra ti en secreto y desea suplantarme, sobornando a este vidente embustero y astuto que sólo ve donde halla lucro siendo un mentecato en su arte! Porque, hablemos claro: ¿en qué ocasión has demostrado tú ser verdadero adivino? ¿Cómo, si lo eres, cuando la Esfinge proponía aquí sus enigmas en verso, no indicaste a los ciudadanos ningún medio de salvación? En verdad que el enigma no era para que lo interpretara cualquiera, sino que necesitaba de la adivinación. Adivinación que tú no supiste dar, ni por los augurios ni por la revelación de ningún dios, sino que yo, el ignorante Edipo, apenas llegué, hice callar al monstruo, valiéndome sólo de mi ingenio sin recurrir al vuelo de las aves. Y ahora intentas echarme del trono, para poner en él a Creonte, rey ya de Tebas, de quien esperas ser hábil consejero. Yo creo que tú y el que contigo urdió esta trama expiarán este crimen con llanto. Y si no fueras viejo, azotaría tu rostro para que pudieras ver tu falsedad.

Coro: Edipo, tal parece que tus palabras, y también las de éste, han sido insultos de cólera. Eso creo. Lo importante ahora es averiguar cómo daremos cumplimiento al oráculo del dios.

Tiresias: Aunque tú seas rey, te responderé como si fuera de tu nivel, pues tenemos el mismo derecho de hablar. Déjame contestar. También tengo poder y derecho. No soy esclavo tuyo, sino de Apolo; de modo que no es necesario el patronato de Creonte. y ahora escúchame, porque me has ofendido llamándome ciego. Tú tienes buena vista y no ves la desgracia en que estás sumido, ni conoces el palacio donde habitas, ni los seres con quienes convives. ¿Sabes de quién eres hijo? No te das cuenta de que eres odioso a todos los miembros de tu familia, tanto a los que han muerto como a los que viven; ni de que la maldición de tu padre y de tu madre, que en su horrible acometida te acosa por todas partes, te arrojará de esta tierra, donde si ahora ves, un día ya no verás... tus ojos no verán más que tinieblas. ¿En dónde te refugiarás, que no repercuta el eco de tus ayes de dolor? ¡Cómo retumbarán tus lamentos en el Citerón, cuando tengas conciencia de la horrenda boda, la cual nunca debió haberse realizado si tu suerte hubiera sido feliz! Y mayores crímenes aún que te vendrán harán iguales a ti y a tus propios hijos. Tal es la verdad; y ante ella, sigue insultando a Creonte y también a mí, porque entre los mortales ningún hombre será maltratado por el destino como lo serás tú.

Edipo: ¿Es posible que tolere tales injurias de este hombre? ¿Acaso no resulta excesivo? ¡Fuera de aquí, malvado! Nunca más a esta casa retornes.

Tiresias: Yo nunca hubiera venido si no me hubieras obligado.

Edipo: No esperaba que dijeras tantas necedades; de otro modo no me hubiera apresurado a llamarte.

Tiresias: ¡Loco y necio me juzgas... muy bien! Pero muy sabio soy para tus padres.

Edipo: ¿Cuáles? Aguarda. ¿Quién fue el mortal que me engendró?

Tiresias: Hoy lo conocerás y lo matarás.

Edipo: ¡Qué enigmático e incomprensible es todo lo que dices!

Tiresias: No eres bueno para descifrar enigmas.

Edipo: Injúriame cuanto quieras, que tus insultos serán los que me den más gloria.

Tiresias: Esa misma gloria es la que te arruinó.

Edipo: Esta ciudad salvé, poco me importa.

Tiresias: Muy bien; me voy ya. Niño, guíame.

Edipo: Vete, que te guíe, que tu presencia me molesta; y lejos de aquí no me atormentarás.

Tiresias: Me voy, pero antes diré aquello por lo que fui llamado, sin terror a tu mirada; que no tienes poder para quitarme la vida. Así, pues, te digo: ese hombre que tanto tiempo buscas y a quien amenazas y pregonas como asesino de Layo, ése está aquí; se le tiene por extranjero domiciliado; pero pronto se verá que es tebano de nacimiento. Y no se regocijará al conocer su desgracia. Ciego y caído de la opulencia en la pobreza, apoyado en un bastón saldrá a tierras extrañas a mendigar el pan. Pronto advertirá que es a la vez hermano y padre de sus propios hijos; hijo y marido de la mujer que lo parió, y para su padre, usurpador de su esposa y asesino suyo. Aléjate y reflexiona sobre estas cosas; que si me caes en la mentira, ya podrás decir que miento y que nada entiendo del arte adivinatorio.

Se retira Tiresias. Entra Edipo al palacio.

Coro: ¿Quién es ése que, según la profética piedra délfica, llevó a cabo con ensangrentadas manos horrendo e infame crimen? Ha llegado el momento de emprender la huida con pies más ligeros que el de los caballos impetuosos, hijos de la tormenta, pues armado de rayos y de relámpagos, se lanza contra el hijo de Júpiter, al tiempo que le persiguen las terribles e inevitables Furias. Desde el altivo Parnaso coronado por la nieve salió recientemente la espléndida luz del oráculo, para que todos descubran la pista de ese hombre desconocido, que sin duda anda errante por la sagrada selva, ocultándose en los antros y brincando por los riscos, huyendo inútilmente como toro salvaje sin manada, maldito en sus pisadas y en sus bramidos, para evitar en su infortunada fuga las profecías salidas del oráculo de Delfos, ahí donde se ubica el ombligo mismo de la Tierra, pero ellas, siempre vivas, van revoloteando en torno de él. Me ha dejado confundido el sabio adivino, en cuyas profecías ni puedo creer ni tampoco negar. No sé qué decir. Vuelo en alas de mi esperanza sin poder ver con claridad lo presente ni tampoco lo futuro. Que entre los Labdácidas y el hijo de Pólibo haya habido contienda, ni ha llegado a mí noticia antes de ahora ni tampoco al presente he oído nada que me sirva de criterio para intervenir en el público rumor acerca de Edipo y aparecer como auxiliar del misterioso asesinato de Layo. Más Júpiter y Apolo también en su excelsa penetración saben cuanto ocurre entre los mortales; pero que entre los hombres un adivino sepa en esto más que yo, no es cosa probada: puede un hombre responder con su juicio al de otro hombre. Por esto yo, antes de ver la profecía confirmada por los hechos, jamás me pondré de parte de los acusadores de Edipo. Porque cuando la virgen alada cayó sobre él, se mostró ante todos lleno de sabiduría y salvador de la ciudad; así que mi corazón, muy agradecido, no lo podría acusar jamás de malvado.

Entra Creonte por el lado derecho.

CREONTE: Ciudadanos, me he enterado de las terribles acusaciones que el rey Edipo ha lanzado contra mí, he venido por no poderme contener. Si en medio de las desgracias que nos afligen cree él que yo he sido capaz de causarle algún daño con mis palabras o con mis hechos, no quiero vivir más, cargado de tal oprobio. Pues la infamia de tal acusación no es mínima, sino de la mayor importancia, ya que me inculpa de traidor a la ciudad, a ti y a mis amigos.

CORO: Mas esa infamia es producto de apasionada violencia más que de juicios de la razón.

CREONTE: ¿Pero ha afirmado que el adivino, influido por mis consejos, ha mentido en su profecía?

CORO: Así es; pero ignoro con qué intención.

CREONTE: ¿Pero con firme convicción y razón serena me ha acusado?

CORO: Eso lo ignoro. No suelo criticar los actos de mis soberanos. Pero ahí lo tienes, viene saliendo del palacio.

Sale Edipo de palacio.

EDIPO: ¡Eh, tú! ¿Cómo osas venir por aquí? ¿Tan grande es tu descaro y tu osadía que te atreves a venir a mi casa, siendo evidente que deseas asesinarme para quedarte en mi trono? Dímelo, por los dioses, ¿qué cobardía o qué necedad has visto en mí, que te haya decidido a proceder de ese modo? ¿Pensabas acaso que no descubriría tus intrigas tan finamente urdidas, o que aunque las descubriera no te castigaría? ¿No es descabellada tu ambición de querer, sin el apoyo de la gente y de los amigos, usurpar un trono que sólo se obtiene con el favor del pueblo y abundantes riquezas?

CREONTE: ¿Sabes lo que debes hacer? Escucha antes que nada mi respuesta a todo lo que acabas de decir, y luego reflexiona y juzga.

Edipo: Eres hábil orador y yo mal oyente para que me convenzas, porque he visto tu malicia contra mí.

Creonte: Acerca de eso escucha un momento lo que te voy a decir.

Edipo: Acerca de eso no me digas que no eres un traidor.

Creonte: Si crees que la arrogancia, cuando no está sustentada por la razón, es cosa que debe mantenerse, te equivocas.

Edipo: Y si tú crees que conspirando contra un pariente no has de sufrir castigo, también estás equivocado.

Creonte: Estoy de acuerdo en lo que acabas de decir; pero dime ¿qué daño te he causado yo?

Edipo: ¿Acaso no fuiste tú quien me aconsejó que era preciso llamar a ese afamado adivino?

Creonte: Así es, y te lo aconsejaría también ahora.

Edipo: ¿Cuánto tiempo, aproximadamente hace que Layo...?

Creonte: ¿A qué te refieres? ¡Qué te sucede! No entiendo.

Edipo: ¿Murió víctima de criminal atentado?

Creonte: Muchos años han pasado desde entonces.

Edipo: ¿En ese tiempo ese adivino ejercía ya su arte?

Creonte: Y era sabio él y se le honraba igual que hoy.

Edipo: ¿Hizo mención de mí en aquellos días?

Creonte: No; al menos delante de mí, nunca.

Edipo: ¿Pero no indagaste entonces a fin de descubrir al culpable?

Creonte: Sí investigamos, pero nada pudimos averiguar.

Edipo: ¿Y por qué ese gran sabio no reveló entonces lo que ahora proclama?

Creonte: No sé. Prefiero no hablar de lo que ignoro.

Edipo: Callas lo que te conviene, bien lo sabes; y lo dirás si no has perdido el juicio.

Creonte: ¿Qué cosa es ésa? Si la sé, no me la callaré.

Edipo: Que si no se hubiera puesto de acuerdo contigo, nunca me hubiera atribuido la muerte de Layo.

Creonte: Si en efecto dice eso, tú lo sabes; pero justo es que te haga también algunas preguntas, como tú me las estás haciendo.

Edipo: Pregunta cuanto quieras, que no se probará que yo sea el asesino.

Creonte: Dime, ¿no estás casado con mi hermana?

Edipo: No puedo negar eso.

Creonte: ¿Eres el rey por derechos de ella?

Edipo: Todo lo que ella desea yo también lo deseo.

Creonte: ¿Y no soy yo el tercero en el mando?

Edipo: En eso se ve claramente ahora que has sido un traidor amigo.

Creonte: No lo pienses así, si reflexionas un poco, como yo. Considera en primer lugar si puede haber alguien que prefiera gobernar con zozobras e inquietudes, alguien que pueda dormir tranquilo, ejerciendo el mismo poder. Porque yo nunca he preferido el título de rey al hecho de reinar efectivamente. Ahora, sin ninguna preocupación, tengo de ti todo lo que quiero; en cambio si yo fuera el rey, tendría que hacer muchas cosas contra mi libertad. ¿Cómo, entonces, me ha de ser más grata la dignidad real que la autoridad y el poder libre de toda quietud? No ando tan errado que prefiera otras cosas que no sean las que dan honra y provecho. Pues todo el mundo me sonríe; todos me saludan con afecto; todo el que necesita algo de ti, me adula; porque en esto está el logro de sus deseos. ¿Podría yo renunciar a estas ventajas por obtener el título de rey? Alguien sensato no puede obrar tan neciamente; pero ni llegue jamás a acariciar tal idea, tampoco sería cómplice de otro que quisiera ponerla en ejecución. Y para probarlo, envía a alguien al santuario de Delfos y pregunte al dios, para saber si te comuniqué el oráculo con toda fidelidad. Y si llegas a tener pruebas de que me he puesto de acuerdo con el adivino, dame la muerte; y no sólo con tu voto, sino también con el mío. Pero no me infames por meras sospechas y sin oírme, pues no es justo enjuiciar de manera temeraria a un hombre justo, confundiéndolo con un malvado, ni tomar a los malvados por hombres de bien. El repudiar a un buen amigo es para mí como sacrificar la propia vida, que es lo más estimable. Con el tiempo te enterarás de todo esto; porque el tiempo es la única prueba del hombre justo, ya que para conocer al malvado basta tan sólo un día.

Coro: Muy bien hablaba éste para quien se cuide de caer en el error, ¡oh rey!, pues un juicio precipitado expone a mil errores.

Edipo: Cuando el enemigo actúa de prisa y es cauto en su conspiración, necesario es que yo me apresure a tomar resoluciones; porque si aguardo tranquilo, los planes de aquél tendrán cumplimiento y los míos serán vanos.

Creonte: ¿Qué pretendes, pues? ¿Desterrarme del reino?

Edipo: No, eso se me hace poco; voy a matarte. No quiero que escapes.

Creonte: Al menos dime por qué me odias.

Edipo: Comienzas a aceptar tu culpabilidad. ¿Qué no deseas obedecer?

Creonte: No veo que estés en tu cabal juicio.

Edipo: Lo estoy para mí.

Creonte: Pues menester es que también lo estés para mí.

Edipo: Pero tú eres un traidor.

Creonte: ¿Y si estuvieras mal informado?

Edipo: De todos modos, al rey se le debe obediencia.

Creonte: No, si tu orden es injusta.

Edipo: ¡Oh Tebas, Tebas!

Creonte: También puedo yo invocar a Tebas; no sólo tú.

Coro: ¡Un momento, príncipes; que ya veo salir a Yocasta del palacio, y se dirige hacia nosotros! Ella calmará este altercado.

Sale Yocasta y se coloca entre Edipo y Creonte.

Yocasta: ¿Cómo, desdichados, han originado tan imprudente disputa? No se avergüenzan de remover sus odios personales en medio del abatimiento en que se halla la ciudad? Entra en palacio, Edipo; y tú, Creonte, vete a tu casa; no sea que por una futilidad originen gran dolor.

Creonte: Es tu esposo Edipo, hermana, quien acaba de amenazarme con uno de estos dos castigos: o la muerte o el destierro.

Edipo: Es verdad, pues lo he sorprendido urdiendo odioso complot contra mi persona.

Creonte: ¡No, y no! Que me maldigan los cielos si he hecho algo de lo que se me imputa.

Yocasta: Por los dioses, ¡oh Edipo!, cree en lo que éste dice, sobre todo por respeto a ese juramento en que invoca a los dioses, y también por consideración a mí y a los aquí presentes.

Coro: Obedece de buen grado y sé prudente, ¡oh rey!, te lo imploro.

Edipo: ¿En qué quieres que te obedezca?

Coro: Ten consideración de este hombre: ya no es un niño, y siempre ha sido persona respetable; y lo es más ahora por el juramento que acaba de hacer.

Edipo: ¿Estás consciente de lo que pides?

Coro: Lo sé.

Edipo: Sé más explícito.

Coro: Sólo deseo que a un pariente que acaba de escudarse bajo la imprecación del juramento, no le acuses ni lances a la pública deshonra por una vaga sospecha.

Edipo: Debes saber, pues, que al pedir eso, pides mi muerte o mi destierro.

Coro: ¡No, por el dios Sol, el primero entre todos los dioses! ¡Muera yo aborrecido por todos los dioses y mis amigos, si tal es lo que pienso! Es el sufrimiento de la patria que desgarra mi afligido corazón, y el temor de que a los males que sufrimos se agreguen otros nuevos.

Edipo: Que se vaya ése, aunque yo deba morir o ser expulsado violenta e ignominiosamente de esta tierra. Tus palabras me hieren; no las de éste, que, dondequiera que se halle, me será odioso.

Creonte: Es evidente que cedes con despecho; despecho que pesará sobre ti cuando desaparezca la ira. Gente como tú sólo es capaz de atormentarse a sí misma.

EDIPO: ¡Aléjate y déjanos en paz!

CREONTE: Me voy, aunque sin haber logrado convencerte de mi inocencia; pero soy siempre el mismo.

Sale Creonte.

CORO: Mujer, ¿qué esperas, que no te lo llevas a palacio?

YOCASTA: Quiero saber lo que aquí ha ocurrido.

CORO: Una discusión originada por infundadas sospechas y el rencor de falsas acusaciones.

YOCASTA: ¿Acusaciones de ambas partes?

CORO: Sí.

YOCASTA: ¿Y sobre qué asunto?

CORO: Ya basta, basta; que estando la patria tan afligida, creo que debe concluir la querella.

EDIPO: ¿Ves en lo que deriva esto? Con toda tu buena intención, me abandonas y afliges mi corazón.

CORO: Rey, ya te lo he dicho más de una vez: sería yo un insensato e irrazonable si me apartara de ti, que salvaste a mi patria cuando se hallaba a punto de naufragar. Ahora eres tal vez el único que puede salvarla.

YOCASTA: Por los dioses, rey, también a mí explícame qué es lo que te ha encolerizado.

EDIPO: Te lo diré, mujer, pues a ti sobre todos venero: Creonte ha urdido contra mí un complot.

YOCASTA: Explícame todo, a ver si con ello me aclaras el asunto.

EDIPO: Declara que soy yo el asesino de Layo.

YOCASTA: ¿Lo ha dicho por sí mismo o se ha enterado por otro?

EDIPO: De un mísero adivino que me ha enviado; pues él personalmente no me acusa.

YOCASTA: Despreocúpate de todo esto. Escúchame y te darás cuenta de que no hay ningún hombre que posea el arte de la adivinación. Te daré una prueba bien precisa. Un oráculo que procedía, no diré que del propio Apolo, sino de alguno de sus ministros, predijo a Layo que estaba predestinado a morir a manos de un hijo que tendría de mí. Pero Layo, según se sabe, murió asesinado por unos forajidos en un paraje donde convergen tres caminos; respecto del niño, no había cumplido tres días cuando Layo lo ató de los pies y lo entregó a unos extraños para que lo arrojasen en una montaña desierta. He ahí cómo ni Apolo dio cumplimiento a su oráculo, ni el hijo fue el asesino de su padre, ni a Layo atormentó más la terrible profecía de que habría de morir a manos de su hijo. Así de ciertos son los oráculos, de los que no debes hacer ningún caso; porque cuando un dios quiere hacer una revelación, él mismo la da a conocer sin tardanza.

EDIPO: ¡Oh mujer, desde que te estoy escuchando, se altera mi mente y se me agita el corazón!

YOCASTA: ¿Qué inquietud te invade y te hace hablar así?

EDIPO: Creo haberte oído decir que Layo fue muerto en un cruce de tres caminos.

YOCASTA: Eso se dijo y eso mismo se dice ahora.

EDIPO: ¿Y en qué lugar preciso aconteció el hecho?

YOCASTA: En la región llamada Fócida, y en el punto en donde el camino de Delfos se une con el de Daulía.

EDIPO: ¿Y cuánto tiempo ha transcurrido desde entonces?

YOCASTA: Un poco antes de que tú llegaras al trono de este país se difundió la noticia por toda la ciudad.

EDIPO: ¡Oh Júpiter!, ¿qué has decidido hacer de mí?

YOCASTA: ¿Qué tristeza invade tu alma, Edipo? ¿En qué piensas?

EDIPO: No me preguntes más; dime qué aspecto tenía Layo y cuál era su edad.

YOCASTA: Era alto; las canas empezaban a blanquearle la cabeza, y su aspecto físico no era muy distinto al tuyo.

EDIPO: ¡Miserable de mí! Sin darme cuenta, creo que acabo de lanzar terribles maldiciones contra mí mismo.

YOCASTA: ¿Qué dices? Me lleno de temor al mirarte, ¡oh rey!

EDIPO: Me aterra que el adivino acierte. Pero una pregunta más disipará mis dudas.

YOCASTA: El temor se apodera de mí también; pero contestaré a lo que me preguntes.

EDIPO: ¿Viajaba solo, o llevaba acompañantes, como convenía a un rey?

YOCASTA: Cinco eran en total, y entre ellos un heraldo. Una carroza llevaba a Layo.

EDIPO: ¡Ay, ay!, tan claro como el día. ¿Quién era el portador de estas noticias, mujer?

YOCASTA: Un criado, el único que sobrevivió.

EDIPO: ¿Aún vive? ¿Se encuentra en palacio?

YOCASTA: No; porque cuando a su regreso te vio en el trono y a Layo muerto, me imploró, besándome las manos, que le enviara al campo a apacentar el ganado, para estar lo más lejos posible de la ciudad. Y yo estuve de acuerdo, porque era un hombre digno de eso y más.

EDIPO: ¿Cómo podría venir lo más pronto posible?

YOCASTA: Es muy fácil; pero ¿para qué lo quieres?

EDIPO: Me temo, mujer, que he hablado demasiado del asunto; deseo verlo a como dé lugar.

YOCASTA: Vendrá, con seguridad; pero también merezco saber las cosas que te inquietan, ¡oh rey!

EDIPO: No puedo negártelo en medio de la incertidumbre en que estoy. Mi angustia es tal que pierdo toda esperanza, y qué mejor confidente que tú. Mi padre fue Pólibo el corintio, y mi madre la doria Mérope. Era el hombre más respetado entre todos los ciudadanos hasta que me ocurrió este caso, digno de admirar, pero no tanto como para inquietarme. En un banquete, un hombre que había bebido demasiado me dijo en su ebriedad que yo era hijo adoptado de mis padres. Descorazonado por la injuria, apenas si pude dominarme aquel día; pero al siguiente día pregunté a mi padre y a mi madre sobre lo cierto o falso del asunto, y se indignaron contra el que lo había proferido. Las explicaciones de ambos me tranquilizaron por el momento; sin embargo, me afligía siempre aquel reproche, que había calado hasta el fondo de mi corazón. Sin decir nada a mis padres partí a Delfos, donde Apolo nada me contestó, pues no me creyó digno de una respuesta; pero me reveló una gran profecía indigna de escucharse: dijo que yo me subiría al lecho de mi madre, con la cual engendraría una raza odiosa al género humano; y también que yo sería el asesino de mi propio padre. No bien oí yo estas monstruosas palabras, emprendí la huida, alejándome de Corinto, guiado por las estrellas. Huí a un lugar donde jamás viera cumplirse las atrocidades que de mí vaticinó el oráculo. Tal era mi anhelo. Pero en mi andar llegué al sitio en que afirmas que mataron al rey Layo. A ti, mujer, te diré toda la verdad. Cuando me hallaba cerca de donde se cruzan los caminos, un heraldo y un hombre de las características que me has dado, que viajaban en un coche tirado por jóvenes caballos, tropezaron conmigo. El cochero y el mismo anciano me empujaron con violencia, tratando de sacarme del camino, por lo que yo, preso de la ira, le asesté al cochero un golpe; pero el anciano, al ver que yo pasaba por el lado de la carroza, me asestó dos heridas en la cabeza con su látigo de dos puntas. Caro pagó su osadía, porque del bastonazo que le di, cayó rodando en medio de la carroza, quedando tendido en el suelo boca arriba: en seguida maté a todos. No hay hombre más infeliz que el que tienes ante ti, si ese extranjero era pariente de Layo, ¿hay ahora alguien más miserable que yo? ¿Qué hombre podrá ser más infortunado? No soy digno de ser recibido en casa por ningún extranjero ni ciudadano, ni siquiera pueden hablarme; todos deben expulsarme de sus moradas. No me daba cuenta que al maldecir al asesino me estaba maldiciendo a mí mismo. Estoy mancillando a la esposa del muerto con las mismas manos con que lo maté. ¿Puede haber un hombre más infame? ¿No soy acaso un ser tan impuro? Debo huir, marchar al destierro, y una vez desterrado no podré ver a los míos ni entrar en mi patria, ¿también será preciso que me case con mi madre y mate a Pólibo, mi padre, que me engendró y me educó? Nadie puede negar que esto es obra de un dios nefasto que ha volcado contra este infeliz hombre semejante cúmulo de desgracias. Nunca, ¡oh sacra majestad divina!, vea yo llegar ese día, sino que desaparezca de la vista de los mortales, antes que ver la mancha horrenda sobre mí.

Coro: También a nosotros, ¡oh rey!, nos aterra esto; pero escucha al testigo que ha sobrevivido, ten esperanza.

Edipo: En verdad la única esperanza que me queda es esperar a que venga ese pastor.

Yocasta: Y en cuanto llegue, ¿qué piensas hacer?

Edipo: Te lo diré. Si en verdad dice lo mismo que tú, no tengo nada que temer.

Yocasta: ¿Qué palabra mía te ha inquietado?

Edipo: Has asegurado qué él declaró que unos forajidos lo mataron. Si el pastor ahora dijera que eran varios, no lo maté yo; pues uno nunca equivale a muchos; pero si afirma que el asesino era uno solo, está claro, ese crimen recae sobre mí.

Yocasta: Pues has de saber que públicamente declaró esto, y no hay nadie que lo desmienta, porque lo oyó toda la ciudad, no sólo yo. Pero supongamos que modifica un poco su declaración anterior, nada prueba con eso. El oráculo dijo que Layo moriría a manos de un hijo que tuviera de mí. Eso afirmó Loxias. Es evidente que no pudo matarlo aquel hijo desdichado, porque murió antes que él. De modo que ni en éste ni en ningún otro caso futuro he de confiar en ningún oráculo.

Edipo: Piensas muy bien; sin embargo, ordena que venga el pastor; no aplaces esto.

Yocasta: Enviaré por él en seguida; pero entremos en palacio, que nada haré que no te agrade.

Entran ambos al palacio.

Coro: ¡Ojalá me ayude siempre la suerte de guardar la más piadosa veneración a las predicciones y resoluciones cuyas sublimes leyes residen en las regiones donde han sido engendradas! El Olimpo es su único padre: no las engendró ningún hombre, ni habrá de dominarlas el sueño del olvido jamás. Vive en ellas un dios que nunca envejece. Pero el orgullo alimenta al tirano. El orgullo, cuando se desborda vanamente y ya no atiende a lo útil ni cuida de lo justo, se eleva a la más alta cumbre para despeñarse en fatal abismo de donde le es imposible salir. Ruego a la divinidad que no sea en vano el esfuerzo que la ciudad está haciendo, y para ello jamás dejaré de implorar la protección divina. Si hay algún orgulloso que de obra o de palabra proceda sin temor a la justicia ni respeto a los templos de los dioses, que cruel destino le castigue por su culpable arrogancia; y lo mismo al que se enriquece con ilegítimas ganancias, y comete actos de impiedad o se apodera insolentemente de las cosas santas. ¿Qué hombre en estas circunstancias puede jactarse de alejar de su alma los golpes del remordimiento? Porque si tales actos fuesen honrosos, ¿qué necesidad tendría yo de festejar a los dioses con coro? Jamás iré al venerable santuario de Delfos para honrar a los dioses, ni al templo de Tebas, ni a Olimpia, si estos oráculos no llegan a cumplirse frente a todo el mundo. ¡Oh poderoso Júpiter!, si en verdad todo lo sabes y del mundo eres rey, nada debe ocultarse a tus miradas ni a tu eterno imperio. Ya nadie considera a Apolo digno de honores; todos los oráculos son despreciados. La religión va hacia su ruina.

YOCASTA: Magnates de esta tierra, se me ha ocurrido ir a los templos de los dioses con estas guirnaldas y estos perfumes, porque Edipo se halla en un torbellino de inquietudes que lo torturan. En vez de juzgar, como lo hace un hombre sensato, de las recientes predicciones pasadas, no escucha más al que le dice algo que le avive sus sospechas. Puesto que nada han logrado mis exhortos, ante ti, ¡oh Apolo Licio!, que aquí mismo tienes el templo, me presento rogándote con estas ofrendas, para que pongas fin a nuestra desgracia; pues temblamos todos al ver aturdido a nuestro rey, como barco que zozobra en medio de la tempestad.

Llega un mensajero.

MENSAJERO: Extranjero, ¿podrías decirme dónde se localiza el palacio del rey Edipo? Te recomiendo que mejor sería que me dijeras, si lo sabes, dónde se encuentra él.

CORO: Éste es su palacio y dentro se halla él, extranjero. Y esta mujer que ves es su esposa, madre de sus hijos.

MENSAJERO: Feliz siempre viva, y la felicidad siempre la acompañe, lo mismo que a todos los suyos, pues es tan perfecta esposa de aquél.

YOCASTA: Lo mismo te deseo, extranjero, que tu fineza lo exige. Pero dime qué te ha traído, y qué deseas anunciarme.

MENSAJERO: Buenas noticias, mujer, para tu familia y tu marido.

YOCASTA: ¿Qué nuevas son ésas? ¿De dónde vienes?

MENSAJERO: De Corinto, lo que te voy a decir te llenará de alegría, pero también podría afligirte.

YOCASTA: ¿Qué noticia es ésa y por qué puede producir tan contrarios efectos?

MENSAJERO: Los habitantes del Istmo, según se dice, van a proclamarle rey.

YOCASTA: ¿Acaso ya no reina allí el anciano Pólibo?

MENSAJERO: No; que la muerte lo ha conducido ya al sepulcro.

YOCASTA: ¿Qué dices? ¿Ha muerto Pólibo?

MENSAJERO: Que la muerte se apodere de mí si no digo la verdad.

Yocasta: Muchacha, corre a darle al amo esta noticia. ¡Oh predicciones de los dioses!, ¿qué es de vosotras? Edipo abandonó su patria hace mucho tiempo temiendo matar a este hombre; y ahora ya lo ven, ha sucumbido a su destino, y no a manos de aquél.

Llega Edipo.

Edipo: ¡Oh Yocasta, amada esposa mía!, ¿para qué me haces venir aquí desde palacio?

Yocasta: Oye lo que dice este hombre, y considera después de oírle lo que vienen a hacer los venerados oráculos de los dioses.

Edipo: ¿Quién es éste y qué me quiere decir?

Yocasta: Viene de Corinto para decirte que tu padre Pólibo ya no existe; ha muerto.

Edipo: ¿Qué dices, extranjero? Explícame lo que acabas de decir.

Mensajero: Si es necesario que repita lo que ya he dicho, ten por seguro que aquél ha muerto.

Edipo: ¿Cómo murió? ¿Por traición o por enfermedad?

Mensajero: El menor contratiempo mata a los ancianos.

Edipo: ¿De enfermedad, según parece, murió el pobre?

Mensajero: Y sobre todo, de viejo.

Edipo: ¡Huy, huy! ¿Quién pensará ya, mujer, en consultar el altar profético de Delfos o el graznido de las aves, según cuyas predicciones debía yo matar a mi padre? Él, muerto ya, reposa bajo tierra; y yo, que aquí estoy, no soy quien lo ha matado, a no ser que haya muerto por la pena de mi ausencia; sólo así sería yo el causante de su muerte. Pero Pólibo, llevándose consigo los antiguos oráculos, que de nada han servido, yace ya en los infiernos.

Yocasta: Desde hace mucho tiempo te lo dije.

Edipo: Lo dijiste; pero yo me dejaba llevar por el temor.

Yocasta: Desde ahora sacúdelo ya de tu corazón.

Edipo: ¿Y cómo? Aún me inquieta el temor de casarme con mi madre.

Yocasta: ¿Qué debe temer el hombre estando bajo el dominio de los dioses? ¿Por qué preocuparse por las cosas que no es posible prever? Es preferible abandonarse a la suerte siempre que se pueda. No te angustie el temor de casarte con tu madre. Muchos son los hombres que en sueños se unen maritalmente con sus madres; disfruta mejor la vida quien de todas esas patrañas se burla.

Edipo: Lo que acabas de decir estaría muy bien dicho si no viviera la que me parió. Pero como aún vive, preciso es que yo tema, pese a tus sabias advertencias.

Yocasta: Pues me tranquiliza la muerte de tu padre.

EDIPO: De acuerdo, pero ella aún vive y temo.

MENSAJERO: ¿Quién es esa mujer por la que tanto temes?

EDIPO: Es Mérope, anciano, la esposa de Pólibo.

MENSAJERO: ¿Y qué es lo que infunde temor de parte de ella?

EDIPO: Un horrendo oráculo de dios, ¡oh extranjero!

MENSAJERO: ¿Puede saberse, o ha de guardarse en secreto?

EDIPO: Sí, me profetizó Apolo un día que mi destino era casarme con mi propia madre y mancharme las manos con la sangre de mi padre. Por eso me ausenté de Corinto hace ya tiempo; y buena ha sido mi suerte, pero es bonito volver a gozar de la vista de los padres de uno.

MENSAJERO: ¿Por ello te expatriaste?

EDIPO: Por temor de convertirme en el asesino de mi padre, ¡oh anciano!

MENSAJERO: ¿Por qué, señor, no ha desaparecido tu ansiedad, si he venido con el deseo de servirte?

EDIPO: En verdad que digna recompensa recibirías de mí.

MENSAJERO: Por eso principalmente vine; para que así en cuanto llegues a tu patria me des una recompensa.

EDIPO: Es que nunca he de volver con los que me engendraron.

MENSAJERO: ¡Ah, hijo!, es evidente que no sabes lo que dices.

EDIPO: ¿Cómo, anciano? Por los dioses, dímelo.

MENSAJERO: Si por eso temes volver a tu patria.

EDIPO: Temo que se cumpla lo que Apolo ha dicho de mí.

MENSAJERO: ¿Es que temes cometer algún sacrilegio con tus padres?

EDIPO: Eso mismo anciano, ése es el temor que me aterra.

MENSAJERO: ¿Y sabes que no existe motivo alguno para que temas?

EDIPO: ¿Cómo no, acaso no son ellos los que me engendraron?

MENSAJERO: Porque Pólibo no tenía ningún parentesco contigo.

EDIPO: ¿Qué has dicho? ¿No me engendró Pólibo?

MENSAJERO: No más que yo, sino igual que yo.

EDIPO: ¿Cómo el que me engendró se ha de igualar con quien nada tiene que ver conmigo?

MENSAJERO: No te engendró él ni yo tampoco.

EDIPO: Entonces, ¿por qué me llamaba hijo?

MENSAJERO: Porque, pon atención, un día te recibió de mis manos como un regalo.

EDIPO: ¿Y así, habiéndome recibido de extrañas manos, pudo amarme tanto?

MENSAJERO: Sí; porque antes le afligía el no tener hijos.

EDIPO: ¿Y tú me habías comprado, o habiéndome encontrado por azar me pusiste en sus manos?

MENSAJERO: Te encontré en los bosques del Citerón.

Edipo: ¿Qué hacías tú por esos lugares?
Mensajero: Cuidaba los rebaños que pacían por el monte.
Edipo: ¿Eras pastor trashumante o asalariado?
Mensajero: Fue entonces cuando te salvé la vida, hijo.
Edipo: ¿Qué males me afligían cuando me recogiste?
Mensajero: Las articulaciones de tus pies te lo atestiguarán.
Edipo: ¡Ay de mí! ¿Por qué me recuerdas esa antigua desgracia?
Mensajero: Cuando te desaté unos garfios atravesaban las puntas de tus pies.
Edipo: Horrible ofensa de mi infancia; aún conservo las señales.
Mensajero: De esa triste eventualidad surgió el nombre que tienes.
Edipo: Por los dioses, dime quiénes fueron mis padres.
Mensajero: Eso no lo supe, el que debe saberlo es quien te entregó a mí.
Edipo: ¿Luego de manos de otro me tomaste? ¿No me tomaste tú?
Mensajero: No, sino que te recibí de otro pastor.
Edipo: ¿Quién es ése? ¿Me puedes aclarar la noticia?
Mensajero: Se decía que era uno de los criados de Layo.
Edipo: ¿Acaso del que fue rey de esta tierra?
Mensajero: Ciertamente, de ese hombre era el pastor.
Edipo: ¿Vive aún ese pastor? ¿Puedo verlo?
Mensajero: Ustedes lo saben mejor que yo, pues vivía en el país.
Edipo: ¿Alguno de los aquí presentes conoce al pastor a que se refiere este hombre, sea que lo haya visto en el campo o en la ciudad? Quiero saberlo; es de aclarar todo esto.
Coro: Creo que no es otro que ése del campo que antes deseabas ver; pero ahí está Yocasta, ella te lo podrá decir mejor que nadie.
Edipo: Mujer, ¿acaso ese hombre a cuya búsqueda acabamos de enviar es el mismo al que éste se refiere?
Yocasta: ¿De quién habla ése? No le hagas caso, y olvida todas estas tonterías.
Edipo: No es posible que yo, con tales indicios, no aclare mi origen.
Yocasta: ¡No, por los dioses... si algo te interesas por tu vida, no lo intentes!, que bastante estoy sufriendo.
Edipo: No temas, que tú, aunque yo resultara esclavo, hijo de mujer esclava nacida de otra esclava, no agraviarás tu honor.
Yocasta: No prosigas, créeme, te lo suplico.
Edipo: No quedo convencido hasta que no sepa toda la verdad.
Yocasta: Pues por el bien tuyo, te doy el mejor consejo.
Edipo: Pues debes saber que esos buenos consejos me afligen hace ya tiempo.
Yocasta: ¡Ay infeliz!, ¡ojalá nunca descubras quién eres!

Edipo: ¿No hay quien me traiga a ese pastor? Dejen que ésta se regocije de su altivo linaje.

Yocasta: ¡Ay, ay, infeliz una y mil veces! Ya para ti no tengo otro nombre; en adelante no te hablaré ya más.

Yocasta se mete al palacio violentamente.

Coro: ¿Por qué, Edipo, se ha marchado tu mujer arrebatada de gran desesperación? Tales lamentos podrían estallar en grandes males.

Edipo: Que estallen, si es necesario; que deseo conocer mi origen, aunque éste sea de lo más humilde. Por supuesto, ella, como mujer, se siente rebajada, y se avergüenza de mi oscuro nacimiento. Pero yo, que me considero hijo de la Fortuna, que me ha colmado de dones, no me veré nunca deshonrado. Así nací; y los meses que empezaron al nacer yo, son los que determinaron mi grandeza y mi abatimiento. Y siendo tal mi origen, no puede resultar que yo sea otro, a tal grado de querer ignorar mi procedencia.

Coro: Si adivino soy y en verdad tengo un criterio recto, juro por el Olimpo inmenso, ¡oh Citerón!, que no llegará el nuevo plenilunio sin que a ti, como a padre de Edipo y como a nodriza y madre, te ensalce y te celebre en mis danzas, por los beneficios que dispensaste a nuestro rey. ¡Glorioso Apolo!, gratas te resulten mis súplicas. ¿Quién a ti, ¡oh hijo!, quién te parió, pues, de las dichosas ninfas, fecundadas por el padre Pan, que a los montes cruza errabundo? ¿Acaso alguna desposada con Apolo? Pues a éste todas las planicies que frecuentan pastores le son gratas. ¿Será Mercurio o el dios Baco, que, habitando las cumbres de los montes, te recibiera como engendro de las ninfas de graciosos ojos, con las que él frecuentemente se solaza?

Llegan dos esclavos conduciendo al viejo pastor.

Edipo: Supongo, ancianos, pues nunca he visto al pastor que ahora veo, que éste debe ser al que espero. Iguala en vejez a este mensajero. Reconozco como mis siervos a los que lo traen. Pero tú que lo conoces mejor que yo puedes saber si lo has visto desde hace tiempo.

Coro: Dalo por hecho; lo conozco bien. Ese hombre como pastor era uno de los más fieles de Layo.

Edipo: A ti te pregunto, extranjero corintio: ¿te referías a este hombre?

Mensajero: A ése mismo que estás viendo.

Edipo (*al recién venido*)**:** Ahora tú, anciano; aquí, cara a cara, respóndeme a todo lo que te pregunte. ¿Fuiste esclavo de Layo?

Criado: Sí; esclavo no comprado, sino nacido en casa.

Edipo: ¿En qué tareas te ocupabas o cuál era tu vida?

Criado: De los rebaños cuidé casi todo el tiempo.
Edipo: ¿Y qué regiones recorrías con más frecuencia?
Criado: El Citerón y sus alrededores.
Edipo: Y a este hombre, ¿recuerdas haberlo visto alguna vez?
Criado: ¿En qué circunstancias? ¿De quién hablas?
Edipo: De éste que está frente a ti. ¿Lo has tratado?
Criado: Ahora no te lo puedo decir; no recuerdo.
Mensajero: No te asombre, señor; pero yo le haré recordar lo que ha olvidado; yo sé bien que él se acuerda de cuando en las laderas del Citerón apacentaba dos rebaños, y yo uno solo, y ambos pasábamos juntos tres veces enteros el estío en esa región y cada seis meses desde la primavera hasta el día en que inicia su viaje el rey Arturo. Al llegar el invierno recogía yo mi rebaño en mis apriscos y éste en los corrales de Layo. ¿Es o no verdad esto que digo?
Criado: Es verdad, aunque ha pasado mucho tiempo.
Mensajero: Dime ahora: ¿recuerdas que en una ocasión me entregaste un niño para que yo lo criase como si fuera hijo mío?
Criado: ¿Y qué? ¿A qué viene esa pregunta?
Mensajero: Éste es, amigo, aquél que entonces era niño.
Criado: ¡Desgraciado, ojalá te murieras! ¡No te callarás!
Edipo: ¡Eh!, no le insultes, viejo; que tus palabras son las que deben ser reprendidas, no éste.
Criado: ¡Oh, excelentísimo señor! ¿En qué te ofendo?
Edipo: En que nada dices a lo que éste te pregunta acerca de aquel niño.
Criado: Porque no sabe lo que se dice y se esfuerza en vano.
Edipo: Tú no quieres hablar de buena gana. ¡Hablarás entre lágrimas!
Criado: ¡Oh! Por los dioses, señor, no trates con violencia a este anciano.
Edipo: Átenle en seguida las manos por detrás de la espalda.
Criado: ¡Desgraciado de mí! ¿Para qué? ¿Qué quieres saber?
Edipo: ¿Entregaste tú a éste el niño por quien te pregunta?
Criado: Se lo entregué. Ojalá me hubiera muerto aquel día.
Edipo: Pues morirás hoy si no hablas con la verdad.
Criado: Más me mata el tener que decirla.
Edipo: Este hombre, según parece, quiere escabullirse.
Criado: No, en verdad, pues ya he dicho que se lo entregué hace tiempo.
Edipo: ¿Y de dónde lo recogiste? ¿Era tuyo o de otro?
Criado: Mío no era; lo recibí de otro.
Edipo: ¿De qué ciudadano y de qué casa?
Criado: No, por los dioses, señor, no me preguntes más.

EDIPO: Considérate muerto, si tengo que repetirte la pregunta.
CRIADO: Pues había nacido en el palacio de Layo.
EDIPO: ¿Era siervo o hijo legítimo de aquél?
CRIADO: ¡Ay de mí! Me horroriza el decirlo.
EDIPO: Y a mí el escucharlo; sin embargo, es necesario que lo oiga.
CRIADO: De aquél se decía que era hijo; pero la que mejor te lo puede decir es tu esposa, que está dentro.
EDIPO: ¿Fue acaso ella misma quien te lo entregó?
CRIADO: Sí rey.
EDIPO: ¿Y para qué?
CRIADO: Para que lo matara...
EDIPO: ¿Y lo había parido, la infeliz?
CRIADO: Por temor de funestos oráculos.
EDIPO: ¿Cuáles?
CRIADO: Se decía que él había de matar a sus padres.
EDIPO: ¿Y cómo se lo entregaste a este viejo?
CRIADO: Me compadecí, señor, creyendo que se lo llevaría a tierra extraña, a la patria de donde él era. Pero éste lo conservó para los mayores males; porque si eres tú en verdad ése a quien éste se refiere, considérate el más desdichado de los hombres.
EDIPO: ¡Ay, ay! Ya está todo aclarado. ¡Oh luz!, sea éste el último día que te vea quien vino al mundo engendrado por quienes no debieron haberlo procreado, contrajo nupcias con quien le era ilícito y mató a quien no debía.

Entra fuera de sí al palacio.

CORO: ¡Oh generaciones humanas! Como en mi cálculo, aunque rebosen de vida, son lo mismo que la nada. ¿Qué hombre, pues, qué hombre goza de felicidad más que el momento en que se lo crea para luego declinar? Con tu ejemplo a la vista y con tu sino, ¡oh infortunado Edipo!, no creo ya que ningún mortal sea feliz. Quien dirigiendo a lo más alto llegó a ser dueño de la más suprema dicha, ¡ay Júpiter!, y después de haber aniquilado a la virgen de corvas uñas, cantora de oráculos, se levantó en medio de nosotros como valla contra la muerte, por lo que fue proclamado nuestro rey y recibió los mayores honores, reinando en la grande Tebas, ¿no es ahora el más infortunado de los hombres? ¿Quién se ha envuelto en más atroces desgracias y en mayores crímenes por una alternativa de la vida? ¡Oh ilustre Edipo! ¿El propio asilo de tu casa fue bastante para que cayeras en él, como hijo, como padre y como marido? ¿Cómo es posible, ¡oh infeliz!, cómo, que el seno fecundado por tu padre te pudiera soportar en silencio tanto tiempo? Lo descubrió a pesar tuyo el tiempo, que todo lo ve, y condenó esa boda que no era, sino sacrilegio; en un mismo nudo estuvieron el padre y el hijo. El que recibió la vida, en la misma mujer que se la había dado, sembró también la vida. ¡Ay hijo de Layo! ¡Ojalá, ojalá nunca te hubiera visto; pues me haces llorar, exhalando dolorosos lamentos! Y si he de ser sincero, de ti recibí la vida, por ti calmé mis penas. Mis ojos a la dicha ahora tú cierras.

Sale del palacio un criado.

MENSAJERO: ¡Oh respetabilísimos señores de esta tierra! ¡Qué cosas van a oír y qué desgracias verán y qué dolor tan grande sentirán, si como patriotas os inspira interés la casa de los Labdácidas! Tal vez ni el Istro ni el Fais puedan lavar con sus aguas las impurezas que ese palacio encierra, y qué hay que más torture que los crímenes que ahora salen a la luz, cometidos de manera voluntaria, no involuntaria.

CORO: Dignos de llanto interminable son los infortunios que ya conocemos. ¿Vienes a anunciarnos otros?

MENSAJERO: Brevemente les diré y sabrán: ha muerto la noble Yocasta.

CORO: ¡Ay, desdichada! ¿Quién le dio muerte?

MENSAJERO: Ella misma. Dc todo lo succdido ignoro lo más doloroso, pues no estuve presente. Sin embargo, en tanto que mi memoria los recuerde, sabrás los sufrimicntos de aquella desgraciada. Cuando presa del furor atravesó el vestíbulo de palacio, se lanzó directamente hacia cl lecho nupcial, mesándose la cabellera con ambas manos. Apenas entró cerró la puerta y empezó a dar alaridos. Invocaba al difunto Layo, muerto hace tiempo, rememorando al hijo que habría de matarle y dejar a la madre para engendrar hijos con su propio hijo en infames nupcias. Y lloraba amargamente por el lecho en el que la infeliz concibió de su marido a otro esposo y de su hijo otros hijos. Después desconozco cómo se mató; porque en ese momento entró Edipo dando grandes alaridos y nos impidió ver la desgracia; corrimos todos hacia él, rodeándole por todas partes, porque andaba como loco pidiendo una espada y que le dijésemos dónde estaba la esposa que no era ya la esposa, y en cuyo seno maternal fueron concebidos él y sus propios hijos. Y furioso como estaba, dando un horrendo grito y como si fuera guiado por alguien, se arrojó sobre las puertas, rompió los cerrojos y se precipitó en la recámara nupcial; ahí estaba la reina colgando de las fatales trenzas que la habían asfixiado. En cuanto la vio el desdichado, dando un horrible rugido, desató el lazo del cual colgaba; y cuando cayó al piso la infeliz —aquello era un horripilante espectáculo— arrancándole los broches de oro con que se había sujetado el manto, se los clavó en los ojos diciendo que así no verían más ni los sufrimientos que padecía ni los crímenes que había cometido, sino que, envueltos en la oscuridad, ni verían en lo sucesivo a quienes no debían haber visto, ni conocerían a quienes nunca debió haber conocido. En tanto así se lamentaba, no cesaba de golpearse y desgarrarse los ojos. En breve sus ensangrentadas pupilas le teñían la barba, pues no echaban la sangre a gotas, sino que como negra lluvia se la bañaban. Estalló la desesperación de ambos, no de uno solo, confundiendo en la desgracia al marido y a la mujer. La dicha de que antes gozaban y nos parecía tan real, se tornó en gemidos, desesperación, muerte y oprobio, sin que faltara ninguna de las desgracias.

Coro: ¿Y se ha liberado el desdichado, de alguno de sus infortunios?

Mensajero: Con grandes gritos pide que abran las puertas y expongan ante los tebanos al parricida, al de la madre, profiriendo insultos que yo no debo decir, y habla como quien se dispone irse al destierro y no desea permanecer en esta tierra que él mismo colmó de maldiciones. No obstante, necesita que alguien le sostenga y le sirva de guía; pues el negro mal que sobre él cayó nadie podría soportarlo. Lo verás en seguida, ya las puertas se abren; el espectáculo que se ofrece a la vista es tal que al más cruel enemigo conmovería.

Sale Edipo apoyado en un paje, con toda la cara ensangrentada y va trastabillando hasta llegar a la escena.

Coro: ¡Oh, desgracia, la más horrible de cuantas he visto! ¿Qué locura se apoderó de ti? ¿Qué dios se abalanzó sobre ti, el más desgraciado de los hombres, una vez caído bajo el ataque implacable de la Moira? ¡Ay, ay, infeliz!, no tengo valor para mirarte, a pesar de que deseo preguntarte muchas cosas, saberlas de ti y mirarte detenidamente. Tal es el horror que me infundes.

Edipo: ¡Ay, ay! ¡Ay, ay! ¡Infeliz de mí! ¿A dónde huiré con mi desdicha? ¿A dónde vuela mi vibrante voz? ¡Oh numen! ¿Dónde me has precipitado?

Coro: En desgracia horrible, inaudita, horripilante.

Edipo: ¡Oh tinieblas! ¡Oh nube tenebrosa y detestable que sobre mí te lanzas, indomable e irremediable! ¡Ay de mí! ¡Ay de mí! ¡Cómo me penetra el aguijón del dolor, y el recuerdo de mis crímenes!

Coro: Y no causa asombro que en medio de tan enorme sufrimiento llores y te aflijas por la doble desgracia que te oprime.

Edipo: ¡Ay amigo! Sigues siendo mi único compañero fiel, ya que cuidas de este ciego. ¡Ay, ay! No se me oculta quién eres; pues aunque ciego, reconozco muy bien tu voz.

Coro: ¡Qué atrocidad has cometido! ¿Cómo pudiste arrancarte los ojos? ¿Qué demonio te movió a hacerlo?

Edipo: Fue Apolo el culpable, Apolo, amigos míos; él es el autor de mis males y crueles sufrimientos. Pero nadie me hirió, sino yo mismo en mi desgracia. ¿De qué me servía la vista, si nada podía ver que grato fuera?

Coro: Así es, tal cual lo dices.

Edipo: ¿Qué cosa, en verdad, puedo yo mirar sin amar? ¿A quién puedo yo ver o escuchar con placer, amigos? Échenme de esta tierra cuanto antes; destierren, amigos, a la mayor calamidad, al más aborrecible por los dioses...

Coro: Digno de lástima eres, lo mismo que tus remordimientos que por tu desgracia. ¡Cómo quisiera nunca haberte conocido!

Edipo: ¡Ojalá muera, quienquiera que sea, el que me recogió del monte y me quitó los garfios que sujetaban mis pies y me libró y salvó de la muerte, sin hacerme ninguna gracia! Pues si hubiera muerto entonces, no habría sido, ni para mí ni para mis amigos, causa de tanto dolor.

Coro: También yo lo hubiese deseado.

Edipo: Nunca hubiera llegado a ser asesino de mi padre, ni los hombres me llamarían marido de la mujer que me dio el ser. Pero ahora me veo abandonado de los dioses; soy hijo de padres impuros y he participado criminalmente del lecho de los que me engendraron. La desgracia mayor de todas las que hay en el mundo le tocó a Edipo.

Coro: No sé cómo juzgar con rectitud tu determinación; hubiera sido mejor que hubieras muerto a vivir ciego.

Edipo: No tienes que decirme que estuvo mal lo que hice, y no trates de hacerme reflexionar. Para qué quería mis ojos, si no hubiera podido mirar el semblante de mi padre cuando bajara al Infierno, ni tampoco el de mi desdichada madre, cuando mis crímenes con ellos dos son mayores que los que se pagan con la horca. ¿Acaso la vista de mis hijos —por la forma en que fueron engendrados— podía serme grata? No; de ningún modo; a mis ojos, jamás. Ni la ciudad, ni las torres, ni las imágenes sagradas de los dioses, de todo lo cual, yo, en mi malaventura —siendo el más excelente hombre de Tebas—, me privé a mí mismo al ordenar que expulsaran al malvado, al que los dioses y los míos tildaban de pestilente inmundicia; y habiendo yo manifestado tal deshonra como mía, ¿podía yo mirar con buenos ojos a éstos? En absoluto; porque si hubiera podido clausurar mis oídos, que es por donde fluyen los sonidos del alma, no aguantaría yo el no habérselos cerrado a mi desdichado cuerpo, para que fuese ciego y además nada oyese; pues vivir con el pensamiento alejado de los males es cosa dulce. ¡Oh Citerón!, ¿por qué me recibiste? ¿Por qué, al acogerme, no me mataste en seguida, para que jamás hubiera revelado a los hombres de dónde había nacido? ¡Oh Pólibo! ¡Oh Corinto y venerable casa, que yo llamé paterna, aunque sólo fuera de nombre!

¡Cómo criaron en mí una hermosura que no era más que envoltura de un tumor maligno! Ahora que se abre el tumor descubro que soy el más infame de los infames. ¡Oh tres caminos y ocultas cañadas y espesa selva que rodea los tres caminos que convergen, ustedes que vieron derramar la sangre de mi padre y la bebieron ávidos! ¿Acaso ya olvidaron los crímenes que ante ustedes cometí, y luego, al llegar aquí, los demás que he cometido? ¡Oh nupcias, nupcias, me engendraron, y habiendo concebido, fecundaron de nuevo el mismo semen y dieron a luz padres, hermanos, hijos —sangre de la misma familia—, y vírgenes, esposas, madres unidas en una sola! Pero como no se debe rebelar lo que no es hermoso hacer, cuanto más pronto, ¡por los dioses!, échenme, ocúltenme en alguna parte; mátenme o arrójenme al mar, donde los hombres jamás puedan volver a verme. Vengan; apiádense de tocar a un hombre miserable. Créanme, no teman; que no hay nadie que pueda soportar tantas desgracias, sino sólo yo.

Coro: Justo en estos momentos llega Creonte para oír tus súplicas; él te brindará los consejos y la ayuda que necesitas. Él queda en tu lugar como único rey del país.

Llega Creonte acompañado por personas de la ciudad.

Edipo: ¡Ay, miserable de mí! ¡Qué le diré a éste? ¿Confiará en mí después que me mostré con él muy severo?

Creonte: No he venido, oh Edipo, a burlarme de tus pasadas desgracias, ni mucho menos para reclamarte por tus recientes dicterios (*a los que vienen con él*). Pero si ustedes no sienten ya respeto para con la raza humana, teman al menos a esa luz del Sol que todo llena de vida, para que no se exhiba así a este ser impuro, que ni la tierra, ni la celestial lluvia, ni la luz pueden acoger; sino que cuanto antes háganlo entrar en palacio; pues sólo los miembros de la familia pueden ver y oír sin sentirse afrentados los males cometidos por sus miembros.

Edipo: ¡Por los dioses! Puesto que sacándome de mi equivocada creencia vienes lleno de razón a mí, que soy el hombre más infeliz y perverso, créeme en algo que por ti, no por mí, diré.

Creonte: ¿Y cuál es tu anhelo, que con tanta insistencia me pides?

Edipo: Échame de la tierra cuanto antes, adonde muera sin que ninguno de los mortales me pueda hablar .

Creonte: Ya lo habría hecho, tenlo por seguro, pero tengo que preguntar antes al oráculo lo que debo hacer.

Edipo: El mandato de aquél es bien claro: matar al parricida y al impío, que soy yo.

Creonte: Eso había dicho, sin embargo, en las condiciones actuales, es mejor preguntar lo que se debe hacer.

EDIPO: ¿Así que por un hombre miserable vas a consultar?

CREONTE: Sí, porque tú también sabrás, con certeza, lo que disponga.

EDIPO: De acuerdo, pero te ruego ahora que tengas en cuenta mis últimos deseos. En el interior de este palacio ella yace tendida, yerta; te suplico celebres los funerales, pues con justicia, en bien de los tuyos los celebrarás; pero de mí, no creas jamás que vivo deba residir en esta patria ciudad, sino déjame habitar en los montes, en el Citerón, que fue mi cuna y ahora ha de ser la tumba de Edipo; para que muera según la voluntad de aquellos que querían que se me matara. Porque veo en verdad que ni enfermedad ni algún otro accidente me puede matar, pues de otro modo no me habría salvado, a no ser para algún terrible mal. Siga, pues, mi destino la ruta hacia donde empezó. De mis hijos varones, por mí, Creonte, no te preocupes —hombres son; de modo que donde estén nada ha de faltarles para vivir—, pero sí de mis dos hijas, infelices y dignas de lástima, que jamás se sentaron a la mesa a comer sin estar yo, sino que de cuanto yo gustaba, siempre les compartía; te suplico que las cuides, las ames y las defiendas; un último favor te pido, déjame que las toque con mis manos y llore con ellas mis desgracias. Déjame, ¡oh rey!, tú que eres puro de nacimiento, que al tocarlas con mis manos creeré que las estoy viendo, como antes.

Se escucha en el interior llanto de niñas.

¿Qué es, qué es? ¿Oigo ya, por los dioses, a mis dos hijas, que lloran a lágrima viva, y que Creonte, compadecido de mí, me las envía como a lo más querido de mis hijos? ¿No es así?

CREONTE: En efecto, así es, soy yo quien te trae a tus hijas. Un consuelo para ti que las amas tanto.

Llega Creonte con las dos niñas.

EDIPO: ¡Ojalá seas feliz! y por haberlas hecho venir, que el dios no se ensañe contigo y te defienda mejor que a mí. ¡Oh, hijas! ¿Dónde están? Vengan; acérquense a éstas mis manos, hermanas de las vuestras, que a ellas deben el don de gozar de esos ojos, a estos ojos antes tan brillantes del padre que las engendró; que yo, para ustedes, ¡oh hijas!, sin saberlo ni inquirirlo aparecí como sembrador en el mismo campo en donde fui sembrado. Y lloro sobre ustedes, ya que verlas no puedo, al pensar cuán amarga es la vida que les espera, tal como han de pasar entre los hombres. Pues, ¿a qué reuniones de los ciudadanos irán, a qué fiestas, de donde no regresen llorando a casa, en ves de haberse divertido? Llegará el día en que alguien las conduzca al tálamo nupcial, ¿quién será el hombre que esté dispuesto a tomar oprobio tal, que para mis padres y para ustedes ha de ser ignominioso? ¿Falta algún crimen aquí? ¡Aquí están todos juntos! Vuestro padre asesinó a su propio padre; a la que lo había parido fecundó, sembrando en donde él mismo había sido sembrado, y en el mismo seno las engendró, donde él fue concebido. ¿Habrá alguien que desee tomarlas por esposas? Nadie, ¡oh hijas mías!, sino que, sin ninguna duda, estériles y sin casarse es preciso que os marchitéis. ¡Oh Creonte, hijo de Meneceo!, tú quedas como único padre de ellas. Ella y yo muertos estamos ya; no permitas que ellas, como sobrinas tuyas, vaguen errantes sin maridos y sin familia; ni dejes que su desgracia llegue a igualarse con la mía; sino compadécelas, viendo que en la edad en que están, de todo quedan privadas, excepto de lo que de ti dependa. ¿Me lo prometes, Creonte? Extiéndeme tu mano...

Creonte extiende su diestra a su cuñado.

Ya ustedes, ¡oh hijas!, si ya fueran capaces de reflexionar, muchas cosas les aconsejaría; pero ahora sólo esto les diré: que donde se les presente la ocasión de vivir, alcancen mejor suerte que el padre que las engendró.

Creonte: Basta de llorar; entra en palacio.

Edipo: No me queda más que obedecer, aunque no me es grato.

Creonte: Todo a su tiempo es bueno.

Edipo: ¿Sabes para qué voy?

Creonte: ¡Habla! ¡Dilo y lo sabré!

Edipo: Para que de la tierra me proscribas.

Creonte: No depende de mí lo que pides, sino de un dios.

Edipo: Pues a los dioses, hace tiempo que muy odioso les soy.

Creonte: ¡Basta! Obtendrás lo que pides.

Edipo: ¿Me das tu palabra?

Creonte: Lo que no siento no suelo decirlo en vano.

Edipo: Llévame, pues, de aquí ya.

Creonte: Vamos, pues, apártate de las niñas.

Edipo: No, no... no las apartes de mí.

Creonte: No trates de disponer en todo; porque cuando tuviste poder tu vida fue un fracaso.

Salen las niñas. Edipo entra al palacio y el coro inicia su canto final.

ANTÍGONA

PERSONAJES:

Antígona, una de las hijas de Edipo.
Ismena, una de las hijas de Edipo.
Coro de ancianos tebanos.
Creonte, rey de Tebas y tío de Ismena y Antígona.
Centinela.
Hemón, hijo de Creonte.
Tiresias, adivino ciego.
Eurídice, esposa de Creonte.
Mensajero.
Otro mensajero.

ANTÍGONA: ¡Oh compañera, dulce hermana, Ismena amada! ¿No sabes que de las maldiciones de Edipo no quedará ninguna a la cual Júpiter no dé cumplimiento en vida nuestra? De todo abunda en nuestras desgracias: dolor, odio, persecución, vergüenza, ignominia y desdén. Es tu herencia y es la mía. Todo esto hemos compartido. ¿Y ahora, cuál es ese nuevo aviso que dicen propaga por toda la ciudad el nuevo gobernante? ¿Tienes algunas noticias? ¿O ignoras los males que los enemigos han tramado sobre los seres que amamos?

ISMENA: Ninguna noticia tengo, Antígona, acerca de nuestros seres amados, ni agradable ni dolorosa, desde que perdimos a nuestros dos hermanos, que en un mismo día se mataron uno a otro. Y desde que el ejército de los argivos se ha marchado en esta misma noche, nada sé que pueda hacerme más dichosa o desgraciada.

ANTÍGONA: Bien lo sabía, y por eso te he hecho salir de palacio, para decirte algo a solas.

ISMENA: ¿Qué es, pues? Ya muestras inquietud por decir algo.

ANTÍGONA: Pues que Creonte ha dispuesto que a uno de nuestros dos hermanos se le hagan las honras fúnebres, y el otro sea abandonado insepulto. A Eteocles, según dicen, ordena en cumplimiento de la ley divina y humana, sea sepultado en tierra para que obtenga todos los honores, allá abajo, entre los muertos. Y respecto del cadáver de Polinices, que miserablemente ha muerto, dicen que ha publicado un bando para que ningún ciudadano lo entierre ni lo llore; sino que insepulto y sin los honores del llanto, lo dejen para deliciosa vianda de las aves de rapiña. Ese bando dicen que el bueno de Creonte ha hecho pregonar por ti y por mí especialmente; y que vendrá para anunciar en altavoz esa orden a los que la desconozcan; y que la cosa se ha de tomar no de cualquier manera, porque quien se atreva a violar esta disposición, la cual habrá de cumplirse al pie de la letra, se expone a morir apedreado por el pueblo. Ya sabes lo que hay. Y pronto podrás demostrar si eres de sangre noble o una cobarde que desdice de la nobleza de sus padres.

Ismena: ¿Y qué, ¡oh desdichada!, si las cosas están así, podré remediar yo, tanto si desobedezco como si acato esas órdenes?

Antígona: Mira, si me acompañaras y me ayudaras en mis sufrimientos.

Ismena: ¿En qué clase de empresa? ¿Qué es lo que piensas?

Antígona: Si vendrás conmigo a levantar el cadáver.

Ismena: ¿Piensas sepultarlo a pesar de haberlo prohibido a toda la ciudad?

Antígona: Es mi hermano, y el tuyo también, aunque no lo quieras; nunca dirán de mí que lo he abandonado.

Ismena: ¡Oh desdichada! ¿No lo ha prohibido Creonte?

Antígona: Ningún derecho tiene a privarme de los míos.

Ismena: ¡Ay de mí! Piensa, hermana, cómo murió nuestro padre, aborrecido e infamado, después que, por los pecados que en sí mismo había descubierto, con sus propias manos se arrancó los ojos. Y ella —su madre y su mujer a la vez, son nombres que se contradicen— con un lazo de trenza se quitó la vida. Y como tercera desgracia, nuestros dos hermanos el mismo día se matan entre sí, degollándose los desdichados. Mira ahora, solas hemos quedado, piensa de qué manera más infame moriremos si con desprecio de la ley desobedecemos la orden y autoridad del tirano. Pues preciso es pensar antes que nada, que somos mujeres, para no querer luchar contra los hombres; y luego, que somos súbditas de los superiores, para obedecer estas órdenes y otras más severas. Lo que es yo, rogando a los que están bajo tierra que me tengan indulgencia, como que cedo ante mi voluntad, obedeceré a los que tienen el poder porque el querer hacer más de lo que uno puede, no es cosa razonable.

Antígona: No, no te lo mandaré. Pero si cambias de parecer, y decides ayudarme, gustosa te aceptaré. Haz lo que te plazca. A él yo lo sepultaré; si hago esto, bello me será morir. Amada yaceré con él, con el amado, después de cumplir con todos los deberes piadosos; porque mayor es el tiempo que debo complacer a los muertos que a los vivos. En cuanto a ti, si te parece, haz desprecio de lo que más estimación tienen los dioses.

Ismena: Yo no desprecio eso, pero me siento impotente para desacatar la ley de los ciudadanos.

Antígona: Tú puedes dar esas excusas; que yo me apresuro a erigir una tumba a mi queridísimo hermano.

Ismena: ¡Ay, pobre de mí! ¡Cómo estoy temblando por ti!

Antígona: Por mí no te preocupes, procura por tu futura suerte.

Ismena: Al menos no digas a nadie tu proyecto; mantenlo en secreto, que yo haré lo mismo.

Antígona: ¡Ay de mí! Divúlgalo, que más odiosa me serás si callas y no lo dices a todos.

Ismena: Ardiente corazón tienes en cosas que hielan de espanto.

Antígona: Pero sé que agrado a quienes principalmente debo agradar.

Ismena: Si es que lo logras... porque intentas algo imposible.

Antígona: Sólo si mis fuerzas menguan, habré de cesar.

Ismena: Resulta una locura perseguir lo imposible.

Antígona: Si eso dices, me resultas odiosa, y odiosa serás para el muerto, con justicia. Pero deja que yo, con mi mal consejo, sufra estos horrores, porque nada sentiré tanto como morir con gloria.

Ismena: Pues márchate, si tal es tu designio; pero ten presente esto: eres una loca, pero sabes amar a los que te aman.

Antígona se dirige al campo, en tanto que Ismena se mete al palacio. Después de un silencio, entra el coro.

Coro: ¡Reverbero del sol, radiante luz de la más bella mañana de cuantas han lucido sobre Tebas! ¡Oh Tebas la de Siete Puertas! ¡Ojo del día dorado, al fin amaneciste! Pasaste por la fuente de Dirce. Hiciste huir al mortal escudo refulgente, al ejército de Argos guarnecido de hierro... huyó en veloz corcel, sin esperanza, a toda brida y fue a perderse en la lejanía más de prisa de lo que había venido.

(*Laguna*)

Lo trajo Polinices, rebelde contra su natal suelo y en rival discordia. Era cual altanera en las alturas el águila que ruge con estrepitosos graznidos, mientras explaya las nevadas alas. El ejército viene con fragor de armas y con el vaivén rumoroso e inquieto de las crines de los bridones. Con las fauces abiertas y anhelantes asedió las siete puertas que a nuestro hogar conducen. Muerte iba respirando. Pero huyó despavorido de repente y no pudo saciar la sed de nuestra sangre. Alzó la antorcha de pino resinoso con ánimo de hundir en el incendio las torres que coronan y guarnecen nuestra ciudad. Pero Ares tremebundo le opuso un dragón indomeñable, que estrepitoso le acosó la espalda. Huyó el águila fiera sin remedio. Júpiter detesta lenguas arrogantes que hacen alarde de su fuerza. Los vio avanzar. Venían cual torrente que se desborda indominado, ebrio de fuerza al resonar de sus áureas armaduras. Y él lanzó su rayo irrefrenable cuando ya en las almenas de la muralla como viento rugían. Llevaba en su mano la encendida antorcha y al empuje del rayo, se precipitó desde la altura en volteretas. Retembló la tierra cuando rodó impotente. ¡Era el que se soñaba en tempestades de odio ya en la victoria! No logró sus intentos, y Ares dio a los demás destinos varios, con ardoroso ímpetu siendo el aliado nuestro destruidor implacable. Siete capitanes en las siete puertas erguidos luchaban contra otros siete tan valientes como ellos. Todos nos dejaron para honrar a Júpiter sus armas de bronce. Pero aquellos dos que nacieron del mismo padre y de la misma madre, ¡ay desdichados! uno contra otro alzaron las armas. Cada uno su lanza hundió en el pecho de su hermano. Cada uno ha obtenido su parte en una muerte común: perecieron ambos. Pero al fin la victoria ha regresado. Sonriente llega a la Tebas rica en carros de guerra. Pasó la guerra: hay que olvidarla ahora. Vamos a los templos de los dioses todos y en coros nocturnos por la noche entera cantemos el triunfo. Baco nos presida, él que a Tebas de gozo hace delirar en trepidante danza. Mas ved al rey que llega, Creonte, hijo de Meneceo. Algo medita en su interior. Convoca aquí a los ancianos de la ciudad con públicos pregones.

Llega Creonte con sus pajes.

CREONTE: ¡Ciudadanos! Al fin los dioses han hecho que retorne la paz a nuestra ciudad después de haberla agitado en revuelta confusión. Y yo mandé por mis emisarios que se reunieran aquí, separados de todos los demás, porque sé que siempre respetaron como es debido las órdenes del trono de Layo, lo mismo que cuando Edipo regía la ciudad; y después que él cayó, persistieron también en vuestra constante fidelidad en torno de sus hijos. Mas cuando éstos, por doble fatalidad, han muerto en un mismo día al herir y ser heridos con sus propias y mancilladas manos, quedo yo en poder del imperio y del trono, por ser el pariente más cercano de los muertos. Difícil es conocer la índole, los sentimientos y opinión de un hombre antes de que se le vea en el ejercicio de la soberanía y aplicación de la ley. Pues a mí, quien gobernando a una ciudad no se atiene a los mejores consejos, sino que procura que el miedo tenga amordazada la lengua, ése me parece ser el peor gobernante, ahora y siempre; y a quien estime a un amigo más que a su propia patria, no lo estimo en nada. Pues yo, juro por Júpiter, que todo lo tiene presente siempre, nunca ocultaré el daño que amenace la salvación de los ciudadanos, ni concederé mi amistad a ningún enemigo de la patria; porque sé que ésta es la que nos conserva, y que si la gobernamos con recto timón, logramos amigos. Con estas leyes voy a procurar el progreso de la ciudad, y conforme con ellas, he promulgado a los ciudadanos las referentes a los hijos de Edipo. A Eteocles, que murió luchando por la ciudad después de obrar prodigios con su lanza, que se le entierre en un sepulcro y se le hagan todos los ritos funerarios que deben acompañar a las almas de los valientes que bajan a los infiernos. En cuanto a Polinices, hermano de Eteocles, que al volver de su destierro quería abrasar por todos lados a la patria y a los dioses tutelares, y además ansiaba beberse la sangre de los habitantes de Tebas y asesinar a su hermano, para ése he mandado pregonar por toda la ciudad que nadie le honre con sepultura ni le llore; sino que lo dejen insepulto y su cuerpo sea devorado por las aves de rapiña y los perros. Ésta es mi determinación; pues nunca de mí alcanzarán los malos el honor que se debe a los hombres de bien. Pero cualquiera que sea el que haga bien a la ciudad, ése, lo mismo vivo que muerto, será honrado por mí.

Coro: Sea como te place, Creonte, hijo de Meneceo, respecto de los amigos y enemigos de esta ciudad; pues es tu deber aplicar absolutamente la ley en cuanto a los muertos y a todos cuantos estamos vivos.

Creonte: ¿Cómo, pues, vigilarás ahora que se cumplan mis órdenes?

Coro: Encárgalo a otro más joven.

Creonte: ¡Pues dispuestos están ya los que han de vigilar el cadáver.

Coro: ¿Qué otra cosa quieres aún encargarnos?

Creonte: Que no sean bondadosos con los que desobedezcan la orden.

Coro: No hay nadie tan necio que desee morir.

Creonte: Ése, en efecto, será el pago; pero la esperanza pierde muchas veces a los hombres.

Llega un centinela agitadísimo.

Centinela: ¡Rey!, no diré que por la prisa llego sin aliento, porque con frecuencia me he parado a pensar, dando vueltas por el camino, si me volvería atrás. Mi corazón me decía muchas veces: ¡Infeliz!, ¿por qué corres? ¿No ves que al llegar serás castigado? ¿Pero, qué tal si otro llega antes que yo y se lo dice a Creonte? ¡También castigo le espera! Revolviendo tales pensamientos venía lenta y pausadamente; de modo que un camino breve me ha resultado largo. Por fin me decidí llegar a tu presencia y aunque nada te pueda aclarar, hablaré, pues vengo fortalecido con la esperanza de que no me podrá pasar nada fuera de lo que me tenga reservado el destino.

Creonte: ¿Qué es lo que te desconcierta?

Centinela: Primero déjame decirte lo que me interesa, porque ni yo hice tal cosa, ni vi tampoco quién la hiciera, ni en justicia se me puede castigar.

CREONTE: ¿A qué viene ese discurso y por qué divagas demasiado? Parece que quieres decirme una importante novedad.

CENTINELA: Me atemoriza, en efecto, darte malas noticias.

CREONTE: ¿Por qué no me la dices y te largas en seguida?

CENTINELA: Pues te la diré: al muerto lo ha sepultado alguien hace poco, y después de cubrir con polvo seco el cadáver y celebrar las sagradas ceremonias, ha desaparecido.

CREONTE: ¿Qué dices? ¿Quién de los mortales se ha atrevido a hacer eso?

CENTINELA: No sé. Allí no se veían señales de golpe de azada, ni de que el suelo haya sido removido con la pala. La tierra está dura y apretada, sin huellas de que haya pasado ningún carruaje. Quien lo haya hecho, no ha dejado huella. Fue el primer vigía de la mañana quien me ha dado la noticia; tristes y asombrados nos quedamos todos. El cadáver no se veía; apenas una capa de tierra lo cubría, como para evitar el sacrilegio. Tampoco había señales de fieras ni de perros que hubiesen venido a destrozarlo. Palabras maliciosas susurran entonces por los oídos de todos; un centinela acusaba a otro, y aquello hubiera terminado en pelea, sin que hubiera nadie que lo impidiera. Cada uno creía que era el otro el que lo había hecho, y nadie confesaba; todos lo negaban. Estábamos dispuestos todos a probar nuestra inocencia, tomando el hierro candente en nuestras manos y pasar por el fuego y jurar por los dioses que ni lo habíamos hecho ni nos habíamos confabulado en esta tarea. Por fin, cuando nada nos quedaba ya por examinar, habló uno que a todos nos hizo inclinar la cabeza de miedo, porque no podíamos ni contradecirle ni proponerle cómo lo haríamos para salir bien. Él propuso que se te comunicara el hecho y no se te ocultara; esta propuesta ganó, y a mí, para mi desgracia, me tocó la suerte de cumplir esta penosa comisión. Aquí me tienes contra mi voluntad y contra la tuya, también lo sé; pues nadie estima al portador de infaustas noticias.

CORO: ¡Rey!, a mí, en verdad, se me agita el corazón hace ya rato, si ese hecho ha sido promovido por algún dios.

CREONTE: Calla, antes de que me llenes de cólera con tus discursos no descubras que eres obtuso y viejo a la vez, porque dices lo que no se puede soportar, al indicar que los dioses cuiden de este cadáver. ¿Cómo ellos, honrándolo como a un héroe, pueden haber sepultado al mismo que venía a incendiar sus templos asentados sobre columnas, y sus ofrendas, y a destruir su país y su culto? ¿Has visto alguna vez que los dioses honren a los malvados? No, eso es imposible; sino que algunos ciudadanos, que hace ya tiempo se muestran renuentes a mis mandatos, murmuran de mí; y sacudiendo en secreto la cabeza, no tienen a bien sujetar su cerviz al yugo para complacerme. Por esos, lo sé muy bien, inducidos otros por los premios que les han ofrecido, han hecho esto. No ha habido entre los hombres algo más pernicioso que el dinero: éste devasta las ciudades, destierra a los hombres de sus casas, los comercia y pervierte sus buenos sentimientos, disponiéndolos para todo hecho punible; él enseñó a los hombres a valerse de todos los medios a ingeniárselas para cometer toda clase de impiedad. Pero los que dejándose corromper por el dinero han perpetrado esto, lo han hecho de manera que con el tiempo terminarán pagando su culpa. Porque tan cierto como Júpiter obtiene todavía mi veneración —fíjate bien en esto; te lo digo con juramento—, si no me presentan ante mis ojos al autor de este enterramiento la sola muerte no será bastante para vosotros, que serán colgados vivos hasta que me revelen al culpable; para que, advertidos, saquen provecho en adelante de donde sea lícito, aprendan que no debe uno lucrar en todo negocio pues por causa de ilícitas ganancias, más hombres verás perdidos que salvados.

Centinela: ¿Me permites hablar o me retiro?

Coro: ¿O te das cuenta que todo lo que me dices me irrita?

Centinela: ¿Dónde te escuecen, en el oído o en el corazón?

Coro: Despreocúpate de averiguar dónde me oprime el dolor.

Centinela: Quien lo haya hecho te aflige el corazón; yo, los oídos.

Creonte: ¡Ay, eres todo un charlatán!

Centinela: Podré ser todo, menos el autor de este crimen.

Creonte: Es fácil que te hayan sobornado.

Centinela: ¡Huy! Difícil es que a quien haya formado una opinión se le convenza de su falsedad.

Creonte: Puedes decir lo que quieras acerca de la opinión, que si no me descubren a los culpables, se verán obligados a confesar que las malas ganancias acarrean desgracias.

Creonte sale de escena.

Centinela: Pues ¡ojalá que los descubras!, pero lo mismo si los encuentran que si no —pues de esto la suerte decidirá—, yo no pienso regresar aquí; pues si, contra lo que esperaba y temía, me voy salvo ahora, debo agradecer a los dioses.

Sale el centinela.

Coro: Muchas cosas son admirables, pero ninguna es más admirable que el hombre. Él es quien al otro lado del espumante mar, se traslada empujado por las agitadas olas que braman en derredor; y a la más excelsa de las diosas, a la tierra, indomable e incansable, esquilma con el arado, que dando vueltas sobre ella año tras año, la revuelve con la ayuda de los caballos. Y de la raza ligera de las aves, tendiendo redes, se apodera; y también de las bestias salvajes y de los peces del mar, con redes tejidas en malla, la habilidad del hombre. Domina con su ingenio a la fiera salvaje que en el monte vive; y al crinado caballo y al indomable toro montaraz les hace amar el yugo al que sujetan su cerviz. Y en el arte de la palabra, y en el pensamiento sutil como el viento, y en las asambleas que proporcionan leyes a la ciudad, se amaestró; y también en evitar las inclemencias de la lluvia, y de la intemperie y del inhabitable infierno. Al disponer medios para todo, no carecen de medios para enfrentar lo que ha de venir. Sólo contra la muerte no halla remedio, pero sabe cuidarse de las molestas enfermedades, procurando evitarlas. Y poseyendo la industriosa habilidad del arte más de lo que podía esperarse, procede unas veces bien o se arrastra hacia el mal, violando las leyes de la patria y el sagrado juramento de los dioses. Quien, ocupando un elevado cargo en la ciudad, se acostumbra al mal por osadía, no es digno de vivir en ella: que nunca sea mi huésped, y menos amigo mío, el que tales cosas haga, ante el admirable prodigio que se me presenta a la vista, estoy dudando. ¿Cómo, si la estoy viendo, podré negar que no sea ésta la niña Antígona? ¡Oh, hija infeliz del infeliz Edipo! ¿Qué es esto? ¿Es que, por desobedecer los mandatos del rey te traen éstos habiéndote sorprendido en tal imprudencia?

Centinela: Ésta es la que el crimen ha perpetrado; la sorprendimos cuando estaba sepultándolo. Mas, ¿dónde está Creonte?

Coro: Está saliendo del palacio, que a propósito viene.

Creonte: ¿Qué hay? ¿Qué coincidencia me hace llegar tan a tiempo?

Centinela: Señor, nunca a los mortales conviene hacer juramentos, porque la reflexión modifica el primer pensamiento. Cuando a duras penas hubiera creído yo volver aquí, por las amenazas con que paralicé de terror entonces; pero porque la alegría repentina no tiene comparación con ningún otro placer, vengo, aunque sea faltando a mis juramentos, con esta muchacha, que ha sido sorprendida cuando preparaba la sepultura. Ahora no se han echado suertes, sino que mío es el mérito y no de otro, pues yo la descubrí y no otro. Y ahora, ¡oh, señor!, que aquí la tienes, interrógala a tu gusto y júzgala; que yo, en justicia, quedo absuelto de este crimen.

Creonte: Lleva a ésta, ¿cómo y dónde la has cogido?

Centinela: Ésta sepultaba al hombre; ya lo sabes todo.

Creonte: ¿Estás seguro y dices la verdad en lo que afirmas?

Centinela: La vi sepultando el cadáver que tú habías prohibido que se sepultara. ¿Hablo claro o no me sé expresar?

Creonte: ¿Y cómo fue vista y cogida en flagrante?

Centinela: El asunto ocurrió así: cuando llegué asustado por tus terribles amenazas, después de quitar todo el polvo que cubría al cadáver y dejar bien al desnudo el cuerpo, que estaba ya en putrefacción, nos apostamos en lo alto de un otero, resguardados del viento y bastante lejos para que no nos llegara el mal olor que despedía aquél, excitando a la vigilancia cada uno a su compañero con eficaces reproches, si es que alguien se descuidaba de su tarea. Esto duró hasta la hora en que en medio del cielo se coloca el brillante sol y abrasa el calor. Entonces, de repente, un torbellino levantando de tierra terrible tempestad con un rayo que parecía grito del cielo, invadió la llanura, devastando el follaje de la campestre selva. Se llenó de polvo todo el aire, y nosotros, con los ojos cerrados, aguantábamos el castigo que el cielo nos enviaba. Cuando se calmó la tempestad, después de un buen rato, vimos aparecer a la muchacha, que se quejaba con agudos lamentos, como el ave dolorida cuando advierte vacío el lecho de su nido, ya despojada de sus polluelos. Así también ésta, cuando vio el cadáver al desnudo, rompió en amargo llanto y lanzó horribles maldiciones contra los que le habían inferido el ultraje. Recogió en seguida con las manos polvo seco; y vertiendo de un vaso de bronce bien forjado tres libaciones sobre el cadáver, lo cubrió. Todo lo vimos nosotros, y nos abalanzamos sobre ella para atraparla en seguida, sin que se asustara de nada; la acusamos del hecho anterior y del presente, y no negó nada, con gusto mío y con pena a la vez; porque el quedar uno libre del castigo es muy dulce, pero implicar a un amigo en la desgracia, es doloroso. Sin embargo, es natural que esto último tenga para mí menos importancia que mi propia salvación.

Creonte: Tú, tú que permaneces cabizbaja, ¿afirmas o niegas haber hecho eso?

Antígona: Afirmo que lo he hecho, y no lo niego.

Creonte (*al centinela*): Tú puedes largarte a donde quieras, libre de acusación. (*A Antígona.*) Y tú, dime con pocas palabras: ¿sabías que yo había prohibido eso?

Antígona: Lo sabía. ¿Cómo no debía conocerlo? Era público y notorio.

Creonte: Y aún así, ¿te atreviste a desobedecer las leyes?

Antígona: Porque esas leyes no las promulgó Júpiter; tampoco Justicia, la compañera de los dioses infernales; no, ellos no han impuesto esas leyes, ni creí que tus decretos tuvieran fuerza para borrar e invalidar las leyes divinas, de manera que un mortal pudiese quebrantarlas. Pues no son de hoy ni de ayer, sino que siempre han estado en vigor y nadie sabe cuándo aparecieron. Por esto no debía yo, por temor al castigo de ningún hombre, violarlas para exponerme a sufrir el castigo de los dioses. Sabía que tenía que morir, ¿cómo no?, aunque tú no lo hubieses pregonado. Y si muero antes de tiempo... una dicha me será la muerte, pues quien viva, como yo, en medio de tantas desgracias, ganancia será la muerte. Así que para mí no es pena ninguna el alcanzar la muerte violenta, pero lo sería si hubiese tolerado que quedara insepulto el cadáver de mi hermano; eso sí que lo hubiera sentido: nada de lo demás me aflige. Y ahora me juzgas necia por lo que he hecho, puedo decir que de necia soy acusada por alguien más necio que yo.

Coro: Esa tenacidad demuestra que es hija de padre tenaz; no sabe rendirse a la desgracia.

Creonte: Pues has de saber que los caracteres, cuanto más obstinados, ceden más fácilmente; y muchas veces verás que el resistente hierro cocido al fuego, después de frío se quiebra. Con un pequeño freno sé yo domar a los indómitos caballos, pues no debe uno hacer alarde cuando es esclavo de otro. Y ésta sabía, en verdad, la insolencia que cometía al desobedecer las leyes decretadas. Insolencia cuando perpetró el hecho, y nueva insolencia cuando se jacta de haberlo cometido y se ríe. En verdad, pues, que ahora no sería yo hombre, sino ella, si tanta audacia quedara impune. Y aunque sea hija de mi hermana, y aunque fuera el más próximo pariente de todos los que en el patio de mi casa se reúnen en torno de mí, Júpiter protector, ella y su hermana no escaparán de la muerte más infame. Porque a aquélla, al igual que ésta, acuso como autora de este sepelio. Llámenla, pues, que la acabo de ver dentro, llena de rabia y fuera de sí misma; porque la conciencia de aquellos que nada bueno urden en secreto, suele acusarles de su crimen antes de que se les descubra. Y sobre todo detesto al que, sorprendido en el crimen, quiere luego adornarlo con engañosos razonamientos.

Antígona: ¿Pretendes algo más que matarme, después de hacerme cautiva?

Creonte: Yo, en verdad, nada. Con esto es suficiente.

Antígona: ¿Pues qué esperas ya? A mí tus razonamientos ni me gustan ni me podrán gustar; y lo mismo a ti, los míos nunca te han agradado. En verdad, ¿cómo hubiera yo podido alcanzar gloria más célebre que dando sepultura a mi propio hermano? Todos éstos dirían que lo que he hecho es de su agrado, si el miedo no les trabara la lengua. Los tiranos tienen ésta y muchas otras ventajas, y se les permite hacer y decir cuanto quieran.

Creonte: Tú eres la única entre los cadmeos que ves las cosas de ese modo.

Antígona: La ven también éstos, pero callan por ti.

Creonte: ¿Y tú no te avergüenzas de pensar diferente de los demás?

Antígona: No es vergonzoso honrar a los hermanos.

Creonte: ¿No era tu hermano el otro que frente a él murió?

Antígona: Hermano de la misma madre y del mismo padre.

Creonte: ¿Cómo, pues, honras a ése con honores que te hacen impía ante aquél?

Antígona: No atestiguará eso el cadáver del muerto.

Creonte: Sí; cuando le honras lo mismo que al traidor.

Antígona: No murió siendo esclavo, sino hermano.

Creonte: Uno forjaba patria; otro la devastaba.

Antígona: Sin embargo, Plutón quiere una misma ley para todos.

Creonte: Pero nunca el bueno debe obtener igual premio que el malvado.

Antígona: ¿Quién sabe si allí abajo éstas mis obras son santas?

Creonte: Nunca el enemigo, aun después de muerto, es amigo.

Antígona: Yo he nacido para amar no para compartir odio.

Creonte: Pues bajando al infierno, si necesidad tienes de amar, ama a los muertos; que mientras yo viva, no mandará una mujer.

Coro: Ya en la puerta tienes a Ismena derramando lágrimas de amor por su hermana; la nube de dolor que le oprime los ojos ensombrece su encendida cara, bañándole las hermosas mejillas.

Aparece Ismena en medio de dos siervos.

Creonte: ¡Tú, la que deslizándote por palacio como una víbora, sin advertirlo yo, me chupabas la sangre! No sabía yo que alimentaras a dos furias que se revolvían contra mi trono. ¡Vamos!, dímelo ya: tú en este sepelio, ¿confiesas haber participado, o juras que no lo sabías?

Ismena: He hecho yo la cosa lo mismo que ésta: obro de acuerdo con ella, tengo mi parte y respondo de mi culpa.

Antígona: Pero no permitirá eso Justicia, porque ni tú quisiste ni yo me puse de acuerdo contigo.

Ismena: Pero en la desgracia en que te hallas no me avergüenzo de compartir tu sufrimiento.

Antígona: De quién sea el hecho, sólo Plutón y los dioses infernales lo saben. Yo, a la que ama de palabra, no la tengo por amiga.

Ismena: No, ¡oh, hermana!, me prives de la gloria de morir contigo ni de haber ofrecido el sacrificio por el difunto.

Antígona: ¿Morir conmigo? ¡No! No quiero que mueras conmigo, ni que te apropies de aquello en que no has participado. Bastará que muera yo.

Ismena: ¿Y podré amar la vida, privada yo de ti, querida?

Antígona: Pregúntaselo a Creonte, pues tanto te preocupas de él.

Ismena: ¿Por qué me atormentas así, sin sacar ningún provecho?

Antígona: Lo siento en verdad, aun cuando me ría de ti.

Ismena: ¿En qué otra cosa te podré ser útil?

Antígona: Sálvate a ti misma. No envidio tu supervivencia.

Ismena: ¡Ay infeliz de mí! ¿Y no he de obtener tu misma muerte?

ANTÍGONA: Tú, en verdad, preferiste vivir, y yo morir.
ISMENA: Pero mis razones no quedaron sin decir.
ANTÍGONA: Por buenas las tuviste, pero las mías creí yo que eran más prudentes.
ISMENA: Pues, en verdad, igual de las dos es el delito.
ANTÍGONA: Alégrate; tú vives aún, pero mi corazón hace ya tiempo que ha muerto; de modo que sólo puede servir a los muertos.
CREONTE: De estas dos muchachas digo que la una se ha vuelto loca desde hace poco; la otra lo está desde que nació.
ISMENA: Nunca, ¡oh rey!, ni siquiera la razón con que la Naturaleza nos dota al nacer persiste en los desgraciados, sino que se les altera.
CREONTE: Como a ti, que prefieres hacerte cómplice de un crimen.
ISMENA: Yo sola, sin ésta, ¿cómo he de poder vivir?
CREONTE: Pues de ésta, en verdad, no hables; como si no viviera.
ISMENA: ¿Y matarás a la novia de tu propio hijo?
CREONTE: Otros campos tiene donde podrá arar.
ISMENA: Pero no como el amor que existe entre él y ésta.
CREONTE: Yo, malas mujeres para mis hijos, no quiero.
ANTÍGONA: ¡Oh queridísimo Hemón, cómo te insulta tu padre!
CREONTE: Ya basta, demasiado me molestan tú y tus bodas.
CORO: ¿Pero privarás de ésta a tu propio hijo?
CREONTE: Es Plutón quien ha de poner fin a estas nupcias.
CORO: Decretada está, a lo que parece, la muerte de ésta.
CREONTE: Como lo dices, así me parece. Esclavos, no más demoras; llévenlas dentro. Mujeres como éstas, es preciso que las sujeten bien y no las dejen libres, porque hasta las más valientes huyen cuando ven que ya tienen la muerte cerca de la vida.

Toman los esclavos a las dos jóvenes y las encierran atadas en palacio. En la escena. Creonte y el coro.

CORO: ¡Felices los que pasan la vida sin lamentar un infortunio!, porque aquellos cuya casa recibe una sacudida de los dioses, no queda calamidad que no se apodere de toda su descendencia, de la misma manera que cuando el oleaje, agrandado por los impetuosos vientos marinos de la Tracia, se rompe en el negro abismo del mar y revuelve desde su fondo el negro y turbulento limo y azota estruendosamente las orillas que lo rechazan. Sobre las antiguas calamidades de la familia de los Labdácidas veo que caen otras nuevas desgracias que suceden sin cesar de una a otra generación. Algún dios aniquila esta raza, no hay remedio. La última esperanza que quedaba de los vástagos de Edipo la acaba de segar la cruenta hoz de los dioses infernales, a la vez que la demencia de la razón y la soberbia de la mente. Tu poder, ¡oh Júpiter!, ¿qué hombre en su arrogancia lo podrá resistir, cuando ni lo domina jamás el sueño que a todo el mundo subyuga, ni lo disipan los años que sin cesar transcurren, y siempre joven en el tiempo mantienes el reverberante resplandor del Olimpo? Ésta es la ley que imperará siempre en el presente, en el porvenir y en el pasado: "Nada ocurre en la vida humana exento de dolor." Pues, en verdad, la vagarosa esperanza que para muchos hombres es una ayuda, es para otros engaño de vanos anhelos; pues se insinúa sin que uno lo advierta hasta que ponga el pie en el ardiente fuego. Cuán sabio fue el que dijo: "El mal a veces parece bien a aquél cuya mente lleva un dios a la perdición." Y pasa muy poco tiempo sin que caiga en la ruina. Mira, es Hemón, el más joven de tus hijos. ¿Acaso viene entristecido por su novia Antígona, doliéndole el desencanto de sus nupcias?

Entra Hemón.

Creonte: Pronto lo sabremos de él, mejor que de cualquier adivino. ¡Hijo!, ¿acaso, al enterarte del irrevocable decreto acerca de tu futura esposa, vienes iracundo contra tu padre, o soy de ti siempre querido de cualquier modo que proceda?

Hemón: Padre, tuyo soy, y tú me diriges con buenos consejos que yo debo obedecer, pues para mí ningún casamiento será más digno que el dejarme llevar de ti, bien dirigido.

Creonte: Así, hijo mío, conviene que lo tomes a pecho para posponerlo todo a la opción de tu padre. Así, pues, desean los hombres engendrar y tener en casa hijos obedientes, para que rechacen con ofensa a los enemigos y honren al amigo lo mismo que a su padre. Quien cría hijos que no le resultan de ningún provecho, ¿qué podrás decir de él sino que ha engendrado molestias para ti y excesiva burla para sus enemigos? Nunca, ¡oh hijo mío!, te rinda este placer de manera que abdiques de tu razón por culpa de una mujer, sabiendo que frío resulta el abrazo cuando tienes en casa por esposa a una mujer mala. ¿Pues qué plaga puede resultar mayor que una mala compañera? Escupe a esa mujer con repugnante gesto, deja que se case con otro en el Infierno, porque cuando a ella atrapé yo públicamente, a ella sola entre todos los ciudadanos, desobedeciendo mis órdenes, no he de quedar como un bufón ante la ciudad, sino que la mataré, aunque implore a Júpiter, protector de los hogares; porque si a los deudos, por el parentesco, no les he de tolerar sus rebeldías, con mayor razón a los que no sean de la familia; porque el hombre que sea cuidadoso en los asuntos domésticos, será también justo en los asuntos de la ciudad; pero quien atropellándolo todo, o quebranta las leyes o piensa dejarse mandar por los que gobiernan, ése no es posible que obtenga mi alabanza; porque a quien la ciudad coloca en el trono, a ése hay que obedecer en las cosas pequeñas, en las justas y en las que no sean ni pequeñas ni justas. Y de un hombre tal no puedo dudar que gobierna bien y quiere ser bien gobernado; ése, en el fragor de la batalla, permanecerá firme, como fiel y valiente defensor. No hay mayor mal que la anarquía: ella arruina las ciudades, introduce la discordia en las familias, rompe y pone en fuga al ejército aliado; pero la obediencia salva las más de las veces la vida de los que cumplen con su deber. Así hay que defender el orden y la disciplina, y no dejarse nunca dominar por una mujer. Mejor es, si es preciso, caer ante un hombre, que así nunca podrán decir que somos inferiores a una mujer.

Coro: A mí, si no es que por la edad desvarío, me parece muy sabio lo que has dicho.

Hemón: Padre, los dioses han dado a los hombres la razón y la cordura como el mayor bien de todos los que existen, y yo no podría ni sabría decir que no hayas hablado con rectitud. Sin embargo, el asunto tal vez parezca bien visto de otra manera; y yo que soy tu hijo, debo considerar todo lo que pueda alguien decir, tratar o murmurar de ti; pues tu aspecto infunde tanto terror al ciudadano, que no se atreve a decirte aquello que realmente piensa. Pero a mí me es fácil oír lo que en secreto se dice; cómo llora la ciudad por esta muchacha que, entre todas las mujeres, no merece de ninguna manera morir ignominiosamente por su gloriosísima hazaña. La que a su propio hermano, muerto en la pelea, no quiso dejar insepulto para que fuese manjar de los voraces perros ni de ninguna de las aves, ésa, ¿no es digna de obtener una gloriosa recompensa? Tal es el rumor que en silencio y en secreto corre. Para mí, padre, no hay ninguna cosa que me sea más grata que el que tú vivas feliz. ¿Qué mayor gloria para los hijos que la prosperidad del padre, o para el padre que la de los hijos? No te obstines, pues, en mantener en ti, como única, la opinión de que lo que tú dices es lo razonable, y no lo que diga otro; porque los que creen que solamente ellos poseen la sabiduría, la elocuencia y el valor que no tienen los demás, ésos, al ser examinados, se encuentran vacíos. Por muy sabio que sea un hombre, no le es vergonzoso el aprender muchas veces, ni tampoco el no resistir más allá de lo razonable. Tú ves en los torrentes invernales que cuantos árboles ceden, conservan sus ramas; pero los que resisten, son arrancados desde sus mismas raíces. Del mismo modo, el que atesando firmemente la bolina no quiere ceder, hace que zozobre la nave y navega en adelante en las tablas. Cede, pues, y olvida tu ira, porque si algún consejo, a pesar de ser tan joven, puedo dar, es que sería lo mejor que todo hombre naciera pletórico de sabiduría; pero que como esto no suele ser así, bueno es aprender de los que bien te aconsejan.

Coro: Rey, conviene que si algo razonable dice éste, lo atiendas; y también él a ti, pues los dos han hablado bien.

Creonte: A esta edad, ¿tendremos que aprender prudencia de un imberbe como éste?

Hemón: No en lo que no sea justo; que aunque sea más joven, no se debe mirar a la edad, sino al consejo.

Creonte: ¿Y tú aconsejas que honremos a sediciosos?

Hemón: Nunca aconsejaré que se honre a los malvados.

Creonte: Pues ésta, ¿no ha sido sorprendida en tal delito?

Hemón: No dice eso ningún ciudadano de Tebas.

Creonte: ¡Qué!, ¿la ciudad es la que ha de señalarme lo que debo hacer?

Hemón: ¿Ves cómo eso que has dicho es propio de un imberbe?

Creonte: ¿Pero es que yo he de gobernar esta tierra por el consejo de otro y no por el mío?

Hemón: Una ciudad no se constituye de un solo hombre.

Creonte: ¿No se dice que la ciudad es del que manda?

Hemón: Y muy bien, si reinaras tú solo en tierra despoblada.

Creonte: Éste, según parece, contiende por la muchacha.

Hemón: Como si tú fueras la muchacha, pues por ti, en verdad me preocupo.

Creonte: ¡Ah bellaco! ¿Contra tu padre entablas juicio?

Hemón: Porque te veo faltar a la justicia.

Creonte: ¿Falto, pues, manteniendo el respeto a mi autoridad?

Hemón: No la respetas, cuando violas las leyes de los dioses.

Creonte: ¡Oh asquerosa casta, y vencido por una mujer!

Hemón: Pero nunca me cogerás vencido por bajas pasiones.

Creonte: Todo esto, ¿lo dices por aquélla?

Hemón: Y por ti y por mí y por los dioses infernales.

Creonte: Puesto que eres esclavo de una mujer, no me fastidies con tu charla.

Hemón: ¿Quieres inculpar y que no se defienda uno de tus inculpaciones?

Creonte:

Con ella viva no habrás que casarte.

Hemón: Ella morirá, y muriendo matará a alguien.

Creonte: ¿Es que hasta amenazarme llega tu osadía?

Hemón: No son amenazas combatir fútiles razones.

Creonte: Llorando vendrás en razón, ya que vacío de ella estás.

Hemón: Si no fueras mi padre, diría que no estás en tus cabales.

Creonte: ¿Sí?, pues por el Olimpo, sabe que no te alegrarás de haberme injuriado. (*A un esclavo.*) Trae a esa odiosa, para que ante su vista, al punto, muera cerca y en presencia del novio.

Hemón: No; de ninguna manera. Eso ni lo pienses; ella no morirá delante de mí, ni tú tampoco verás mi cara ante tus ojos; para que te enfurezcas con los amigos que te quieran aguantar.

Se va Hemón enfurecido.

Coro: Ese hombre, ¡oh rey!, se ha marchado apresuradamente, preso de la cólera; y en su edad, la mente perturbada por la pasión, es cosa grave.

Creonte: Habiéndose ya marchado, haga lo que le plazca y se vanaglorie más de lo que debe el hombre; que a estas dos muchachas no las librará de la muerte.

Coro: ¿A las dos piensas matar?

Creonte: A la que no ha tocado el cadáver, no; bien me lo adviertes.

Coro: ¿Y con qué clase de suplicio piensas que muera?

Creonte: Llevándola a un sitio desolado, donde no exista huella humana, haré que la encierren viva en una rocosa caverna, con el alimento preciso para evitar el sacrilegio, a fin de que la ciudad se libre del crimen de homicidio. Y una vez allí, si implora a Plutón, que es el único a quien adora entre los dioses, tal vez alcance a librarse de la muerte; o mejor, conocerá, pero ya tarde, que es trabajo superfluo rendir culto a los númenes del infierno.

Creonte entra en el palacio.

Coro: ¡Amor invencible en la pelea! ¡Amor que en el corazón te infundes, que en las tiernas mejillas de la muchacha te posas y atraviesas el mar y frecuentas rústicas cabañas! De ti no se libra nadie de los inmortales, ni los efímeros hombres; y quien te recibe, se enfurece. Tú de los hombres justos arrancas injustas determinaciones, para arruinarlos; y también tú has sembrado rencillas en esta familia. Triunfa el brillante atractivo de los ojos de la novia que ha de alegrar el lecho, y que atrae contra las más grandes instituciones; pues sin que se la pueda resistir, juega con nosotros la diosa Venus. A decir verdad, yo mismo me siento arrebatado y sin ley ni freno, y no puedo contener las lágrimas de mis ojos al ver que Antígona camina hacia el lecho que a todo el mundo adormece.

Antígona: Véanme, ¡oh ciudadanos de mi patria!, emprendo mi último viaje y miro por última vez la luz del sol, que ya no veré jamás; porque Plutón, que a todos recibe, me lleva viva a las orillas del Aqueronte, sin haber contraído nupcias y sin que ningún himno me haya celebrado; pero con Aqueronte me casaré.

Coro: Ilustre y colmada de gloria bajas a ese abismo de la muerte, sin que te mate mortal enfermedad y sin haber sido reducida a servidumbre como botín de guerra; sino que, autónoma y en vida, tú sola vas a bajar a la mansión de los muertos.

Antígona: Ya escuché contar la horrible muerte de la extranjera Frigia, hija de Tántalo, en la cima del Sipilo, a la cual, como espesa hiedra, ciñó por todas partes el risco de la piedra; y ni las lluvias, según dicen los hombres, ni la nieve dejan que su cadáver se descomponga, sino que de sus ojos, en un continuo llorar, humedece los collados. De manera semejante, me conduce el destino al lecho en que reposaré.

Coro: Pero ella, en verdad, es diosa, y de un dios fue engendrada; mas nosotros somos mortales, y de hombres procedemos; y para un mortal, el obtener suerte semejante a la de los dioses es grande gloria.

Antígona: ¡Ay, cómo se burlan de mí! ¿Por qué, por los dioses patrios, no aguardan a insultarme cuando me haya ido, y lo hacen cuando aún vivo? ¡Oh ciudad! ¡Oh ricos hombres de la ciudad! ¡Oh dirceas fuentes y bosque sagrado de Tebas, la de hermosos carros! Os invoco para que todos a la vez atestigüeis cómo sin que un amigo me llore, y ninguna ley me ampare, ya me llevan hacia la cárcel oscura de una tumba tenebrosa. ¡Infortunada de mí, que estando entre los mortales no existo ya, ni me hallo entre los vivos ni entre los muertos!

Coro: Por haber querido traspasar los límites de la audacia, chocaste, ¡oh hija mía!, en el altísimo trono de la Justicia, que es muy excelso. Algún delito de tu padre expías.

Antígona: Llegaste a poner tu lengua en mi llaga más doliente: el infortunio de mi padre, que ha pesado sobre tres generaciones, y la fatalidad de toda nuestra familia, de los ilustres Labdácidas, ¡oh maldito lecho de mi madre, y concubinato por ella engendrado con mi mismo padre, hijo de tan desdichada madre, por los cuales yo infeliz fui concebida!, hacia vosotros, maldecida y soltera, veánme aquí que caminando voy. ¡Oh hermano, que tan infaustos honores alcanzaste!, muerto tú, me mataste viva.

Coro: Respetar a los muertos es piedad; y el imperio sea cualquiera en quien resida, nunca debe conculcarse. Tu independencia de carácter te ha perdido.

Antígona: Sin consuelos, sin amigos, sin desposarme, emprendo mi postrer viaje. ¡Ya no me es permitido ver más esta sagrada luz del sol! ¡Infeliz de mí! Y mi muerte sin lágrimas, ningún amigo la llora.

Sale Creonte con su séquito.

Creonte: ¿Acaso ignoras que cantos y lloros antes de morir no hay ninguno que desistiera si le hubieran de ser útiles? Que se la lleven en seguida; y de una vez la encierren en aquella abovedada tumba, como lo he dispuesto; déjenla sola y abandonada, ya desee morir, ya desposarse viviendo en tal morada, que yo quedo limpio del delito del sacrilegio por lo que se refiere a esta muchacha; porque sólo se la privará de habitar entre los vivos.

Antígona vuelta al pueblo.

ANTÍGONA: ¡Oh tumba, oh tálamo nupcial, oh subterránea mansión que me has de tener encerrada para siempre! Ahí voy hacia los míos, a gran número de los cuales, difuntos ya, ha recibido Proserpina entre los muertos. De ellos, la última yo y de modo tan desdichado, soy la que bajo antes de llegar al término fijado de mi vida. Pero al bajar abrigo la firme esperanza de que he de llegar muy agradable a mi padre, y muy querida de ti, ¡oh madre!, y también de ti hermano mío. Porque al morir vosotros, yo con mis propias manos los lavé y amortajé, y sobre vuestras tumbas ofrecí libaciones. Y ahora, ¡oh Polinices!, por haber sepultado tu cadáver, tal premio alcanzo. Y ciertamente que con razón te hice los honores, según los hombres sensatos; porque nunca, ni por mis hijos, si hubiera llegado a ser madre; ni por mi marido, si su cadáver se hubiese estado pudriendo, habría decidido ir contra las leyes de la ciudad. ¿Y por qué digo esto? Marido, en verdad, si el mío moría, otro podría tener; y también hijos de otro varón, si me privaba del que tuviera. Pero encerrados ya en el infierno mi madre y mi padre, no es posible que pueda nacerme un hermano. Y sin embargo, porque teniendo esto en cuenta te honré por encima de todo, pareció a Creonte que había caído en falta, y que mi osadía merecía terrible castigo, ¡oh querido hermano! y ahora me llevan entre manos, así presa, virgen, sin haber contraído nupcias, sin llegar a alcanzar las dulzuras del matrimonio ni de la maternidad; sino que, abandonada de los amigos y desdichada, me llevan viva a las cóncavas mansiones de los muertos. ¿Qué ley divina he transgredido? ¿Qué necesidad tengo, en mi desdicha, de elevar mi mirada hacia los dioses? ¿Para qué invocarlos en mi ayuda, si por haber obrado piadosamente me acusan de impiedad? Porque si esto merece la aprobación de los dioses, reconoceré que sufro por haber pecado; pero si son ellos los que pecan, no deseo que sufran otros males que los que me hacen sufrir injustamente.

CORO: Aún la dominan los ímpetus de las mismas pasiones.

CREONTE: Y en verdad que llorarán los que la llevan, por avanzar tan lentamente.

ANTÍGONA: ¡Ay de mí! Esa voz suena muy cerca de mi muerte.

CREONTE: No te aconsejo que confíes en que estas órdenes han de quedar incumplidas.

ANTÍGONA: ¡Oh Tebas, ciudad de mis padres, y dioses de mis abuelos! Ya me llevan; nada espero. ¡Mirad, príncipes de Tebas a la princesa única que queda, lo que sufre y de qué hombres, por haber practicado la piedad!

Sale llevada atada por los soldados.

CORO: También sufrió Dánae cambiar la celestial luz por las tinieblas en mansión ceñida de bronce, y escondida en funerario tálamo está aprisionada. Y en verdad que por su nacimiento era ilustre, ¡oh niña, niña!, y guardaba en su seno los gérmenes de la lluvia de oro de Júpiter. Cuán duro y secreto es el destino: ni las riquezas, ni Marte, ni las torres, ni las negras naves que sufren el embate de las olas la pueden evitar. Fue encadenado también el irascible niño hijo de Driante y rey de los edones, quien por su índole procaz, fue encerrado por Dionisos en un calabozo de rocas; y así, la terrible y vigorosa violencia de su iracundia se desvanece gota a gota; reconoció él que en su furor había insultado a un dios con su ultrajante lengua. Quería, en verdad, acabar con las endemoniadas bacantes y con el báquico fuego, y ultrajaba a las musas amantes de las flautas. Y junto a las negras rocas de los dos mares están las orillas del Bósforo y la inhospitalaria Salmideso de los tracios, donde Marte, el protector de la ciudad, vio la cruel herida que a los dos hijos de Fineo infirió la fiera madrastra, que les arrancó los ojos de las órbitas, cruelmente doloridas, sin valerse de espada, sino con sangrientas manos y aguda la punta de lanzadera; y deshaciéndose en lágrimas los desdichados, lloraban la infausta suerte que les cupo por nacer del ilegítimo casamiento de su madre; y ella pertenecía a la raza de los antiguos erectidas, y se había criado en los lejanos antros, en medio de las tempestuosas tormentas de su padre Bóreas que, veloz como un corcel, corría al pie firme como el helado mar, pues era hijo de un dios, pero sobre ella estaban las Parcas de larga vida, ¡oh hija!

Llega el ciego adivino Tiresias conducido por un niño.

TIRESIAS: Príncipes de Tebas: venimos dos en compañía con los ojos de uno solo, pues los ciegos, para caminar, necesitamos de un guía.

CREONTE: ¿Qué hay de nuevo, anciano Tiresias?

TIRESIAS: Yo te lo diré y tú obedece al adivino.

CREONTE: Nunca, hasta hoy, he abandonado tus consejos.

TIRESIAS: Por eso has gobernado la ciudad con rectitud.

CREONTE: Reconozco que me has dado útiles consejos.

TIRESIAS: Piensa que ahora caminas sobre el filo de una navaja.

CREONTE: ¿Qué sucede? ¡Cómo me horrorizan tus palabras!

TIRESIAS: Lo sabrás, en cuanto prestes oídos a los pronósticos de mi arte; pues al tomar asiento en el antiguo sitial de mis agoreras observaciones, donde tengo la estación de toda suerte de pájaros, oí desconocidos gritos de aves que graznaban con infausta y extraña furia, y comprendí que se desgarraban unas a otras con sus ensangrentadas garras, porque el ruido de su aleteo no era equívoco. En seguida, preso de temor, quise hacer las pruebas en las ofrendas que tenía en los altares, del todo encendidos. Pero el fuego no quemaba las carnes de las víctimas, sino que la grasa derretida de los muslos se fundía sobre la ceniza y humeaba y chisporroteaba; la hiel se disipaba en vapor, y de los muslos, destilando la grasa que los cubría, quedaron los huesos. Tales son los presagios funestos de estos misteriosos sacrificios que he sabido por este niño; pues él me guía. Así como yo guío a los demás. Y esto sufre la ciudad por causa de tu determinación; porque nuestros altares y hogares sagrados han sido invadidos por las aves y los perros que se han saciado en el infeliz hijo de Edipo. Por esto los dioses no aceptan de nosotros ni las plegarias de los sacrificios ni la llama de los muslos de las víctimas; ni ave alguna deja oír gritos de buen agüero, porque se han saciado en la pringue de la sangre corrupta de un cadáver. Por esto, hijo, reflexiona, ya que común a todos los hombres es el errar; pero cuando el hombre yerra no es necio ni infeliz si, reconociendo su error, se enmienda y no es terco; que la terquedad acusa ignorancia. Aplácate, pues, ante el difunto y no hostigues más a quien ha muerto. ¿Es hazaña ensañarse con un muerto? Llevado de mis buenos sentimientos para contigo, te aconsejo bien; y hacer caso del que bien aconseja, es cosa muy grata si el consejo es provechoso.

CREONTE: ¡Oh anciano! Todos, como arqueros al blanco, disparan contra mí; y ni siquiera he quedado libre de tu arte adivinatorio, porque he sido vendido y traicionado por mis parientes hace ya tiempo; lucren, compren el electro de Sardes si así lo desean, y el oro de la India, pero a ése no le darán sepultura, ni aunque las águilas de Júpiter, arrebatándolo, se lo quieran llevar para pasto al trono del mismo dios, ni aun así —sin temor ninguno de cometer sacrilegio— permitiré que sepulten a ése; pues bien sé que ningún mortal puede mancillar a los dioses. Cómo pueden degradarse los hombres, ¡oh Tiresias!, en vergonzosas caídas cuando visten sus palabras de bello ropaje y pronuncian discursos de fondo reprobable, sólo guiados por el afán del lucro.

TIRESIAS: ¡Huy! ¿Acaso se da cuenta el hombre, acaso piensa...?

CREONTE: ¿Qué...?

TIRESIAS: ¿Cuánto más vale el buen consejo que las riquezas?

CREONTE: Tanto, que pienso que la necesidad es el mayor de los males.

Tiresias: De ese mal, estoy seguro estás tú contaminado.
Creonte: No quiero injuriar a un adivino, aunque me injurie.
Tiresias: Pues eso haces al decir que mis adivinaciones son falsas.
Creonte: Porque toda la raza de los adivinos se vende por dinero.
Tiresias: Y la de los tiranos desea enriquecerse torpemente.
Creonte: ¿Ignoras que estás hablando con tu soberano?
Tiresias: Lo sé; pues por mí posees esta ciudad, que salvaste.
Creonte: Eres hábil adivino, pero te gusta la injusticia.
Tiresias: Me obligas a revelar secretos que deberían quedar ocultos en mi corazón.
Creonte: Revélalos; pero que no te guíe el lucro.
Tiresias: Ahora y antes creo que hablo en interés tuyo.
Creonte: Pues debes saber que no vas a lograr mi aprobación.
Tiresias: Tú también has de saber que pronto girará el Sol en su lucha contra las tinieblas, sin que en ellas tú mismo tengas que dar un muerto de tus propias entrañas a cambio de esos dos cadáveres, de los cuales has echado uno de la luz a las tinieblas, encerrando inicuamente a un alma viviente en la sepultura; y retienes aquí arriba al otro, privando de él a los dioses infernales por tenerlo insepulto y sin los debidos honores, en lo cual no tienes tú poder, ni tampoco los dioses de aquí arriba; procedes, pues, violentamente en todo esto. Ya te acechan las vengativas Furias de Plutón y de los dioses, que tras sí llevan la ruina, para envolverte con un torrente de males. Reflexiona si digo esto por amor al dinero. No pasará mucho tiempo sin que oigas en tu palacio los lamentos de los hombres y de las mujeres; ya se concitan contra ti, como enemigas, todas las ciudades en las que los perros o las fieras o algún ave voladora hayan depositado en sus aras algunos trozos del cadáver, llevando el impuro olor a los altares de la ciudad. Ahí tienes, aunque lo sientas, las certeras flechas que, cual arquero enfurecido, lanzo contra tu corazón, de las cuales no evitarás el dolor. ¡Oh niño!, sácame de esta mansión y llévame a casa para que éste descargue su cólera en gente más joven, y aprenda a refrenar su lengua y a sosegarla, que aprenda a tener en el alma mejores sentimientos.

Sale Tiresias guiado por el niño.

Coro: Ese hombre, ¡oh rey!, se va después de descargar sus horrendos vaticinios; y yo sé por experiencia que desde que cambié mi negro cabello por este blanco, jamás ha dicho mentiras a la ciudad.
Creonte: También lo sé yo, y mi mente se agita en un mar de confusiones, porque el ceder es terrible; pero si resisto, tal vez mi ira explote en la terrible fatalidad.
Coro: Se requiere prudencia, Creonte, hijo de Meneceo.

Creonte: ¿Qué he de hacer, pues? Dímelo, que yo obedeceré.

Coro: Libera cuanto antes a la muchacha de la sombría prisión, y prepara sepultura para el que yace insepulto.

Creonte: ¿Y esto lo apruebas tú y me pides que acceda?

Coro: Y pronto, ¡oh rey!, porque el castigo de los dioses, con sus ligeros pies, corta los pasos a los mal aconsejados.

Creonte: ¡Ay de mí! Costoso es, en verdad, y contra mi corazón, me decido a hacerlo; pero contra la fuerza del destino no se puede luchar con éxito.

Coro: Hazlo, pues, corriendo, y no lo delegues en otros.

Creonte: Cuanto antes, me voy. Vengan, siervos, vengan, los presentes y los ausentes; y con teas en las manos corran hacia el lugar famoso (*laguna*). Y yo, puesto que ha cambiado mi opinión, y yo mismo la aprisioné, quiero estar presente para salvarla; pues temo no sea la mejor resolución el vivir observando las leyes establecidas.

Sale Creonte con sus criados.

Coro: ¡Oh dios de muchos nombres, presea orgullosa de la ninfa cadmea, y del altitonante Júpiter hijo; que te complaces de vivir en la ínclita Italia y reinas en los valles, comunes a todos, de Ceres Eleusinia! ¡Oh Baco, que habitas en Tebas, metrópoli de las bacantes, junto a las aguas del Ismeno, donde fueron sembrados los dientes del feroz dragón! Hacia ti se dirige la llama que brilla sobre ese monte de dos cimas, por donde corren las Coricias ninfas bacantes y las fuentes de Castilla. Y a ti, las escarpadas alturas de los montes de Nisa, cubiertos de hierba, y la verde falda donde abunda la vid, envían, resonando los inmortales himnos evohé, evohé, a visitar las calles de Tebas, a la cual extraordinariamente honras sobre todas las ciudades, con tu madre, la herida del rayo, y ahora que toda la ciudad está infestada de violenta pestilencia, ven con tu saludable pie por encima del monte Parnaso y el resonante estrecho. ¡Oh jefe del coro de los arcos que respiran fuego, inspector de las nocturnas músicas, niño hijo de Júpiter, hazte presente, ¡oh rey!, junto con tus compañeras las Tiadas, que enfurecidas celebran en coro todas las noches a Baco su señor!

Entra presuroso un mensajero.

Mensajero: ¡Vecinos de Tebas y de la mansión de Anfión!, nunca más yo admiraré como feliz ni compadeceré como desgraciado a ningún hombre mientras le dure la vida; porque la suerte ensalza y la suerte abate sin cesar al hombre feliz y al hombre desgraciado. Y no hay quien adivine lo que ha de suceder a ningún mortal. Porque Creonte era digno de envidia, a mi parecer, cuando después de haber liberado de enemigos a esta tierra cadmea y apoderarse del mando supremo de la región, la gobernaba y vivía lleno de alegría y el placer, en mi concepto ya no vive, y lo considero como un cadáver animado, un muerto que sigue respirando. Amontona, pues, riquezas en tu casa, si te place, y vive ostentosamente con el aparato de un tirano; que si con todo eso te falta alegría, todo lo demás, comparado con el placer, no lo compraría yo para el hombre por la sombra del humo.

Coro: ¿Qué calamitosa noticia de los reyes nos traes?

Mensajero: Han muerto; y los que viven son culpables de la muerte.

Coro: ¡Quién ha matado? ¿Quién yace muerto? Dilo.

Mensajero: Hemón ha muerto: con su propia mano se ha herido.

Coro: ¿Cuál? ¿La del padre o la suya propia?

Mensajero: Él mismo se ha suicidado, iracundo contra su padre por la sentencia de muerte.

Coro: ¡Oh adivino! ¡Cuán cumplidamente diste la profecía!

Mensajero: Y siendo así, hay que pensar en lo demás.

Coro: Mira, mira..., veo a la desdichada Eurídice, la esposa de Creonte, que sale de palacio; ya sea por haber oído algo de su hijo, o por casualidad.

Entra Eurídice con sus criados.

Eurídice: ¡Oh ciudadanos todos! Oí algunas de vuestras palabras cuando salía a invocar con mis plegarias a la diosa Minerva. Me disponía a accionar la puerta cuando escuché el rumor de alguna desgracia de mi familia. Aterrada, caí de espaldas sobre mis esclavas y perdí el sentido. Pero cualquiera que fuese vuestra conversación, repítemela; que son las desgracias, para poder escucharlas.

Mensajero: Yo, amada reina, que estuve presente, te contaré la verdad, y no omitiré palabra. ¿Pues para qué ocultarte la verdad con un relato que luego me ha de hacer aparecer como embustero? Lo mejor siempre es la verdad. Yo seguía a tu marido acompañándolo hacia la eminencia del paraje donde aún yacía el no llorado cadáver de Polinices despedazado por los perros; y éste, después de suplicar a la diosa protectora del tránsito y a Plutón, para que benévolos aplacaran su ira, lavamos con agua lustral y quemamos sus restos sobre ramas recién cortadas; y habiéndole erigido un elevado túmulo con tierra donde nació, nos fuimos en seguida hacia la gruta que de piedra se había construido para cámara nupcial de los desposorios de la muchacha con Plutón. Uno de nosotros oye el grito de agudos lamentos que lejanos resonaban en aquella cámara privada de los fúnebres honores, y corriendo se lo anuncia a Creonte. Cuando éste, que oía el confuso clamor de tristes lamentos, llegó más cerca de la tumba, rompiendo en llanto se arrojó con estas dolorosísimas palabras: "¡Ah infeliz de mí! ¿Será cierto lo que me dice el corazón? ¿Acaso me hallo en el tránsito más desdichado de los pasos de mi vida? Me suena la voz de mi hijo. Pero, ¡siervos!, vengan corriendo; y ya en la tumba, arranquen la piedra que cierra la boca del hueco; y entrando en él, vean si es de Hemón la voz que oigo, o si me engañan los dioses." Y mira lo que vimos al cumplir las órdenes de nuestro abatido señor: en el fondo de la tumba vimos a ella ahorcada en un lazo que, formado con la tela del ceñidor, se había adaptado al cuello; y a él, que echado sobre ella la abrazaba, llorando la pérdida de su prometida, que ya vivía en el infierno, y la orden de su padre y su infortunado casamiento. Éste, en cuanto lo vio, dando un horrible grito se lanza hacia él, y gimiendo amargamente le dice: "¡Ah infeliz! ¿Qué has hecho? ¿Qué pensamiento ha sido el tuyo? ¿En qué desgracias te vas a perder? Sal de ahí, te lo ruego." Pero el muchacho, mirándole con enfurecidos ojos, y escupiéndole a la cara y sin contestarle, tira de su espada de doble filo y erró a su padre, porque éste se hizo a un lado. Entonces el infeliz, irritado contra sí mismo como estaba, se inclinó apoyando el costado en la punta de la espada; y en sus teñidos brazos, anhelante aún, se abrazó de la muchacha, enviándole en su estertor rápido chorro de sangre, algunas gotas de la cual enrojecieron las pálidas mejillas de la novia. Y allí yace un cadáver sobre otro cadáver, habiendo alcanzado el desdichado el cumplimiento de sus bodas en la mansión de Plutón, y demostrando a los mortales que la estulticia es para el hombre la mayor de las desgracias.

Se aleja la reina.

Coro: ¿Qué conjeturas ahora? Esa mujer ha desaparecido sin proferir buena ni mala palabra.

Mensajero: Yo mismo estoy azorado; pero espero que, enterada ella de la muerte del hijo, no creerá que deba llorarlo por las calles de la ciudad; sino que, yéndose a casa, anunciará a las esclavas la desgracia de la familia para que lo lloren; porque no está tan falta de juicio que cometa una atrocidad.

Coro: No sé por qué a mí el excesivo silencio me parece compañero de algo grave, lo mismo que el inmoderado clamor.

Mensajero: Entremos, pues, al palacio; no sea que algo oculte en su dolorido corazón; porque bien dices que un hondo silencio es cosa grave.

Se va el mensajero. Llega Creonte con su hijo muerto.

Coro: Pues he ahí al mismo rey, que viene llevando en sus manos la señal evidente, no de ajena culpa, sino la de su propio pecado.

CREONTE: ¡Oh crueles y mortales pecados de mis erróneos consejos! ¡Oh vosotros que véis al muerto y al matador en una misma familia! ¡Oh infaustas resoluciones mías! ¡Oh hijo, tan joven, y de prematura muerte, ay, ay, ay, ay, has muerto! Te has idó por mis funestas resoluciones, no por las tuyas. ¡Ay!, cuán tarde te das cuenta de lo que es la justicia. ¡Ay de mí! La conozco en mi desgracia. Pero en aquél entonces en verdad, entonces un dios gravemente irritado contra mí, azotó mi cabeza y me lanzó por funestas sendas, ¡ay de mí!, destruyendo mi felicidad, un dios que me pisoteó. ¡Huy, huy! ¡Oh infructuosos afanes de los mortales!

MENSAJERO (*que sale de palacio*): ¡Ay señor! ¡Cómo teniendo y sintiendo la desgracia que llevas en tus manos, tienes otra en casa, que pronto verás!

CREONTE: ¿Qué hay, pues, peor que el mismo mal?

MENSAJERO: Tu mujer ha muerto; la infeliz madre de ese cadáver se acaba de inferir herida mortal.

CREONTE: ¡Ay, ay, implacable puerto del infierno! ¿Por qué, pues, a mí, por qué me arruinas? ¡Oh tú, que vienes con tan fatales y funestas noticias! ¿Qué es lo que dices? ¡Ay, ay! A un hombre muerto ya has rematado. ¿Qué dices, hombre? ¿Esa nueva noticia que me anuncias, ¡ay, ay, ay, ay!, es la cruel muerte de mi mujer sobre la de mi hijo?

Se abre el palacio. En el fondo yace el cuerpo de Eurídice rodeado de sus criados.

CORO: Allí está, puedes verla, ya la han sacado del palacio.

CREONTE: ¡Ay de mí! ¡Ésta es otra nueva desgracia que veo! ¡Infeliz de mí! ¿Qué otra, pues, qué otra fatalidad me aguarda? Tengo en brazos a mi hijo, que acaba de morir, y veo enfrente otro cadáver. ¡Infeliz de mí! ¡Ay, ay, madre desdichada! ¡Ay, hijo!

MENSAJERO: Ella, ante el altar se hirió gravemente con una daga, dio reposo a sus ensombrecidos ojos después de llorar la gloriosa muerte de su hijo Megareo, que perdió antes, y luego la de éste, y lanzando últimamente maldiciones sobre ti por tus imprudentes determinaciones como asesino de tu hijo.

CREONTE: ¡Ay, ay, ay, ay! Estoy horrorizado. ¿Por qué no me matas con la espada de dos filos? ¡Qué miserable soy! ¡Ay, ay! ¡Estoy envuelto en un mar de calamidades!

MENSAJERO: Como que fuiste acusado por la difunta de tener tú la culpa de la muerte de ella y de la de su hijo.

CREONTE: ¿Y cómo se mató?

MENSAJERO: Hiriéndose con su propia mano en el corazón, en cuanto se enteró de la deplorable muerte de su hijo.

CREONTE: ¡Ay de mí! Yo fui el autor de este crimen. ¿A quién podría acusarse de él? Tan sólo a mí. Pues yo, yo le maté, desdichado, yo; lo digo en verdad. ¡Oh siervos!, llévenme pronto a toda prisa; échenme de aquí, que ya no soy nada.

CORO: Bien nos exhortas, si es que algún bien puede haber en el mal; pues de los males presentes, los más breves son los mejores.

CREONTE: ¡Venga, venga! ¡Aparezca el último y más deseado de mis infortunios, trayéndome el fin de mis días! ¡Venga, venga, para que ya no vea otro sol!

CORO: Esas cosas están por venir. Preocupémonos de las presentes; pues de las otras, ya cuidarán aquellos que deben cuidarse.

CREONTE: Pero lo que deseo es lo que pido en mis súplicas.

CORO: Nada pidas; que de la suerte que el destino tenga asignada a los mortales, no hay quien pueda evadirse.

CREONTE: Echad de aquí a un hombre delincuente que, ¡ay, hijo!, te mató sin querer y a ésta también. ¡Pobre de mí! No sé hacia qué lado deba inclinarme, porque todo lo que tocan mis manos se vuelve contra mí; sobre mi cabeza descargó intolerable fatalidad.

Entra al palacio llevado por sus criados.
Ellos recogen el cuerpo de Hemón.

CORO (*al pueblo*): La prudencia es la primera condición para la felicidad; y es menester, en todo lo que a los dioses concierne, no cometer impiedad; pues las insolentes bravatas que castigan a los soberbios con atroces desgracias, les enseñan a ser prudentes en la vejez.

ELECTRA

Personajes:
Electra.
Orestes.
El ayo de Orestes.
Crisótemis, los tres hijos de Agamenón y Clitemnestra.
Clitemnestra, ex esposa de Agamenón.
Egisto, unido a Clitemnestra.
El coro.

Llegan el ayo y Orestes con Pílades ante el palacio.

EL AYO: ¡Oh, hijo de Agamenón, que en otros tiempos fue generalísimo del ejército en Troya! Ya puedes contemplar aquellos objetos que tanto ansiabas. Éste es el antiguo Argos que deseabas, el sagrado bosque de la agitada por el furor, hija de Inaco; ésta, Orestes, es la plaza con el templo del dios matador de lobos, Apolo, y éste que ves a la izquierda es el célebre templo de Juno; el lugar a que hemos llegado, ya puedes pensar, por lo que vez, que es la abundante en oro Micenas; y éste, el calamitoso palacio de los Pelópidas, lleno de desventuras, del cual, después del asesinato de tu padre, te saqué, recibiéndote de manos de tu hermana, y te salvé y eduqué, para que vengues la muerte de tu padre. Ahora, Orestes, y tú, queridísimo huésped Pílades, tenemos que decidir cuanto antes lo que haremos; porque ya la refulgente luz del sol despierta los matinales y armoniosos trinos de las aves, y la negra noche levanta su oscuro manto celestial. Antes de que algún hombre salga de este palacio, hemos de estar de acuerdo; porque nos hallamos en trance de no titubear, sino de poner manos a la obra.

Orestes: ¡Oh tú, el más fiel de todos los criados, cuán claras muestras me das de tu natural benevolencia para conmigo! Como el noble caballo, que aun viejo, en los momentos difíciles no pierde el vigor, sino que se mantiene firme con las orejas tiesas, así tú nos impulsas y tomas la delantera en la empresa. Voy, pues, a exponerles mi decisión; escucha con atención mis palabras, y si en algo yerro, corrígeme. Cuando acudí a consultar al oráculo pítico para saber de qué modo habría que hacer justicia a mi padre, Febo me respondió: "No con armas de guerra, ni con ejércitos, sino tú solo y con astucia y con tretas, perpetra secretamente con tu mano los justos asesinatos." Esto, pues, fue lo que oímos del oráculo, entra en palacio en la primera oportunidad que se te presente y observa todo lo que en él se hace, para que, una vez enterado, me lo comuniques con toda claridad. No han de conocerte por tu vejez ni por tu larga ausencia; ni siquiera deben abrigar sospechas. Sírvete de este pretexto: di que eres huésped focense que traes una misión de Fanotes, porque éste es el mejor de sus aliados; y anúnciales con toda la suerte de pruebas que ha muerto Orestes en accidente fatal en los certámenes píticos, arrojado desde el pescante del carro. Eso es lo que les has de decir, y si es preciso, júralo. Nosotros, según se nos mandó, vamos ante todo a derramar libaciones y colocar las mechas de pelo que nos cortaremos, sobre la tumba del padre, y volveremos enseguida con la urna entre las manos, que sabes tengo oculta en unas plantas, con objeto de engañarlos con la grata noticia de que mi cuerpo ha sido ya quemado y convertido en cenizas. Pues, ¿qué pesar he de sentir por esto, si de palabra muero, y vivo para obrar y alcanzar gloria? Sé demasiado bien que no hay razón mala, si trae provecho; pues ya he visto muchas veces que los sabios se hacían pasar por muertos, y luego, cuando regresaban de nuevo a su casa, alcanzaban mayor honra. Así también espero que después de esta noticia he de aparecer yo entre mis enemigos, resplandeciendo como un astro. Pero, ¡oh tierra de mis padres y dioses regionales!, recibidme propicios para que logre feliz éxito en mi empresa; y tú también, casa paterna, pues vengo a purificarte con la justicia, por mandato de los dioses. No me arrojen de esta tierra sin honores, sino pónganme en posesión de mi palacio y riquezas. Esto es lo que les pido. Y tú, anciano, procura esmerarte en tu cometido, entrando ya en palacio. Nosotros dos nos vamos; porque la oportunidad es el mejor maestro de los hombres en toda empresa.

Electra: ¡Ay de mí, ay de mí!

El ayo: Hijo, creo haber escuchado el llanto de alguna sierva.

Orestes: ¿Será la desdichada Electra? ¿Quieres que esperemos y escuchemos sus lamentos?

El ayo: De ningún modo. Antes que nada hemos de procurar cumplir el mandato del oráculo y, por tanto, hemos de empezar derramando las libaciones en honor de tu padre; pues esto, digo, esto es lo que nos ha de dar la victoria y el buen éxito de nuestra empresa.

Sale el ayo por la izquierda; Orestes y Pílades por la derecha. Por un instante el escenario queda solo. Al fin sale Electra.

Electra: ¡Oh purísima luz y aire que envuelven toda la tierra!, cuántos doloridos lamentos y golpes que vulneran mis ensangrentados pechos de mí oyes a diario, en cuanto la tenebrosa noche desaparece y el día despunta. Pues mis nocturnos sufrimientos ya los saben los odiados lechos de esta maldita casa: cuánto lloro a mi infeliz padre, a quien en extraña tierra el cruel Marte respetó; pero mi madre y el adúltero Egisto, cual leñadores que cortan una encina, la cabeza le cortaron con ensangrentada hacha. Y no hay aquí otra que te llore más que yo, ¡oh padre!, habiendo sido tan cruel e injustamente asesinado. Y no cesaré en mi llanto y amargos lamentos mientras contemple la brillante claridad de los astros y la luz del día; sino que, como ruiseñor que ha perdido sus hijos, resonará el eco de mis lamentos a la faz del mundo ante las puertas del palacio de mi padre. ¡Oh mansión de Plutón y de Proserpina! ¡Oh infernal Mercurio, oh augusta diosa de la maldición, y venerables deidades de la venganza, hijas de los dioses, que ven a todos los que mueren injustamente y a los que se apoderan del lecho ajeno!, vengan, ayúdenme, venguen la muerte de mi padre, y envíenme a mi hermano, pues sola, no tengo fuerzas para soportar el peso de mi desgracia.

Entra el coro conforme ella dice su lamento.

Coro: ¡Oh Electra, hija de la más funesta madre! ¿Por qué te consumes en tan incesantes lamentos, llorando a tu padre Agamenón, que desde hace tiempo, preso impíamente en los engaños de tu dolosa madre, fue asesinado a traición? Perezca quien tal hizo, si me es permitido manifestar mi deseo.

ELECTRA: ¡Oh gente noble que acude a consolarme en mi desgracia!, lo sé y lo comprendo; no se me oculta; mas no quiero dejar de llorar a mi desgraciado padre. Pero ya que ustedes me corresponden con todo el agrado de la amistad, dejen que muestre mi frenesí, ¡ay, ay!, se los suplico.

CORO: Pero ni con llantos ni maldiciones sacarás a tu padre del infierno en donde hay lugar para todos, sino que llorando más allá de lo debido, con ese inmenso dolor te vas marchitando sin que en tu llanto encuentres solución a tu desgracia. ¿Por qué deseas tu mal?

ELECTRA: Sólo un loco se olvida del padre que tan lastimosamente le han arrebatado; porque a mí sólo me alivia el corazón el ave lamentosa que clama siempre Itis, la desventurada avecilla, mensajera de Júpiter. ¡Oh sufridísima Níobe!, a ti te tengo yo por diosa, que en pétrea sepultura, ¡ay, ay!, estás llorando.

CORO: No para ti sola, hija, apareció el dolor entre los mortales, ante el cual tú te exasperas más que todos los de casa, siéndoles igual en nacimiento y en sangre, como ves que sucede a Crisótemis y a Ifianasa y al joven Orestes, que sufriendo en secreto vive afortunadamente, y que la ilustre tierra de Micenas, suelo de eupátridas, recibirá cuando venga en regocijada marcha a esta tierra.

ELECTRA: Sin cesar le espero, sin hijos, desdichada y sin esposo, y me muero, bañada en lágrimas, en este interminable cúmulo de desgracias. Mas él se ha olvidado de lo que sufrió y de lo que se le enseñó. ¿Cuántas falsas noticias no he recibido? Siempre desea venir y, deseándolo, no se digna aparecer.

CORO: Ánimo, hija mía, ten confianza. Aún en el alto cielo impera Júpiter omnipotente, que todo lo ve y todo lo puede; confíale el deseo de venganza que tanto te aflige, y sin olvidarte de ésos a quienes odias, no extremes tanto el odio contra ellos; pues el tiempo es dios que todo lo facilita. Porque ni el hijo de Agamenón que en Crisa habita la ribera donde pacen bueyes, se olvida de su misión; tampoco el dios que reina en el Aqueronte.

ELECTRA: Pero ya he pasado buena parte de mi vida sin lograr mis esperanzas, y no puedo más: vivir sin hijos me consume, y no tengo varón amante que me asista, sino que como indigna esclava extranjera trabajo en la casa de mi padre, así como me ven, con este harapiento vestido, y sirvo a la mesa en que falta el señor.

CORO: Lastimero grito se oyó al llegar tu padre, e igualmente lastimoso fue el grito que resonó en el lecho nupcial, cuando sobre él descargó adverso golpe de hoz. Traición tramó el parricidio que el amor ejecutó, habiendo ambos engendrado horriblemente el terrible espectro, ya sea un dios, ya una pasión humana, quien todo esto llevó a cabo.

Electra: De todos los días que he vivido, aquél ha sido el más odioso para mí. ¡Oh noche! ¡Oh atroces dolores de infame banquete, en que recibió mi padre la afrentosa muerte de cómplices manos; manos que traidoramente esclavizaron mi vida, que me perdieron! Ojalá que el poderoso Júpiter que en el Olimpo reina, haga que se pudran sus carnes, como castigo de sus males y que jamás el sol salga para ellos.

Coro: Ten prudencia y no hables más. ¿No te das cuenta que tú misma te has buscado esta situación? ¿Y que tú misma has engendrado rencillas en tu irascible corazón? No conviene reñir con los poderosos.

Electra: Los malos tratos me obligaron, los malos tratos. Comprendo muy bien mi cólera, no se me oculta. Aunque me halle en tan deplorable situación, no cejaré en mis maldiciones mientras viva. ¿Cómo, pues, si no hiciera esto, ¡oh queridas amigas!, podré oír jamás una palabra de consuelo de cualquiera que piense bien? Dejadme, pues amigas, que nada puede curar esta situación. Nunca terminará mi desgracia, y mi llanto será eterno.

Coro: Como una buena madre fiel que te ama vengo a decirte que no agregues nuevas desgracias a tus desgracias.

Electra: Pero, ¿cuál es la medida de mi desgracia? Dime, ¿cómo puede ser obra buena despreciar a los muertos? ¿En qué corazón humano cabe tal sentimiento? Ni quisiera sentirme honrada entre esta gentuza, ni aunque me encontrase bien agasajada, conviviría tranquila abatiendo el vuelo de mis agudos lamentos y dejando de honrar la memoria de mi padre. Porque si es que el miserable a quien mataron ha quedado convertido en polvo y nada más, y los asesinos no expían sus crímenes con el castigo, la vergüenza y la piedad deben desaparecer de entre los hombres.

Coro: Hija mía, he venido a consolarte y tranquilizarme a mí misma. Si no tengo razón, tuya es la victoria: todas al unísono te obedeceremos.

Electra: Yo me avergüenzo, ¡oh mujeres!, si creen que les importuno con mis incesantes lamentos; pero como la violencia me obliga a proferirlos, perdonadme. ¿Cómo no haría lo mismo toda mujer de prosapia, al contemplar la ignominia de su casa? La ignominia que estoy viviendo aumenta cada día y cada noche en vez de disminuir, y con la cual convive de la manera más afrentosa la madre que me parió. Vivo en palacio con los mismos asesinos de mi padre; y ellos mandan de mí y de ellos depende el que yo tenga una cosa o carezca de ella. Además, ¿cómo crees que pasaré yo los días, cuando veo a Egisto sentado en el mismo trono de mi padre, y vistiendo las mismas ropas de aquél, y que derrama las libaciones domésticas en el mismo sitio en que le asesinaron, y veo también, como la mayor de todas las injurias, al asesino en el mismo lecho de mi padre con la miserable de mi madre, si puedo llamar madre a la que con aquel hombre duerme, y tan tranquila, que convive con el genio impuro y malhechor sin temor a ninguna maldición, antes al contrario, pareciera jactarse del crimen, todos los meses, cuando llega el día en que traidoramente mató a mi padre celebra fastuosos bailes y sacrifica ovejas a los dioses salvadores? Yo, infeliz veo todo esto en palacio, lloro, me consumo y me lamento, sola y sin compañía, de aquél tan desgraciado y renombrado banquete. Y ni siquiera me es permitido llorar hasta que mi corazón quede satisfecho; porque ella, que para hablar es bravía mujer, me injuria con estos insultos: "¡Oh víbora maligna! ¿Sólo a ti se te ha muerto el padre? ¿No hay otras en la misma desgracia? ¡Así enhoramala murieras y nunca te dispensaran de esos llantos de ahora los dioses infernales!" Así me insulta. Sólo cuando oye de alguien que viene Orestes, es cuando llena de rabia se me acerca y me dice: "¿No eres tú la culpable de toda mi desgracia? ¿No fuiste tú la que salvaste a Orestes quitándomelo de las manos? Sabe, pues, que has de pagar el justo castigo." Así vocifera, como perra a quien azuza aquel ilustre novio que presencia tales escenas; ese cobarde y ruin, que sólo se atreve a pelear con mujeres. Yo espero que venga Orestes para concluir con todo esto; mientras, me consumo en mi desgracia. Él, esperando siempre oportunidad para hacer algo, ha hecho que se vayan desvaneciendo todas mis esperanzas; y en tal situación, amigas mías, ni me es posible tener recatos ni pensar cuerdamente; porque en la desesperación es grande el impulso que nos obliga a obrar mal.

Coro: Escucha, dinos, ¿nos cuentas esto hallándose Egisto en casa o fuera de ella?

Electra: Ausente está. Si se hallara en casa no osaría yo salir a la puerta. Ahora está en el campo.

Coro: Siendo así, ¿podemos continuar nuestra conversación con más confianza?

Electra: Pregunta cuanto quieras, que ausente está.

Coro: Te pregunto: ¿Qué me dices de tu hermano? ¿Vendrá o no vendrá? Quiero saberlo.

Electra: Él asegura que viene, pero no cumple nada de lo que dice.

Coro: Suele vacilar el hombre cuando se prepara para una gran obra.

Electra: Pues yo le salvé a él sin pensarlo mucho.

Coro: Confía en él. Es noble y ayudará a sus amigos.

Electra: Eso creo, de lo contrario ya me habría muerto.

Coro: Espera, que veo salir de palacio a Crisótemis, tu hermana de padre y madre, llevando en las manos ofrendas fúnebres que se consagran a los muertos.

Llega Crisótemis.

CRISÓTEMIS: ¿Qué cuentos son ésos, hermana mía, que a puerta de casa estás contando, sin querer aprender en tanto tiempo a no acariciar ilusiones con tus vanos deseos? Yo bien sé cómo yo siento lo que nos está pasando, de tal modo, que si tuviera medios manifestaría lo que contra ellos pienso. Pero ahora creo que debo conformarme a navegar en la desgracia y no intentar hacer nada para no aumentar mi sufrimiento. Me gustaría que tú hicieras lo mismo. En verdad es que lo justo no está en lo que yo digo, sino en lo que tú haces; pero para vivir con libertad me es preciso obedecer en todo a los que de nosotras mandan.

ELECTRA: Es triste que, siendo hijas del mismo padre, te hayas olvidado de él y te intereses por ésa que te ha parido. Todos los consejos que me das, ella te los ha enseñado; ninguno sale de ti. Pues elige: o estás loca, o en tu cabal sentido te olvidas de los seres queridos; porque me acabas de decir que si tuvieras valor manifestarías el odio que les tienes, y en cambio a mí, que en todo procuro la venganza de nuestro padre, no sólo no me ayudas, sino que tratas de disuadirme de lo que hago. ¿No es esto cobardía, además de maldad? Porque, o convénceme o déjate convencer. ¿Qué gano yo dejando de llorar? ¿No vivo? Es verdad que de manera miserable, pero ello me basta, y con mis lamentos amargo la vida de ésos, para que el muerto obtenga alguna satisfacción, si es que allá se puede sentir gozo. Y tú, que dices odiarlos, los aborreces sólo de palabra; porque de obra estás de acuerdo con los asesinos del padre. Pero yo jamás; porque aunque se me ofrecieran todos esos regalos de que tanto gozas, nunca les obedecería. Siéntate tú en rica mesa y nada en la opulencia; que a mí me basta como único sustento mi propia satisfacción. No quiero alcanzar tus honores, que tampoco tú los quisieras si tuvieses buen corazón. Pero pudiendo llamarte hija del más esclarecido padre que ha habido, quieres que te llamen hija de la madre. Así pondrás más en evidencia tu vileza, traicionando a tu difunto padre y a tus amigos.

CORO: ¡Nada de iras, por los dioses!, pues de lo que ambas dicen se puede sacar provecho si tomaras tú los buenos consejos de ésta y ella los tuyos.

CRISÓTEMIS: Yo, amigas, estoy ya acostumbrada a los reproches de ésta; y no le diría absolutamente nada si no supiera que se cierne sobre ella un terrible castigo que le hará cesar de tales lamentos.

ELECTRA: Veamos, ¿qué es eso tan terrible? Porque si fuera más que lo que estoy pasando, no te contradeciré.

CRISÓTEMIS: Te diré todo lo que he oído. Si no desistes de tus lamentaciones, te mandarán a un sitio donde no verás la luz del sol, y vivirás allí en tenebrosa caverna, fuera del mundo, llorando tus desdichas. Ya lo sabes. Piensa pues, y no me acuses luego de lo que sufras; porque aún es tiempo de tomar buen consejo.

ELECTRA: ¿Es verdad que eso han tramado en mi contra?

CRISÓTEMIS: Y tanto; apenas haya regresado Egisto.

ELECTRA: Pues si es así, ojalá que pronto regrese.

CRISÓTEMIS: ¿Qué es lo que deseas, desdichada?

ELECTRA: Que venga aquél, si piensa lleva a cabo eso.

CRISÓTEMIS: ¿Para aumentar tus sufrimientos? ¿No has reflexionado en ello?

ELECTRA: Para verme alejada de ustedes lo más pronto.

CRISÓTEMIS: ¡Qué! ¿No precias en nada la vida?

ELECTRA: ¡Dichosa vida es la mía....!

CRISÓTEMIS: Pero lo sería si fueras más prudente.

ELECTRA: No me inclines a ser mala con los seres queridos.

CRISÓTEMIS: No pretendo eso, sino que seas sumisa con quienes de nosotras mandan.

ELECTRA: Tú sé así, y no critiques mi modo de ser.

CRISÓTEMIS: Sin embargo, es bueno no caer en imprudencia.

ELECTRA: Caeré si es necesario, pero vengando al padre.

CRISÓTEMIS: El padre, en estas cosas, sé que es indulgente.

ELECTRA: Esas palabras no puede aplaudirlas más que un ingrato.

CRISÓTEMIS: ¿Pero no me creerás y te pondrás de acuerdo conmigo?

ELECTRA: En absoluto. Aún no he perdido el juicio.

CRISÓTEMIS: Me marcho, pues, a donde se me ha enviado.

ELECTRA: ¿A dónde vas? ¿A quién llevas esas ofrendas?

CRISÓTEMIS: La madre me envía a derramar libaciones sobre la tumba de nuestro padre.

ELECTRA: ¿Qué dices? ¿Sobre la tumba del más infeliz de los mortales?

CRISÓTEMIS: Al que ella misma mató; pues eso quieres decir.

ELECTRA: ¿Qué amigo la ha aconsejado? ¿Quién le ha dado tal consejo?

CRISÓTEMIS: Del miedo derivado del funesto sueño que ha tenido esta noche, según creo.

ELECTRA: ¡Oh dioses de la familia, ayúdenme en este trance!

CRISÓTEMIS: ¿Tienes alguna esperanza en este miedo?

Electra: Si me narrras la visión te lo diré.

Crisótemis: No puedo decirte más que lo poco que sé.

Electra: Cuéntamelo, que muchas veces pocas palabras resultan bastantes para derribar y levantar a los hombres.

Crisótemis: Circula el rumor de que ella ha tenido una segunda conversación con nuestro padre, que se le ha aparecido; quien en seguida clavó en el hogar el cetro que antes llevaba él y ahora Egisto; que del cetro brotó frondoso ramo que con sus hojas cubrió todo el suelo de Micenas. ¿Cómo lo supe? Esto oí contar a alguien que se hallaba presente cuando ella exponía su sueño al Sol. No sé más, sino que me envía por el miedo que siente. Ahora, por los dioses lares te suplico atiendas mis consejas para evitar caer en nuevas desgracias.

Electra: Amada mía, de todo eso que llevas en las manos no derrames nada en la tumba del padre. No es justo ni piadoso que deposites en ella las oblaciones fúnebres de esa odiosa mujer, ni que ofrezcas sus libaciones al padre. Arroja todo al viento, entiérralas, de modo que nada de ello pueda filtrarse a la tumba del padre, sino que le sirvan a ella cuando muera de salvaguardia para el infierno. Porque si esa mujer no fuera la más imprudente de todas las nacidas, nunca habría tenido la osadía de derramar libaciones en la tumba de aquel a quien ella misma mató. Considera tú, si te parece, cómo puede el cadáver que yace en el sepulcro recibir con agrado las ofrendas y de ésa que le asesinó ignominiosamente, le mutiló como si fuera enemigo y para purificarse, en la cabeza de él limpió las manchas. ¿Crees acaso que envía esas ofrendas para expiar su homicidio? No es posible. Tíralas pues. En vez de ello, lleva un rizo de tu cabello, y con otro del de esta desgraciada — poco es, pero es lo único que tengo— ofrécele este hirsuto cabello y también mi cinturón, aunque no tenga ningún adorno. Y postrada ante su tumba, pídele que venga piadoso en nuestro auxilio contra los enemigos; y que su hijo Orestes conculque bajo su pie y avasalle duramente a esos seres odiados, para que en adelante le presentemos ofrendas más ricas que las que ahora le ofrecemos. Pues yo creo sinceramente que por él se le aparecen a ésa tan horrorosas visiones. Por lo tanto, hermana, ayúdame en estas cosas que vienen en tu favor y en el mío y en el del más querido de los mortales: nuestro padre, que yace en la mansión de Plutón.

Coro: Conmovida de piedad dice la joven: "Y tú, querida, si piensas bien, debes hacer lo que te manda."

Crisótemis: Lo haré, pues lo que es justo no se discute, sino que exige prisa para ejecutarlo. Pero al emprender yo estas cosas guarden silencio, por los dioses, amigas. Porque si lo supiera mi madre, creo que me resultaría amarga y dolorosa mi osadía.

Sale Crisótemis.

Coro: Si no soy necio adivino destituido de toda sabia previsión, ya se acerca la providente Justicia llevando en sus manos el justo pago del crimen. Llegará, hija, sin que pase mucho tiempo. Tengo confianza desde que hace poco oí los ensueños del viento propicio. Pues jamás se me olvida el que fue rey de los helenos, ni tampoco la antigua y férrea hoz de dos filos que lo mató de la manera más infame y cruel. Vendrá, pues, la Venganza, la de pies de hierro, que con sus múltiples manos y pies oculta está en terrible emboscada. Caerá sobre las rencillas surgidas de sangrientas nupcias, que no debían haberse celebrado y menos haberse consumado, porque lo prohibía la ley. Por esto creo yo que se nos ha aparecido este irreprochable prodigio contra los criminales y sus cómplices: o es que las adivinaciones de los mortales nada significan en los terribles ensueños ni en los oráculos, si la aparición de esta noche no la he de considerar como un bien. ¡Oh Pélope! En tremenda cabalgata a este suelo, antaño origen de desgracias. Puesto desde que hundido en el mar yace Mirtilo, que del dorado pescante por desdichados ultrajes arrancado de cuajo fue lanzado en él, nunca se apartó de esta casa la funesta calamidad.

Aparece Clitemnestra con una criada llevando una ofrenda.

Clitemnestra: Al parecer, te has lanzado de nuevo. Es cierto que no está en casa Egisto, el único que te contiene para que no salgas a la calle y escandalices a los amigos. Pero ahora que ausente está aquél, ningún caso haces de mí; y pese a que tantas veces has dicho a todo el mundo que soy muy dura contigo y no te tengo ninguna compasión, haciendo escarnio en ti y de todo lo tuyo, yo no te guardo rencor, y si alguna vez te insulto, es por las muchas veces que me insultas. Que tu padre fue muerto por mí: ese es el único pretexto que tienes; por mí, es verdad; no puedo negarlo. Pero fue Justicia quien lo mató, no yo sola, y a ella debías tú ayudar si estuvieras cuerda. Siempre sales con la cantaleta de que yo maté a tu padre, a quien no cesas de llorar. Fue él el único entre todos los helenos que aceptó sacrificar a tu hermana a los dioses. Claro, él no sufrió para engendrarla, pero qué dolores sufrí yo al parirla. Vamos, pues, dime, ¿por qué causa y por quiénes la sacrificó? ¿Dirás que por los argivos? ¿Y qué derecho tenían ellos para matar a mi hija? Y habiendo matado él a mi hija, en vez de matar a la suya su hermano Menelao, ¿no debía darme satisfacción de ello? Pues, ¿no tenía aquél dos hijos que debían haber sido sacrificados antes que mi hija, siendo su padre y su madre los culpables de la expedición? ¿Acaso Plutón manifestó deseos de que se le sacrificasen mis hijos en lugar de los de aquél, o que tu malvado padre perdió el amor que tenía a mis hijos y lo conservó para los de Menelao? ¿No es propio esto de un padre descorazonado?, diría la pobre niña muerta si recobra la voz. Yo no me arrepiento de mis actos; y si tú crees que no pienso con sensatez, tú, que tan recto juicio tienes, repróchanos a los de casa.

ELECTRA: No dirás ahora que yo inicié la contienda. Déjame hablar, yo también tengo algo que decir en defensa de mi padre y de mi hermana. Yo ya te he escuchado.

CLITEMNESTRA: Y tanto como te lo permito; porque si siempre me hablaras así, nunca oirías malas palabras de mí.

ELECTRA: Te lo diré. Confiesas haber matado a mi padre. ¿Qué confesión puede haber más afrentosa que ésa, ya lo mataras con razón o sin ella? Pero no lo mataste con razón, sino arrebatada por amor a ese hombre malvado con quien ahora vives. Pregunta a la cazadora Diana por culpa de quién detuvo los vientos en Aulide; pero yo te lo diré, pues de ella no es posible que tú lo sepas. Según he oído, en cierta ocasión mi padre salió de cacería. Se trataba de un bosque consagrado a la diosa. Mi padre mató un ciervo de variados colores, de cuya muerte se envaneció soltando cierta irreverente palabra. Y encolerizada por esto la hija de Latona, detuvo allí a los aqueos hasta que el padre sacrificó a su hija en compensación de la fiera. Así ocurrió el sacrificio de aquélla, porque no había otra solución para que el ejército regresase a la patria o continuara su marcha hacia Troya. Contrariado, pues, el padre y obligado por tal necesidad, sacrificó a su hija; no por causa de Menelao. Pero suponiendo fuera como tú dices, si él, queriendo servir a su hermano, hubiera hecho tal cosa, ¿era preciso que por ello le mataras tú? ¿Con qué derecho? Piensa que si implantas esa ley entre los mortales, decretas tu propio castigo y arrepentimiento; porque si con la muerte hemos de castigar a quien mata, tú serás la primera en morir si te alcanza la justicia. Pero reflexiona, y verás que tus argumentos son falsos. Pues si te place, dime por qué motivos observas ahora la conducta más vergonzosa, viviendo con el miserable asesino que te ayudó a matar a mi padre, y tienes hijos de él, habiendo abandonado a los legítimos habidos de legítimos matrimonios. ¿Cómo es posible aprobar tu proceder? ¿Dirás que con ello te compensas de la hija que te privó? Es vergonzoso que eso digas; porque es adulterio casarse con asesinos por causa de una hija. Y ni siquiera tienes autoridad para amonestarme, tú que sueltas toda tu lengua diciendo que maltrato a la madre, porque más como ama despótica que como madre te he de considerar yo, que arrastro vida miserable, sumida siempre en las terribles angustias que me proporcionas tú y tu amante. Y ausente el otro, desde que escapó de tus manos, el desdichado Orestes lleva también una vida desdichada. Orestes, a quien tantas veces me acusas de haberlo salvado para que sea el instrumento con que me vengue el crimen; cosa que si yo pudiera la haría de muy buena gana; entiéndelo bien. Y por esto, si quieres, pregona ante todos que soy una malvada, una maldiciente y una desvergonzada; porque si diestra soy en todo esto, en nada me avergüenzo, pues heredé tus dotes.

Coro: Te veo muy furiosa; y, aunque sea justo, en tal desesperación no quiero verte más.

Clitemnestra: ¿Qué necesidad tengo de respetar a ésta que de tal manera injuria a la madre que la parió, no siendo más que una niña? ¿Acaso crees que puedes hacer todo lo que se te antoje, sin ningún recato.

Electra: Sabe bien que me avergüenzo de todas estas cosas, aunque no lo parezca. Yo sé que lo que hago es inoportuno e impropio de mí. Pero tu aviesa intención y tu conducta me obligan a obrar contra mi voluntad; pues viviendo con locos, no se aprenden más que desvergüenzas.

Clitemnestra: ¡Oh raza impúdica! ¿Con que yo y mis palabras y mi conducta te obligan a hablar así?

Electra: Tú lo dices, no yo. Tú cometiste el asesinato, y él es el origen de todo lo que hablamos.

Clitemnestra: Pues por la venerable Diana que me pagarás esa osadía en cuanto llegue Egisto.

Electra: ¿No lo ves? Te llenas de cólera, habiéndome dado autorización de decir todo lo que quisiera. No me escuchas con paciencia.

Clitemnestra: ¿No guardarás silencio y me dejarás celebrar un sacrificio, ya que te he permitido decir lo que querías?

Electra: Te dejo, te lo suplico, ofrece tus sacrificios. Nada diré. Sello mi boca.

Clitemnestra: Levanta, tú que me asistes, la oblación que contiene toda clase de ofrendas en honor de este rey a quien elevo mis súplicas para que me libres de los temores que tengo. Ya puedes escuchar, Apolo protector, mis silenciosos ruegos. No me encuentro entre amigos para decir lo que pienso, ni conviene tampoco que lo revele todo a plena luz, estando en mi presencia ésta, que con su rencor y su lengua suelta divulgaría falsos rumores por toda la ciudad. Escúchame, pues, que de así te lo diré. Los espectros que vi esta noche en mi doble ensueño, esos mismos, ¡oh Licio rey!, si se me han aparecido como favorables, haz que produzcan su efecto; pero sí como adversos, tuércelos en contra de mis enemigos; y si algunos traman conjura para despojarme de la opulencia en que vivo, no lo permitas, sino que deja que viva yo feliz, sin temor ninguno, señora de este palacio y del cetro de los átridas, en compañía de los seres queridos con quienes ahora vivo dichosa y de los hijos que no me guardan rencor ni odiosa ira. Todo esto, Licio Apolo, óyeme propicio y concédemelo como te lo pido. Lo demás, aunque lo calle, sé bien que tú siendo genio, lo sabes todo, pues natural es que los hijos de Júpiter todo lo vean.

Entra el ayo de Orestes.

El ayo: Mujeres extranjeras, ¿me podrían decir con certeza si éste es el palacio de Egisto?

Coro: Éste es, extranjero, has dado con él.

El ayo: Y a juzgar por su aspecto, ¿ésta es la reina?

Coro: En efecto, ella es la que tienes delante.

El ayo: Salve, reina. Me envía un amigo tuyo, con gratas noticias para ti y para Egisto.

Clitemnestra: Acepto el saludo; pero necesito, antes que nada, saber quién te envía.

El ayo: Fanotes el Focense, con una importante noticia.

Clitemnestra: ¿Cuál extranjero?, dilo; pues siendo de un amigo, bien sé que me anunciará gratas nuevas.

El ayo: Ha muerto Orestes. En resumen esto es todo.

Electra: ¡Ay mísera de mí! ¡Hoy me muero!

Clitemnestra: ¿Qué dices, qué dices, extranjero? De ésa no hagas caso.

El ayo: Que ha muerto Orestes, te repito; lo mismo que antes.

Electra: ¡Perdida estoy, infeliz de mí; ya no soy nada!

Clitemnestra: Tú preocúpate de lo tuyo; y ahora, extranjero, cuéntame la verdad. ¿Cómo murió?

El ayo: A eso he venido y todo te lo diré. Habiéndose presentado él en las magníficas y fastuosas fiestas de la Grecia, para conquistar los premios en los juegos délficos, apenas oyó al heraldo que en alta voz pregonaba la carrera en que consistía la primera lucha, se lanzó como un rayo, dejando perplejos a los espectadores. Y cuando, después de doblar la meta, llegó al término de su carrera, salió con todos los honores de la victoria. Y para decírtelo en pocas palabras, nunca había visto yo tales hazañas ni tal empuje en ningún hombre. Repara en esto sólo: de todos cuantos ejercicios pregonaron los jueces, ya de carreras dobles, ya de los demás que constituyen el quinquercio, se llevó todos los premios, colmado de felicitaciones y aclamado por todos, el argivo llamado Orestes, hijo de Agamenón, el que en otro tiempo reunió el famoso ejército de la Grecia. Así marchaba todo esto, pero cuando algún dios se empeña en perjudicar, no puede evitarlo el hombre más poderoso. Al día siguiente se escenificaría la carrera de carrozas, competencia en la que también participó con otros muchos aurigas. Uno era aqueo, otro de Esparta; había dos libios, hábiles en el manejo de carrozas y caballos, y él entre éstos era el quinto, con sus yeguas de Tesalia. El sexto era de Etolia, con caballos castaños; el séptimo, un mancebo de Magnesia; el octavo, que tenía blancos caballos, era natural de Enia; el noveno era de Atenas, la fundada por los dioses, y el otro, que era de Beocia, ocupaba el décimo carro. Y al punto donde los jueces elegidos para el certamen, después de echar suertes, colocaron las carrozas, se lanzaron al sonar la broncínea trompeta: todos al unísono azuzando a sus caballos. En seguida se llenó toda la carrera de estruendo de las carrozas; se levanta una nube de polvo; y a la vez que todos, confundidos entre sí, no paraban de aguijonear para ver quién se adelantaba al carro del otro y a los relinchantes corceles, todos igual, par la espalda y las ruedas se llenaban de la espuma quc arrojaban los jadeantes caballos. Él, cuando llegaba a la meta, la rozaba ligeramente con el cubo, soltando las riendas al caballo de la derecha y reteniendo al de la izquierda. Hasta allí todos los carros se mantuvieron bien; pero luego, desbocados los caballos del mancebo de Enia, le arrastran a la fuerza, y volviéndose hacia atrás en el punto en que terminaban la sexta carrera e iban a empezar la séptima, tropiezan de frente con la carroza del libio, lo que originó que cada uno atropellase y embistiese al otro por ese solo accidente, y todo el campo ecuestre de Crisa se llenase de destrozos. Mas, dándose cuenta del caso, el hábil auriga ateniense tira hacia fuera y se para, dejando pasar el confuso tropel de carros y caballos por en medio de la arena. Venía Orestes el último, arreando sus caballos detrás de todos, pero con la esperanza en el fin; y cuando vio que ése solo había quedado, con sonoro grito que hizo repercutir en las orejas de los ligeros caballos, le persigue; y llegando a igualarse las cuadrigas, corrían, siendo ya ésta, ya aquélla, la que sacaba la cabeza por delante de la otra. Todas las demás carreras sin tropiezo las había recorrido el intrépido Orestes de pie en el pescante del carro; mas luego, al aflojar la rienda izquierda del caballo que doblaba, chocó sin darse cuenta en el borde de la meta. Se rompió el eje por la mitad, cayó el precitado del carro y se enredó con las correas de las riendas, y derribado él, los caballos se dispersaron por medio de la carrera. Toda la multitud apenas le vio caer dio un grito de dolor, llorando por el joven que, después de tantas hazañas, sucumbía a tal desgracia; pues le veían arrastrado por el suelo, levantando de vez en cuando sus piernas hacia el cielo, hasta que los aurigas, deteniendo con gran dificultad a los ágiles corceles, lo desenredaron tan ensangrentado, que ninguno de los amigos que lo veían podía reconocer aquel desfigurado cuerpo. En seguida fue quemado en la pira, y en una pequeña urna de bronce traen las cenizas de aquel gran héroe unos focenses a quienes se les ha mandado, para que reposen en la tierra paterna. Todo eso es lo que ha sucedido, si doloroso es para quien lo escucha, piensa cuán doloroso es para quienes lo vieron, como yo lo vi. Jamás en mi vida he visto algo semejante

CORO: ¡Huy, huy! De raíz se extingue toda la raza de los antiguos tiranos.

CLITEMNESTRA: ¡Oh Júpiter! ¿Qué diré de todo esto? ¿Debo alegrarme o entristecerme, aunque venga en mi provecho? Qué triste es que a cambio de mis propias desgracias salve yo mi vida.

EL AYO: ¿Por qué te desalientas tanto, ¡oh mujer!, por esta noticia?

CLITEMNESTRA: Terrible es parir; porque aunque odiada, no se puede odiar a los hijos.

EL AYO: Al parecer, inútil ha sido mi venida.

CLITEMNESTRA: Eso de ningún modo. ¿Cómo puedes decir que tu venida es inútil, si me traes noticias fidedignas de haber muerto el amado hijo que reposó en mi lecho, y apenas de mis pechos fue arrancado fugitivo y ya no me vio desde que salió de esta tierra, a pesar de que me acusaba de la muerte de su padre y me amenazaba con terrible venganza? Y eso de tal manera, que ni de día estar tranquila ni de noche dormir podía, porque pasaba días enteros asediada por la muerte. Pero ahora me veo ya libre del temor que me infundían ésta y aquél. Ésta era, pues, la mayor calamidad que en casa tenía, deseando siempre beberse hasta la última gota de mi sangre. Mas desde hoy ya libre de las amenazas de aquél, pasaré tranquilamente mis días.

ELECTRA: ¡Ay infeliz de mí! Ahora es cuando debo llorar, Orestes, tu desgracia; ¿está bien que aun en tu desgracia, te insulte la madre?

CLITEMNESTRA: Tú no; pero aquél, bien está como se encuentra.

ELECTRA: ¡Oye esto, Venganza divina del que acaba de morir!

CLITEMNESTRA: Oyó lo que debía y lo cumplió a la perfección.

ELECTRA: Insulta, que ahora ya eres dichosa.

CLITEMNESTRA: Dicha que no extinguirás ni tú ni Orestes.

ELECTRA: Nos hemos extinguido nosotros; de modo que no te podremos matar.

CLITEMNESTRA: Muchas mercedes alcanzarías de mí, ¡oh huésped!, si detuvieras a ésta en su locuaz charlatanería.

EL AYO: Una vez enterada, ¿me puedo ya marchar?

CLITEMNESTRA: Eso sí no, porque no sería digno de mi agrado, ni tampoco del amigo que te envía. Entra en palacio, y deja que ésta pregone aquí fuera su desgracia y la de sus amigos.

Entra Clitemnestra seguida del ayo.

ELECTRA: ¿Crees acaso que, apenada y dolorida, se va a llorar amargamente y plañir por el hijo muerto tan sin ventura? No, sino que lleva en la boca un gesto de sarcástica risa. ¡Ay desdichada de mí¡ ¡Oh, queridísimo Orestes, cómo me has matado con tu muerte! Con ella has arrancado de mi corazón la única esperanza que me quedaba, de que vendrías un día para vengar la muerte del padre y de esta infeliz. ¿A dónde iré ahora? Sola quedo en el mundo: sin ti y sin padre. Seguiré con esta vida de esclava. Entre estos odiosísimos asesinos de mi padre. ¡Pero está bien esto? En absoluto. Pues no debo vivir más tiempo con éstos, sino que arrimada a esta puerta, sola y sin amigos, acabaré mi vida, así, pues, máteme cualquiera de los que en esta casa viven, pues gran favor me harían, ¿y si quedara viva? ¡Qué desgracia! Para qué quiero ya la vida.

CORO: ¿Dónde se ocultan los rayos de Júpiter, dónde está el espléndido Sol?; si esto ven, ¿por qué permanecen tranquilos.

ELECTRA: ¡Ay, ay! ¡Ay, ay!

CORO: Niña, ¿por qué lloras?

ELECTRA: ¡Huy!

CORO: No grites tanto.

ELECTRA: Me estás matando.

CORO: ¿Cómo.

ELECTRA: Si quieres que reviva en mí la esperanza que tenía en éstos que tan manifiestamente se han ido ya al reino de Plutón, prolongas más la desesperada situación que me aflige.

CORO: Sé muy bien que el rey Anfiarao desapareció envuelto en áureos collares de mujer; y ahora en el infierno...

ELECTRA: ¡Ay, ay, ay!

CORO: ... Reina lleno de vida.

ELECTRA: ¡Ay!

CORO: ¡Ay, sí! Pues la pérfida...

ELECTRA: Fue castigada.

CORO: Sí.

ELECTRA: Lo sé, lo sé; pues apareció quien cuidaba de los afligidos. Pero para mí no hay nadie, porque el que había me ha sido arrebatado.

CORO: Eres muy desgraciada.

ELECTRA: Lo sé, lo sé hasta la saciedad, es un revoltillo de amargura la que he de vivir, entre congojas y terribles dolores.

CORO: Sabemos por qué lloras.

ELECTRA: No ya, no me quieras consolar cuando no...

CORO: ¿Qué dices.

ELECTRA: ... no tengo ya la protección de mi noble y querido hermano.

CORO: A todos los mortales alcanza la muerte.

ELECTRA: Pero, ¿acaso en certámenes de veloces corceles, así como aquel infeliz, enredado y arrastrado por las riendas?

CORO: Inaudita desgracia.

ELECTRA: ¡Cómo no, si en tierra extraña y sin mis cuidados...!

CORO: ¡Ay, ay!

ELECTRA: ¿Se le colocó en la urna sin darle sepultura ni ser llorado por nosotras?

Entra Crisótemis con rostro halagüeño.

CRISÓTEMIS: De alegría, querida hermana, vengo corriendo sin miramiento ninguno, para llegar pronto. Te traigo, pues, contento y descanso a los males que te afligían y tanto llorabas.

ELECTRA: ¿De dónde sacarás alivio para mis males, si ya no tienen remedio?

CRISÓTEMIS: Está Orestes con nosotras. Créeme, y tan cierto como que me estás viendo.

ELECTRA: ¡Ay, infeliz! ¿Estás loca, y en tu locura te burlas de mis desgracias y de las tuyas?

CRISÓTEMIS: ¡No, por el hogar paterno! No me burlo, sino que... él está entre nosotras.

ELECTRA: ¡Pobre de mí! ¿Y de quién has oído eso que tan firmemente crees?

CRISÓTEMIS: Yo, de mí misma y de ningún otro; porque he visto las evidencias de ello.

ELECTRA: ¿Qué evidencias son ésas, infeliz? ¿Qué es lo que has visto para encenderte en ese incurable delirio?

CRISÓTEMIS: Por los dioses, escúchame, y cuando sepas todo juzgarás si soy necia o estoy loca.

ELECTRA: Pues habla, si es eso lo que deseas.

CRISÓTEMIS: Te voy a decir, pues, cuanto he visto. Acababa de llegar al venerable sepulcro de nuestro padre, vi dos regueros de leche recién vertida desde lo alto del túmulo, y la tumba ceñida por una guirnalda de flores de diferentes clases. Al verlo esto me quedé azorada, y observé en mi derredor, temerosa de que alguien se me presentara delante. Mas vi que todo estaba en completo silencio, me aproximé a la tumba y observé, en un extremo del sepulcro, un rizo de cabello recién cortado. Cuando lo vi, ¡ay de mí!, se me representó en el alma una cara conocida que no me dejaba dudar que era la de nuestro queridísimo Orestes. Cogí el rizo y, teniéndolo en mis manos, no pronuncié palabra alguna de mal agüero, sino que de alegría se me inundaron los ojos de lágrimas. Y ahora, lo mismo que entonces, afirmo que esta ofrenda no puede proceder de otro sino de él. Si no, ¿a quién más interesa esto, fuera de nosotras dos? Yo no lo he hecho, bien lo sé, y tú, tampoco. ¿Cómo, si ni siquiera puedes salir de casa, aunque sea a implorar a los dioses, sin que tengas que llorar por ello? Tampoco puede ser de la madre, porque ni desea hacer tales cosas, ni si las hiciera las ocultaría. Entonces, sin duda, son de Orestes estas ofrendas; alégrate, querida. No siempre es una misma la suerte para los mortales. La nuestra hasta ahora ha sido muy deplorable; pero ya el día de hoy se nos ofrece como garantía de muchas prosperidades.

ELECTRA: ¡Ay! Ya hace rato que te compadezco por tu locura.

CRISÓTEMIS: ¿Es que no te alegra lo que te digo?

ELECTRA: Ni tienes conciencia de lo que te pasa, ni tampoco de lo que dices.

CRISÓTEMIS: ¿Qué no tengo conciencia de lo que he visto?

ELECTRA: ¡Ha muerto, infeliz! Todos tus regocijos son vanos, no esperes nada de él.

CRISÓTEMIS: ¡Infeliz de mí! ¿De quién lo sabes?

ELECTRA: De alguien que junto a él estaba cuando murió.

CRISÓTEMIS: ¿Y dónde está? Llena estoy de asombro.

ELECTRA: En casa; pues la noticia ha sido grata a la madre.

CRISÓTEMIS: ¡Ay infeliz de mí! ¿De quién, pues, serán las ricas ofrendas que vi en el sepulcro del padre?

ELECTRA: Yo creo que son de alguien que las ha puesto allí como recuerdo de Orestes.

CRISÓTEMIS: ¡Ay, que desdichada soy! Yo, que llena de regocijo vine corriendo con tales noticias, ignorando la terrible desgracia en que nos hallamos, y que ahora, al llegar, veo que aquello que creía gozo se ha convertido en llanto.

ELECTRA: Eso es lo que hay, pero si me crees te liberarás del peso del dolor que ahora te aflige.

CRISÓTEMIS: ¿Acaso soy quien puede resucitar a los muertos?

ELECTRA: No es eso lo que digo, no soy tan necia.

CRISÓTEMIS: Entonces qué mandas, ¿en qué puedo ayudarte?

ELECTRA: ¡Osada sé! Yo voy a proponerlo.

CRISÓTEMIS: Si nos ha de ser útil, no lo rehúyo.

ELECTRA: Piensa que sin dolor ningún bien se alcanza.

CRISÓTEMIS: Lo sé. Te ayudaré en todo lo que pueda.

ELECTRA: Ahora escucha lo que he decidido hacer. Bien sabes que no tenemos amigos, que ya nadie nos ampara, pues Plutón nos ha privado de todos los seres queridos y hemos quedado solas. Yo, mientras sabía que nuestro hermano vivía lleno de salud, tenía esperanza de que vendría alguna vez a vengar la muerte de mi padre. Puesto que ya ha muerto, en ti deposito mi esperanza, para que te asocies con esta hermana tuya y matemos a Egisto, el asesino de nuestro padre. Es preciso que te hable con toda claridad. ¿Cómo puedes ser indiferente, esperando que alguien venga a mejorar nuestra situación? No te queda más que llorar sin esperanza de lograr el goce de los bienes de nuestro padre, y llorar toda tu vida llegando a viejas sin casarte y sin conocer el amor. Y no esperes que venga alguien a sacarte de esta situación: Egisto no es tan tonto para permitir que nos casemos, lo que sería su ruina. Pero si apoyas mi decisión, obtendrás en primer lugar el piadoso agradecimiento que desde el infierno te enviarán nuestro padre y hermano, y en segundo, serás libre en lo sucesivo, como naciste, y alcanzarás digno casamiento; porque todo el mundo se complace en donde ve la virtud. Además, ¿no consideras cuántas serán las alabanzas que de ti y de mí pregonará la fama, si me obedeces? Qué ciudadano o extranjero, al vernos, no tendrá a gran honra el alabarnos con expresiones como éstas: "Miren, amigos, a esas dos hermanas, que salvaron de la ignominia la casa de su padre, y a los enemigos, que felices vivían, los mataron sin perdonarles la vida. Éstas son dignas de amor y de respeto; a ellas, en todas las fiestas y reuniones públicas, es preciso que todo el mundo rinda honores por su valiente entereza." Así se expresarán de nosotras todos los mortales, en nuestra vida y después de muertas; de suerte que nuestra gloria nunca perecerá. Créeme, pues, querida; compadécete del padre, únete a la desgracia de tu hermano, haz que yo me vea libre de mis penas y líbrate tú también, sabiendo que nacimos nobles y vivimos como esclavas.

Coro: En estas circunstancias la prudencia es el mejor aliado para el que aconseja y para el aconsejado.

Crisótemis: ¡Oh mujeres!, si ésta no se dejara llevar de locas resoluciones, habría tomado antes de hablar toda suerte de precauciones, cosa que no ha hecho. ¿En dónde ves ese valor con que tú te preparas para la lucha y me llamas para que te ayude? ¿No reflexionas? Eres mujer y no hombre; y tu mano es más débil que la de los contrarios. La suerte, además, les es más propicia cada día, mientras nos abandona a nosotras, y en nada nos ayuda. ¿Quién, pues, al intentar matar a ese hombre, escapará sin castigo? Mira que a los males presentes se agregarán otros mayores, si alguien oye nuestra conversación ni nos salva ni mejora nuestra suerte, el tomar ahora una buena resolución y morir luego ignominiosamente. Y no es morir lo que más asusta, sino el que, cuando uno quiera morir, no pueda alcanzar la muerte. Es preferible, pues, que antes de que toda nuestra raza y también nosotras perezcamos afrentosamente, refrenes tu ira. Lo que me acabas de decir lo guardaré en mi pecho, como si nada hubieras dicho ni imaginado; y aprende a ser prudente, si no ahora, con el tiempo, ya que no puedes de ningún modo ceder ante los más fuertes.

Coro: Créele; que nada es más provechoso para el hombre que la prudencia y un sabio consejo.

Electra: Ya adivinaba tu respuesta; bien sabía que desaprobarías lo que te propusiera; pero yo sola, con mi propia mano he de llevar a cabo esta tarea; suceda lo que suceda, no la dejaré de cumplir.

Crisótemis: Ah, ojalá hubieras tenido esta fuerza cuando mataron a nuestro padre; que entonces todo lo habrías realizado.

Electra: Pues la tenía por instinto; pero mi experiencia no era tanta como ahora.

Crisótemis: Si tal eres, procura conservar siempre tu carácter.

Electra: Eso significa que no piensas ayudarme, por ello me aconsejas eso.

Crisótemis: Es natural que quien mal concibe una cosa, mal la lleve a cabo.

Electra: Te envidio por tu sensatez, mas me da asco tu cobardía.

Crisótemis: Yo aguantaré lo que me digas hasta que me alabes.

Electra: Pues nunca recibirás alabanzas mías.

Crisótemis: Aún queda mucho tiempo para decidir esto.

Electra: Vete, que en nada me has ayudado.

Crisótemis: La tienes, pero no quieres escucharme.

Electra: Márchate y cuéntale todo eso a la madre.

Crisótemis: No llega a tanto el odio que te tengo.

Electra: Pues debes saber la deshonra en que me dejas.

Crisótemis: Ninguna deshonra, sino cuidadosa previsión por ti.

Electra: ¿Es que yo me he de dejar llevar por tu juicio?

Crisótemis: Cuando el tuyo sea razonable, nos dirigirá a las dos.

Electra: En verdad es terrible que, hablando bien, procedas mal.

Crisótemis: Has expuesto muy bien el defecto en que tú misma incurres.

Electra: ¿Cuál? ¿No crees que soy justa en todo lo que digo?

Crisótemis: Pero en ocasiones la propia justicia acarrea perjuicio.

Electra: Donde rijan esas leyes no deseo yo vivir.

Crisótemis: Pero si haces eso, luego me darás la razón.

Electra: Y de seguro lo haré, sin que me lo impida tu temor.

Crisótemis: ¿De veras? ¿No reflexionarás de nuevo?

Electra: No hay cosa peor que un mal consejo.

Crisótemis: Te muestras reacia a todas mis advertencias.

Electra: Tiempo ha que he decidido no hacerlo; no es de ahora.

Crisótemis: Me voy, entonces, porque ni tú seguirás mis consejos, ni yo aplaudiré tu decisión.

Electra: Vete, que nunca te buscaré, aunque muchos deseos tuvieras de ello; la mayor locura es perseguir lo imposible.

Crisótemis: Pues si crees que sólo tus consejos son acertados, síguelos, que cuando te veas en aprietos alabarás mis advertencias.

Coro: ¿Por qué a las aves voladoras que nos dan presagio y vemos preocuparse del sustento de los polluelos que han engendrado y en quienes encuentran cariño, no las hemos de imitar en todo? Pero ni el rayo de Júpiter ni la celestial Justicia dejarán impune esto por mucho tiempo. ¡Oh, fama pregonera entre los mortales!, has que resuene y lastime la voz en el infierno entre los átridas, llevándoles la mala noticia de que su casa se encuentra ya en inminente ruina, y de que la discorde querella suscitada entre sus dos hijas no las concilia en amistosa convivencia. Abandonada y sola se revuelve Electra, llorando siempre a su padre y afligida como émula del ruiseñor, que vive en perpetuo lamento, sin hacer caso de la vida y predispuesta a morir tomando doble venganza. ¿Qué hija ha nacido tan noble como ésta? Ningún hombre de honor, aunque viva en la miseria soporta que estropeen su fama y le quiten la honra, ¡Oh, niña, niña! Tú también, tú has preferido una vida oscura y llena de dolor, armándote contra la ignominia, y alcanzando con una sola determinación dos timbres de gloria: es ser llamada sabia y excelente hija. Ojalá por mí vivas superando en poder y riqueza a tus enemigos, tanto como ahora bajo su mano estás oprimida; porque te veo efectivamente en desdichada suerte vivir; pero entre las más grandes instituciones que hay, tú guardas respeto a la más excelsa por tu piedad de hija.

Llegan Orestes y Pílades con dos criados,
uno de ellos con una urna en la mano.

Orestes: ¿Acaso, mujeres, me informaron bien y voy por el camino que deseo ir?

Coro: ¿Qué quieres saber y cuáles son tus deseos?

Orestes: Dónde vive Egisto voy preguntando desde hace rato.

Coro: Bien te han guiado, sin que tengas que reprochar nada al que te ha dado las señas.

Orestes: ¿Quién de ustedes anuncia a la familia mi llegada, que esperan, y la de mi compañero?

Coro: Ésta (señalan a Electra), si es justo que dé la noticia el más allegado.

Orestes: Anda, mujer; entra y anúnciales que unos focenses buscan a Egisto.

Electra: ¡Pobre de mí! ¿Acaso traen pruebas evidentes de la noticia que nos han dado?

Orestes: Ignoro a qué noticia te refieres. El asunto es que me envía el anciano Estrofio con nuevas acerca de Orestes.

Electra: ¿Qué nuevas, extranjero? ¡Cómo me domina el pavor!

Orestes: Venimos con esta pequeña urna, en la que, como ves, traemos los restos del desdichado, que ha muerto.

Electra:

¡Ay, infeliz de mí! Al fin resultó cierto aquello; ante mí misma, a lo que parece, veo mi desgracia.

Orestes: Si tanto lloras la muerte de Orestes, sabe que esta urna contiene su cuerpo.

Electra: ¡Ay, extranjero! Permite por los dioses si esta urna contiene el cuerpo de aquél, que la tome en mis manos, llore sobre estas cenizas y lamente mi infortunio y el de toda mi raza.

Orestes: Toma y entrégala, quienquiera que seas; pues nunca pide tales cosas un enemigo, sino un amigo o un pariente.

Electra, al recibir la urna que le entregan los esclavos, la aprisiona contra su corazón y dice.

Electra: ¡Oh, postrer recuerdo de mi queridísimo Orestes! ¡Cómo te recibo con esperanzas bien diferentes de las que tenía cuando te envié! Porque ahora, cuando ya nada eres, te tengo en mis manos; y de casa, ¡ay, hijo mío!, te envié lleno de salud. Debía haberme abandonado la vida antes de enviarte a tierra extraña, librándote con mis manos y salvándote de la muerte; así, muerto en aquel día, reposarías junto con el padre en la misma tumba. Mas ahora, fuera de casa y como desterrado, en extraña tierra has muerto de mala manera sin los cuidados de tu hermana. Ni tuve en desgracia el consuelo de lavar tu cuerpo con mis tersas manos, ni de recoger, como era natural, del extinguido fuego tus infortunados restos; sino que extrañas manos te han cuidado hasta quedar reducido a esta pequeña masa en esta pequeña urna. ¡Infeliz de mí! Cuán inútil ha sido todo el esmero con que te asistí, sin apartarme de tu lado en las dulces fatigas que por ello pasé. Nunca fuiste de la madre más querido que de mí; ni te cuidaba otro de casa, sino yo; yo, tu hermana te acariciaba siempre; pero ya todo ha desaparecido en un día con tu muerte. Has pasado como un huracán, arrebatando todas mis esperanzas; no vive el padre; yo muerta quedo contigo; tú mismo desapareces arrebatado por la muerte; se ríen nuestro enemigos; está loca de placer nuestra indigna madre, en quien tú, por las frecuentes noticias que secretamente me enviabas, debías vengar, al venir, el asesinato del padre; mas todo esto se lo ha llevado tu fatal sino y también el mío, el cual me envía, en cambio de tu querida persona, estas cenizas y sombra inútil. ¡Ay de mí! ¡Oh tristes reliquias! ¡Ay, ay! ¡Oh queridísimo, lanzado ya por los terribles,! ¡Ay, ay, caminos del infierno! ¡Cómo me has aniquilado, me has matado, querido hermano! Acéptame, pues, en esta misma urna, para que, unida quien nada es con quien ya no existe, viva contigo en adelante en los infiernos. Y puesto que mientras vivías en el mundo compartíamos una misma suerte, deseo ahora morir para participar de tu sepultura; pues los nuestros, según veo, ningún sufrimiento tienen.

Coro: Recapacita, Electra: de padre mortal naciste, pues mortal era Orestes, por lo tanto consuélate. A todos nos espera la misma suerte.

Orestes: ¡Ay, ay! ¡Hablaré! ¡En qué situación me he envuelto! No puedo ya contener mis deseos de hablar.

Electra: ¿Qué? ¿Tienes pena? ¿Por qué dices eso?

Orestes: ¿Acaso esta hermosa figura es la de Electra?

Electra: La misma soy, pero muy digna de lástima.

Orestes: Cuánto lamento tu desgracia.

Electra: ¿Es que te compadeces de mi desdicha, extranjero?

Orestes: ¿Oh hermosura, impía y perversamente ajada?

Electra: Estoy segura de que por mí, no por otra, dices estas palabras de compasión, extranjero.

Orestes: ¡Ay de tu vida desdichada y sin casarte!

Electra: ¿Por qué, extranjero, me miras tanto y te compadeces?

Orestes: Porque no sabía ninguna de mis desgracias.

Electra: ¿Qué te he dicho yo, que tal cosa infieres?

Orestes: Me basta verte sumida en tanta desdicha.

Electra: Pues en verdad que poco has visto de mi infortunio.

Orestes: ¿Y cómo es posible ver mayor desgracia que la que veo?

Electra: Pues conviviendo con los asesinos.

Orestes: ¿Asesinos de quién? ¿De dónde deriva tanta maldad?

Electra: Asesinos de mi padre, que violentamente me tienen esclavizada.

Orestes: ¿Y quién te obliga a vivir en esa esclavitud?

Electra: Madre se llama, pero en nada lo es.

Orestes: ¿Qué hace? ¿Te maltrata de obra o de palabra?

Electra: De obra, de palabra y con toda clase de maltratos.

Orestes: ¿Y no hay quien te ampare ni te defienda?

Electra: No; hubo uno, que tú me lo traes ahora convertido en cenizas.

Orestes: ¡Ay desdichada! ¡Cómo te compadezco más al mirarte!

Electra: Debes saber que eres el único mortal que de mí se compadece.

Orestes: Claro, soy el único que comparte tus desgracias contigo.

Electra: ¿Eres acaso pariente mío que llegas de otro lugar?

Orestes: Te lo diría si éstas tienen buena voluntad.

Electra: La tienen; de modo que hablas entre fieles amigos.

Orestes: Suelta, pues, esa urna para enterarte de todo.

Electra: Eso no, por los dioses; no me obligues a hacerlo, extranjero.
Orestes: Obedece a quien te habla, que no errarás.
Electra: No, te lo imploro; no me quites estas queridísimas reliquias.
Orestes: No te las dejo.
Electra: ¡Ay, qué infeliz soy por ti, Orestes, si no he de sepultarte!
Orestes: Habla con alegría, porque lloras sin razón.
Electra: ¿Sin razón lloro a un hermano muerto?
Orestes: No repitas esas palabras.
Electra: ¿Tan indigna soy del muerto.
Orestes: ¿Indigna?, en absoluto; pero esto no es tuyo.
Electra: Pero si en las manos tengo el cuerpo de Orestes.
Orestes: Ese cuerpo no es de Orestes, más que de palabra.
Electra: ¿Dónde está, pues, la tumba de aquel infortunado?
Orestes: En ninguna parte, pues quien vive no está en la tumba.
Electra: ¿Qué dices, hijo?
Orestes: Sólo digo la verdad.
Electra: ¿Es cierto que vive?
Orestes: Por supuesto, ¿no estoy yo vivo.
Electra: ¿Acaso eres tú?
Orestes: Fíjate en la marca que en la piel me hizo el padre, y sabrás si digo la verdad.

Examina la marca Electra y se echa a los brazos de Orestes.

Electra: ¡Oh qué día tan feliz!
Orestes: Muy feliz, lo confieso.
Electra: ¡Oh estrella de mi vida! ¿Estás aquí?
Orestes: No es necesario que lo preguntes a otro.
Electra: ¿Te tengo en mis manos?
Orestes: Como me tendrás en adelante.
Electra: ¡Oh, queridísimas amigas! ¡Oh ciudadanas! Miren a Orestes, con astucia lo mataron e ingeniosamente vivo.
Coro: Lo vemos, hija, y por ello lágrimas de alegría brotan de nuestros ojos.
Electra: ¡Oh retoño, retoño de mi queridísimo padre, has llegado, estás aquí, viniste, has visto a quien deseabas!
Orestes: Aquí estoy; pero calla y espera.
Electra: ¿Qué hay?
Orestes: Es mejor callar, no nos vayan a oír.
Electra: Pues por Diana, la siempre indomable, ya nunca temeré la abominable pesadumbre que siempre tenía de las mujeres de casa.
Orestes: Mira que entre las mujeres también suele haber guerra; lo sabes por experiencia.

ELECTRA: ¡Ah, ah, ah, ah, ah! Descorres el velo de mi memoria. Lo sé y recuerdo nuestra inolvidable desgracia, cual fue la nuestra.

ORESTES: Lo sé, hermana, pero cuando la oportunidad lo requiere, conviene recordar todas esas cosas.

ELECTRA: Todo el tiempo pasado, todo, si lo tuviera presente, lo necesitaría para lamentar como se debe esas cosas, pues apenas tengo hoy libre la lengua.

ORESTES: Estoy de acuerdo, pero esfuérzate por refrenarla.

ELECTRA: ¿Qué he de hacer.

ORESTES: No hablar más de lo necesario.

ELECTRA: ¿Quién, pues, habiendo tú venido, querrá callar en vez de hablar, cuando sin pensarlo y contra lo que esperaba te estoy viendo ahora?

ORESTES: Me ves cuando los dioses me han obligado a venir...

(*laguna en el texto*)

ELECTRA: Una noticia mucho más grata que la anterior me has dado, si es que en efecto el dios te hizo venir a casa; pues advierto en todo esto algo divino.

ORESTES: Por una parte temo refrenar tu alegría, y siento por otra ver que te dejas arrebatar por el gozo.

ELECTRA: ¡Ah!, ya que tras largo tiempo te has decidido a este anhelado viaje para mostrarte en mi presencia, no quieras, cuando tan llena me ves de aflicción.

ORESTES: ¿Qué quieres que haga?

ELECTRA: No privarme del placer de contemplar tu bello rostro.

ORESTES: Por supuesto que no, y me enojaría si otros intentaran privarte.

ELECTRA: ¿Estás de acuerdo conmigo?

ORESTES: Claro que sí.

ELECTRA: ¡Oh, amigas! Escuché la voz que nunca esperaba oír; ni creía tampoco en mi desdicha, que hubiera podido contener, ni en silencio ni a gritos, el estallido de mis sentimientos al oírla; pero ya te tengo, estás ante mí: apareciste con esa hermosísima cara que yo ni en mis desgracias he olvidado.

ORESTES: Déjate ahora de vanos lamentos, pues salen sobrando; no me digas si la madre es mala, ni si Egisto derrocha nuestro patrimonio, ya habrá tiempo para ello. Lo que conviene hacer ahora es lo que me has de decir: dónde me oculto o dónde me presento para lograr con mi venida que los enemigos dejen de reír. Procura también que la madre no sospeche por la alegría de tu rostro que yo estoy de nuevo aquí en casa, sino que lamentando, aunque sea falsamente, tu desgracia, llora como antes; que cuando triunfemos ya nos regocijaremos y reiremos sin temor a nada.

ELECTRA: Hermano, lo que tú decidas está bien para mí; porque la alegría que tengo, de ti la he recibido, que yo no la tenía; ni me gustaría darte el más leve pesar, por mucha que fuera la utilidad que me reportara, pues no te ayudaría debidamente en este favorable trance; pero ya sabes lo de aquí. ¿Cómo no? Has oído que Egisto está ausente y en casa está la madre sola, la que no temas que vea nunca mi cara regocijada de alegría, pues antiguo odio se ha infiltrado en mí, y desde que te veo no sé si derramar lágrimas de alegría. ¿Y cómo no he de llorar, si en un mismo día te he visto muerto y vivo? Haz hecho cosas increíbles, que si mi padre volviera de la tumba, no lo creería, sino que daría fe a mis ojos. Y puesto que has viajado por mí, inicia tu deseo, que yo, si sola me hubiera quedado, no habría escapado de una de estas dos cosas: o me habría salvado con honra, o con honra habría muerto.

ORESTES: ¡Silencio! Escucho pasos de alguien que sale.

Se abre la puerta. Electra cambia de rostro y habla con Orestes y Pílades en forma seria.

ELECTRA: Adelante, extranjeros, ya que son portadores de lo que en esta casa nadie rechazará ni recibirá con alegría.

EL AYO: ¡Ah tontos!, que han perdido por completo el juicio, cuando no se dan cuenta de que están ante un peligro futuro, envueltos por doquier en uno de los más terribles trances. Pues si no estuviera de guardia en estas puertas, hubiera llegado la trama de sus planes a palacio, mas yo pude preverlo. Déjense ya de tan largos discursos, y de esa conversación que la alegría hace interminable, y entren, porque el esperar es un mal en tales circunstancias, y en salir pronto de ellas, lo mejor.

ORESTES: ¿Cómo están las cosas allá dentro? ¿Al entrar, estaré seguro?

EL AYO: Bien; está de modo que nadie te conocerá.

ORESTES: ¿Dijiste, me imagino, que había muerto?

EL AYO: Todos creen que ya estás muerto.

ORESTES: ¿Y se alegran de ello, o qué dicen?

EL AYO: Ya te lo diré; pues tal como ahora están las cosas, lo de ellos todo va bien, incluso lo que no está bien.

ELECTRA: Por los dioses, hermano, ¿quién es este hombre?

ORESTES: ¿No lo conoces?

ELECTRA: Ni idea tengo de quién será.

ORESTES: ¿No conoces al criado en cuyas manos me entregaste?

ELECTRA: ¿A quién? ¿Qué dices?

ORESTES: Al hombre que por indicaciones tuyas, me llevó en brazos a tierra de Focia.

ELECTRA: ¿Aquél es éste, el único a quien entre muchos hallé fiel cuando mataron a mi padre?

ORESTES: Éste es. No me preguntes ya más.

ELECTRA: ¡Oh queridísimo día, luz de mis ojos, único salvador de la casa de Agamenón! ¿Cómo has venido? ¿Eres tú aquél que a éste y a mí nos protegió de tantos males? ¡Oh queridísimas manos!, y pudiendo valerte de esos pies, ¿cómo es posible que por tanto tiempo te olvidaste de mí y ni siquiera te dejaste ver, sino que con tus razones me matabas, siendo el poseedor de mi más dulce bien? Salve, padre; pues creo ver en ti a mi padre, salve. Quiero que sepas que eres el hombre a quien más he odiado y estimado en un mismo día.

EL AYO: Electra, creo que ya hemos hablado demasiado. Las noches y los días transcurren sin cesar, y tiempo habrá para describirte con detalle todo lo demás. Les repito a ambos a la vez que ésta es la ocasión: Clitemnestra está sola, no hay ningún hombre en casa; si esperan, piensen que contra ellos y otros más sagaces tendrán que luchar.

ORESTES: No necesitamos ya de largos discursos, Pílades, sin demorarnos tanto metámonos en seguida, después de postrarnos ante las estatuas de los dioses paternos que en estos atrios residen.

Entran al palacio el ayo, Orestes y Pílades.

ELECTRA: Rey Apolo, escúchales atento y también a mí, que siempre he ofrecido ante tu altar los dones a mi alcance. Ahora, ¡oh Licio Apolo!, prosternada te pido ante ti que nos ayudes con tu bondad y nos auxilies para llevar a buen término nuestros planes; y muestres a los hombres cómo castigan los dioses la maldad.

Se mete al palacio.

CORO: Mira cómo avanza el furibundo Marte exhalando venganza y muerte. Ya se hallan bajo el techo del palacio las inevitables Furias vengadoras de abominables crímenes. No tardará, pues, en cumplirse el ensueño que tiene en suspenso mi decisión. Dolosa ayuda infernal les introduce en palacio, antigua y rica residencia de su padre, llevando en sus manos la sangre del recién aguzado filo. Mercurio, el hijo de Maya, los guía furtivamente en su loco furor, llevándolos ocultos hasta el momento de perpetrar el crimen, y nada ya los detiene.

ELECTRA: Amadas mujeres, los hombres se aprestan a sus empresas. Esperad, pues, en silencio.

Coro: ¿Cómo? ¿Qué hacen ahora?
Electra: Ella prepara un sitio para la urna; ellos ya se les acercan.
Coro: Y tú, ¿por qué te saliste?
Electra: Para cuidar que no entre Egisto, no sea que nos sorprenda.
Clitemnestra: ¡Ay, ay! ¡Oh casas sin amigos, llena de criminales!
Electra: Alguien grita dentro. ¿No oyen, amigas?
Coro: Oímos, pobre de nosotras, gritos horrendos que nos aterrorizan.
Clitemnestra: ¡Ay, qué desdichada soy! ¡Egisto!, ¿dónde estás?
Electra: Escuchen, de nuevo los lamentos.
Clitemnestra: ¡Ay hijo, hijo! Apiádate de la que te dio el ser.
Electra: Ah, ¿y te compadeciste tú de éste y del padre que lo engendró?
Coro: ¡Oh ciudad! ¡Oh raza desdichada! En este momento te arruina la Parca.
Clitemnestra: ¡Ay de mí! Me han herido.
Electra: Si puedes, dale otro golpe.
Clitemnestra: ¡Ay, ay! ¿Otro?
Electra: ¡Ojalá corra la misma suerte Egisto!

Aparecen Orestes y Pílades en la puerta del palacio, con sus dagas chorreando sangre.

Coro: Han llegado a su fin las maldiciones. Vivos están ya los que bajo tierra yacen. Refluyendo la sangre derramada, hace brotar la de los asesinos, vertida por las victimas que realmente están presenciando el asesinato. Sus manos ensangrentadas destilan gotas de la víctima ofrecida a Marte. Nada tengo que reprochar.
Electra: Orestes, ¿cómo estás?
Orestes: Todo marcha bien en palacio si el oráculo de Apolo no nos engañó.
Electra: ¿Ha muerto la infeliz?
Orestes: No temas ya. No volverá a humillarte la soberbia de una madre.
Coro: Silencio, que ya se acerca Egisto.
Electra: ¡Oh hijas! ¿No van a entrar?
Orestes: ¿Dónde ven a ese hombre?
Electra: Hacia nosotros viene directo desde el arrabal...
Coro: Retírense al vestíbulo cuanto antes, y que ahora tengan buen éxito como antes.
Orestes: ¡Animo! Que así será.
Electra: Date prisa, pues.
Orestes: Ya me retiro.
Electra: Lo de afuera déjalo a mi cuidado.

Salen Orestes y Pílades.

CORO: ¿No sería bueno decir a este hombre algunas palabras que lo reconforten y hagan menos difícil la prueba que le acecha? ¿O hacer que él mismo caiga en la trampa que le han preparado? Quien obra es la Justicia. ¡Ésta es su hora!

Llega Egisto.

EGISTO: ¿Saben ustedes dónde están los extranjeros de Fócida que, según dicen, nos han traído la noticia de que Orestes ha muerto en los certámenes ecuestres? A ti, a ti lo pregunto; a ti, sí, que tan altiva te mostrabas antes. ¿Qué sabes? ¡Dilo!, porque tú eres la más interesada.

ELECTRA: Bien lo sé. ¿Cómo no? ¿Podría ignorar la desgracia de mis seres amados.

EGISTO: ¿Dónde, pues, están los extranjeros? Dímelo.

ELECTRA: Dentro, pues han sido bien recibidos por la reina.

EGISTO: ¿Y dan su muerte como cierta?

ELECTRA: No sólo eso, sino que traen pruebas de ello.

EGISTO: ¿Podemos verlas, de modo que estemos plenamente seguros?

ELECTRA: Por supuesto, y en verdad que es espectáculo triste.

EGISTO: Contra tu costumbre, en verdad me das razones para alegrarme.

ELECTRA: Puedes alegrarte si en verdad te son gratas estas noticias.

EGISTO: Entonces calla. Que las puertas se abran a todos los habitantes de Micenas y de Argos para que lo vean, porque si alguno de ellos albergaba todavía vanas esperanzas acerca del regreso de ese hombre, ahora al ver su cadáver, aceptarán mis órdenes y obrarán con sensatez, sin necesidad de imponerles el castigo.

ELECTRA: Por parte mía, todo eso se cumplirá; pues el tiempo me ha enseñado a condescender con los más poderosos.

Se abre la puerta y Orestes y Pílades salen llevando un cadáver en una camilla, cubierto con un lienzo.

EGISTO: ¡Oh Júpiter! Estoy viendo un espectáculo que no puede ser sino obra de algún dios; pero si sobre él viene venganza, nada digo. Descorre el velo de su rostro, para que pueda rendir mis lamentos a un pariente.

ORESTES: Descórrelo tú; que no soy yo, sino tú, quien ha de contemplar estas reliquias y saludarlas con afecto.

EGISTO: Bien me lo dices, y te obedeceré; pero tú, Electra, ve si Clitemnestra está en casa, y llámala.

ORESTES: Hela ahí; no la busques más.

EGISTO: ¡Ay de mí! ¿Qué veo?

ORESTES: ¿De qué te asustas? ¿No la conoces?

EGISTO: ¡Ay infeliz de mí! ¿En qué manos, en qué lazos he caído? ¡Ay, miserable de mí!

ORESTES: ¿No te has percatado de que estás hablando con vivos, creyéndolos muertos?

EGISTO: ¡Ay!, comprendo lo que dices. Orestes mismo me está hablando, ¿quién otro?

ORESTES: ¿Y siendo tan buen adivino has tardado tanto en comprenderlo?

EGISTO: ¡Perdido estoy! ¡Pobre de mí! Permíteme al menos algunas palabras.

ELECTRA: No le dejes hablar, por los dioses, hermano, ni continuar la conversación. ¿Pues qué beneficios puede esperar de unos momentos el hombre que, debiendo irremediablemente morir, se halla ya en el último trance? Mátalo, pues, y arroja su cadáver a los sepultureros; que natural es que vaya a parar a sus manos y lo alejen de nosotros; que para mí éste es el único consuelo de los males que tanto tiempo vengo sufriendo.

ORESTES: Entra, date prisa. No es tiempo de discutir, sino de luchar por la vida.

EGISTO: ¿Por qué me llevas dentro? Si tu acción es buena, ¿por qué buscas la oscuridad y no me matas aquí mismo?

ORESTES: Tú no tienes por qué mandarme. Colócate en el mismo sitio donde mataste a mi padre, para que allí mueras.

EGISTO: ¿Es preciso que este palacio atestigüe los males presentes y futuros de los Pelópidas?

ORESTES: Al menos lo será de tu muerte. En esto soy mejor adivino que tú.

EGISTO: Pues te jactas de un arte que no poseía tu padre.

ORESTES: Hablas mucho y poco avanzas; ¡vamos!, ¡de prisa!

EGISTO: Sírveme de guía.

ORESTES: Marcha delante.

EGISTO: ¿Temes que escape?

ORESTES: No; lo que pretendo es que mueras sin ningún consuelo. Es preciso que te reserve esta última amargura. Tal debía ser el castigo de todo el que se atreva a ir contra las leyes: la muerte inmediata; así no abundaría el número de criminales.

Empuja a Egisto y entran todos en pos de él. Queda solo el coro.

CORO: ¡Oh raza de Atreo! ¡Cuántos males has sufrido, hasta que, por fin, con el acontecimiento de hoy obtienes la victoria final!

Índice

Esta obra se imprimió en los talleres de Ediciones Leyenda,
Ciudad Universitaria 11, Colonia Metropolitana,
2a. Sección, Ciudad Nezahualcóyotl, Estado de México.
C.P. 57730